LIBER
ANDATORUM
DEI
Quid incorde meo
porie destruel nulla
vis, potentia nulla

IOANNI
PIO. LIBERALI. AVGVSTO
PATRI. PATRIÆ
MAXIMO. HVIVS. ÆVI. ORNAMENTO
REGIBVS. OMNIBVS. TANQVAM. EXEMPLAR
DEO. FAVENTE. CONSTITVTO
IN. QVO. NON. LVSITANIÆ. MODO
SED. EXTERARVM. GENTIVM
DIFFICILLIMIS. HISCE. TEMPORIBVS
SPES. POSITA
POPVLVS. LVSITANVS
IN. DESIDERII. GRATIQVE. ANIMI
TESTIMONIVM
HOC. MONVMENTVM
C
A. D. MDCCCX
HOC · SIGNO · VINCES

HISTÓRIA DO BRASIL NAÇÃO: 1808–2010
DIREÇÃO **LILIA MORITZ SCHWARCZ**

ALBERTO DA COSTA E SILVA POPULAÇÃO E SOCIEDADE

LÚCIA BASTOS PEREIRA DAS NEVES A VIDA POLÍTICA

RUBENS RICUPERO O BRASIL NO MUNDO

JORGE CALDEIRA O PROCESSO ECONÔMICO

LILIA MORITZ SCHWARCZ CULTURA

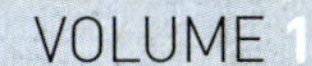

CRISE COLONIAL E INDEPENDÊNCIA
1808–1830

COORDENAÇÃO

ALBERTO DA COSTA E SILVA

AO LADO
Detalhe da imagem da página 47

CAPA E GUARDA
Jean-Baptiste Debret
Coroação de d. Pedro I, 1828
Óleo sobre tela, 38 × 63,6 cm
Palácio Itamaraty, Brasília
Acervo do Ministério das Relações
Exteriores do Brasil

CONTRACAPA
Lieuten Chamberlain
Uma história
In: *Views and costumes of the city and the neighborhood of Rio de Janeiro*
Londres: Hay Market, 1821
(Editado por Thomas MS Lean)
Gravura, 20,3 × 27,8 cm
Seção de Iconografia da Fundação
Biblioteca Nacional, Rio de Janeiro

FOLHA DE ROSTO
Nicolas-Antoine Taunay
Entrada da baía e da cidade do Rio, a partir do terraço do convento de Santo Antônio em 1816, 1816
Óleo sobre tela, 45 × 56,5 cm
Reprodução fotográfica:
Jaime Acioli

CIP-BRASIL. CATALOGAÇÃO NA FONTE
SINDICATO NACIONAL DOS EDITORES DE LIVROS, RJ

C949

Crise colonial e independência : 1808-1830, volume 1 / coordenação Alberto da Costa e Silva. – Rio de Janeiro : Objetiva, 2011. (História do Brasil Nação: 1808-2010)

Inclui índice
280p.
ISBN 978-85-390-0275-7
ISBN 978-84-9844-310-3 (FUNDACIÓN MAPFRE)

1. Brasil – História – D. João VI, 1808-1821. 2. Brasil – História – Império, 1822-1831. I. Silva, Alberto da Costa e, 1931-. II. Título.

11-4149.   CDD: 981.05
CDU: 94(81)"1822/1889"

HISTÓRIA DO BRASIL NAÇÃO: 1808–2010
VOLUME **1**
CRISE COLONIAL E INDEPENDÊNCIA
1808–1830

Grafia atualizada segundo o Acordo Ortográfico da Língua Portuguesa de 1990, que entrou em vigor no Brasil em 2009.

EDIÇÃO
Roberto Feith e Daniela Duarte

PESQUISA ICONOGRÁFICA
Lúcia Garcia

PROJETO GRÁFICO
Victor Burton

DESIGNER ASSISTENTE
Natali Nabekura

COORDENAÇÃO GRÁFICA
Marcelo Xavier

COORDENAÇÃO DOS DIREITOS DE IMAGEM
Amaia Gómez

ÍNDICE ONOMÁSTICO
Ronald Polito

REVISÃO
Ronald Polito, Ana Kronemberger e Clarisse Cintra

11ª *reimpressão*

[2023]
FUNDACIÓN MAPFRE
Paseo de Recoletos, 23 | 28004 | Madrid
Tel.: 51 91 281 11 31 | Telefax: 51 91 581 17 95
www.fundacionmapfre.com

EDITORA SCHWARCZ S.A.
Praça Floriano, 19, sala 3001 – Cinelândia
20031-050 | Rio de Janeiro, RJ | Tel.: 21 2199 7824
www.companhiadasletras.com.br
www.blogdacompanhia.com.br
facebook.com/editoraobjetiva
instagram.com/editora_objetiva
twitter.com/edobjetiva

INTRODUÇÃO À COLEÇÃO

LILIA MORITZ SCHWARCZ
HISTÓRIA COMO CARTEIRA DE IDENTIDADE EM PROCESSO

Precisamos descobrir o Brasil!
Escondido atrás das florestas,
com a água dos rios no meio,
o Brasil está dormindo, coitado.
Precisamos colonizar o Brasil.

O que faremos importando francesas
muito louras, de pele macia,
alemãs gordas, russas nostálgicas para
garçonnettes *dos restaurantes noturnos.*
E virão sírias fidelíssimas.
Não convém desprezar as japonesas...

Precisamos educar o Brasil.
Compraremos professores e livros,
assimilaremos finas culturas,
abriremos dancings *e subvencionaremos*
as elites.

Cada brasileiro terá sua casa
com fogão e aquecedor elétricos, piscina,
salão para conferências científicas.
E cuidaremos do Estado Técnico.

Precisamos louvar o Brasil.
Não é só um país sem igual.
Nossas revoluções são bem maiores
do que quaisquer outras; nossos erros também.
E nossas virtudes? A terra das
sublimes paixões...
os Amazonas inenarráveis... os incríveis
João-Pessoas...

Precisamos adorar o Brasil!
Se bem que seja difícil caber tanto oceano e
tanta solidão
no pobre coração já cheio de compromissos...
se bem que seja difícil compreender o que
querem esses homens,
por que motivo eles se ajuntaram e qual a
razão de seus sofrimentos.

Precisamos, precisamos esquecer o Brasil!
Tão majestoso, tão sem limites, tão
despropositado,
ele quer repousar de nossos terríveis
carinhos.
O Brasil não nos quer! Está farto de nós!
Nosso Brasil é no outro mundo. Este não
é o Brasil.
Nenhum Brasil existe. E acaso existirão
os brasileiros?

CARLOS DRUMMOND DE ANDRADE,
"Hino Nacional" (*Brejo das Almas*)

A HISTÓRIA DE UM PAÍS É, DE CERTA MANEIRA, SUA CARTEIRA DE identidade, em processo. Se toda nação constrói sua memória de maneira a garantir diferenças e resgatar singularidades, também não deixa de anotar sua trajetória pátria vinculando-a a um concerto mais universal. O processo de construção de uma história nacional é feito, pois, por um elenco de aspectos partilhados, mas também pela seleção de uma série de efeitos particulares, devidamente destacados. Afinal, se a história é fundamental para a criação de identidades, seu fermento é o diverso, o vário, aquilo que se quer especial.

A coleção História do Brasil Nação faz parte de um projeto mais amplo, promovido pela Fundación Mapfre, chamada América Latina na História Contemporânea, que propõe uma aproximação original e renovada com a história do continente americano de uma maneira mais geral. Tomar parte de uma coleção como essa é aceitar um desafio, ainda mais partindo de "águas e correntes brasileiras". É certo que balizas temporais comuns funcionam como sinaleiros a indicar uma história que se não é a mesma, padece de momentos e marcos assemelhados. Em primeiro lugar, 1808 funciona como uma espécie de sorte coletiva que estaca e determina uma definição comum dos países latino-americanos, que veriam sua sina alterada a partir da emergência, no cenário internacional, de Napoleão Bonaparte. Parte de um jogo político conduzido alhures, também o Brasil teve sua história largamente alterada em 1808 pela vinda da corte de d. João, monarca que permaneceria na colônia, transformada em Reino Unido de Portugal, Brasil e Algarves, até 1821. Não se sabe ao certo se teriam entrado no país de 5 a 15 mil imigrantes, fugidos das intempéries da guerra. Mas o que, sim, se sabe, é que o evento condicionaria o futuro da nação. Transformada rapidamente em uma metrópole provisória, a ex-colônia lutaria para conservar a nova situação e, para muitos, a independência foi reflexo, não intencional, da pressão portuguesa para que tudo voltasse a ser como antes. Mas, na história, pouco se volta atrás. E o que demonstra o primeiro volume dessa coleção é a especificidade da situação brasileira, cujo processo de emancipação levou ao império e não ao regime republicano, a exemplo das demais nações latino-americanas.

O enraizamento da monarquia portuguesa em terras tropicais, o prolongamento da permanência da corte no Brasil e o papel assumido pelo novo Reino Unido condicionaram todo o movimento de independência o qual, conservador, optou por preservar a centralização (grande fantasma das elites locais) e não tocar no regime de mão de obra escravocrata, espalhado por todo o território. Vingou a máxima de Lampedusa, de "que era melhor que algo mudasse para que tudo ficasse tal qual estava", e a particularidade da história brasileira tintou-se a partir da vigência prolongada e popular da realeza no Brasil.

Sobretudo durante o longo reinado de Pedro II, tema central do segundo volume da coleção — que excepcionalmente vai de 1831 a 1889, ano do final do Império —, uma monarquia tropical estabeleceu-se no país, e de maneira estável. Essa especificidade se colaria à imagem do país; única experiência desse tipo, sobretudo se pensada não como caricatura ou acidente passageiro, mas antes como sistema que produziu e implementou um corpo de leis, criou seus artistas e sua literatura, e governou enquanto reinou.

A realeza acabaria no Brasil logo após a abolição da escravidão, que só em maio de 1888 encerrar-se-ia por aqui. O ato tardou, o Brasil foi o último país no Ocidente a contar com cativos em suas fazendas e a demora custou muito à monarquia, que perdeu a coroa, mas não seu manto, sua simbologia e popularidade futura. A experiência monárquica foi tão enraizada, que seu final, em 1889, levou a uma república um tanto "encabulada", num primeiro momento, em sua realidade civilista. Questão percorrida no terceiro volume da coleção, essa República do "café com leite", a Primeira — muitos nomes para uma mesma situação — também tardou a se impor, dividida como estava entre projetos de modernidade e a realidade de um país imenso, condicionado por realidades tão distintas. Em uma das frentes surgia, orgulhoso, o Rio de Janeiro, capital moderna do país e vestida à francesa. Em outra, os longínquos sertões, palco para os movimentos milenaristas e messiânicos. Longe de serem diferentes Brasis, aí estava um só: vincado por abismos sociais, econômicos e diversidades próprias de suas proporções geográficas continentais.

A república demoraria a se afirmar no país — a exemplo do que ocorria em outros países latino-americanos — e apenas nos anos 1930, com um governo forte e autoritário, como o de Getúlio Vargas, se inventaria um novo país: obreiro, mestiço, dinâmico. Não há por que resumir os governos desenvolvimentistas, a troca da capital para Brasília — bem no centro do país — ou o constante medo de revoltas populares e comunistas; temor que em parte explicaria (ou anunciaria) o golpe de 1964, o regime militar e também civil, o tempo das ditaduras que varreram o Brasil, assim como os demais países vizinhos.

Como se vê, pelo desenho político e cronológico se reconhece uma história bastante comum, apenas borrada por episódios muito particulares, exóticos até. Mas essa impressão de mesmice é, também, ilusória. Não se desconhece — e aí vai o outro lado dessa mesma história — como o Brasil, durante largo tempo, esqueceu-se da proximidade, se entendeu muito mais aparentado com a França, e até com a Áustria, e depois aos Estados Unidos da América, do que ligado a seus vizinhos latino-americanos. Quiçá tenha sido a colonização portuguesa que nos dividiu, mais do que nos fez dialogar. Conhecido por seu modelo mais inclusivo e mestiçado, o iberismo fez escola ao criar sociedades marcadas pelo hibridismo populacional. Assim, se a realidade das mestiçagens faz parte de muitos países latino-americanos — e pode ser facilmente recontada por Cuba, México, Venezuela e Colômbia, só para ficarmos com exemplos mais óbvios —, foi no Brasil que ela ganhou uma proporção multiplicada. Mais do que por índole, antes por necessidade, o pequenino Portugal precisava contar com novos braços para a colonização. Além do mais, a mestiçagem se fez do caldeamento (que nunca significou falta de violência ou de hierarquia) entre indígenas da terra, brancos colonizadores e negros africanos, e resultou numa sociabilidade que, como mostra Gilberto Freyre, se consolidou no "equilíbrio de diferenças". Equilíbrio não quer dizer fusão e sincretismo, mas denuncia como houve mescla *na* e *com* a diferença.

O resultado é esse mundo da mistura nas cores, nas comidas, nos sabores, nos hábitos e na religião católica que tendeu a se adocicar e amalgamar. Nessa sociedade marcada pelo preconceito de cor, mais do que de origem ou raça — em que se troca de cor como se troca de meia, em que a posição social ou a fama embranquecem (sendo o oposto também verdadeiro) e onde se inventam mais de 130 termos para descrever a cor —, a tonalidade virou um critério social e hierárquico tão operante como silenciado. No chamado país da "democracia racial", os preconceitos transformam-se em matéria do "outro", da mais pura alteridade, onde ninguém discrimina apesar de conhecer e nomear muitos que assim o façam. Inclusão sempre combinou, assim, com exclusão social, processo que se acelera a partir do século XX e com modelos que afastam da cidadania largas faixas da população.

Estranha também é a representação de país não violento e sem guerras que por aqui se disseminou. Se guerras intercontinentais foram poucas, e apenas a que estourou contra o Paraguai (de 1865 a 1870) poderia merecer tal nome, já a violência cotidiana, no período recoberto pela coleção, foi e é uma realidade. Cabanagem, Balaiada, Sabinada, Farroupilha, mas também a Revolta dos Malês, os movimentos de Canudos e Contestado, as manifestações operárias, a contestação estudantil dos anos 1960, a insurreição dos sem-terra significam apenas poucos exemplos de uma lista que tenderia a se inflacionar se aqui espaço houvesse. Interessa mais assinalar a imagem oficial, que acomodou durante longo tempo a pintura de um paraíso terreal, da convivência idílica da mestiçagem e da ausência de violência. Nenhuma representação social repercute no vazio e é inegável a existência de um cruzamento social expresso em padrões de sociabilidade, na música, na culinária ou no esporte. Entretanto é também inegável a vigência de certa naturalização da violência, do *gap* social; dois lados de uma única moeda igualmente verdadeira.

Nesse regime de diferenças, vale a pena apontar para o tamanho do Brasil, que ocupa um espaço grande no mapa da América Latina; quase um gigante em meio aos demais países divididos por ocasião das diferentes emancipações políticas. Tal situação, se não é única, é digna de destaque. Afinal, aqui falamos de muitos Brasis em um Brasil; de realidades tão distintas que vão de um norte eminentemente ameríndio até um sul com feição germânica; de uma Bahia africana a uma região sudeste mestiçada por muitas etnias e emigrações. A diferença se manifesta em modelos econômicos e culturais, nos perfis populacionais ou prognósticos diferenciados de vida. Enfim, por detrás da ideia de trópicos se esconde, mais uma vez, uma grande diversidade, difícil de ordenar.

Para terminar, resta destacar a disseminação do modelo do "favor". Diante de uma metrópole distante e muitas vezes ausente desenvolveram-se modelos resistentes de coronelismos e favoritismos de toda ordem; além do predomínio da esfera privada sobre a pública, e uma concepção por vezes frouxa de Estado e de institucionalização. Mas as coisas andam mudando, e não se esqueça da tendência recente de resolver impasses políticos na base do voto e de um processo que vai se democratizando. No entanto, muitas vezes ainda parece ressoar a máxima de Sérgio Buarque de Holanda que, sem um pingo de orgulho, nos idos de 1936, escreveu que daríamos ao mundo "o homem cordial". Cordialidade vinha de "cor", da noção de coração, e do suposto que no Brasil tudo vira tema da individualidade e escapa à esfera pública. Se isso é peculiar ou não, talvez importe pouco. Importa mais assinalar essa característica teimosa em nossa história, a interferir nos momentos mais inesperados.

Nem bem iguais, nem somente diferentes, quer me parecer que os cinco volumes dessa coleção recorrerão, sobretudo, à noção de construção. A construção dessa concepção de Brasil contemporâneo, sempre pensado no plural: plural geográfico, regional, temporal, populacional, político e econômico. De resto, parece muitas vezes faltar ou fazer falta a concepção de pátria e sobrar a de mátria. Se começamos com o poeta, terminamos com o bardo Caetano Veloso, com a certeza que uma coleção como essa não fecha, antes abre para novas visões, contextos e interpretações. "A língua é minha pátria / E eu não tenho pátria, tenho mátria / E quero frátria!"

CRONOLOGIA

1808

28 de janeiro

Abertura dos portos brasileiros às nações amigas, decretada pelo príncipe d. João, seis dias após sua chegada à Bahia.

8 de março

Desembarque de d. João e da corte portuguesa ao Rio de Janeiro.

1815

16 de dezembro

Elevação do Brasil a Reino Unido a Portugal e Algarves.

1817

6 de março

Começa no Recife uma revolução autonomista e de tendência republicana e federalista.

1818

6 de fevereiro

Aclamação de d. João VI, no Rio de Janeiro, como rei do Reino Unido de Portugal, Brasil e Algarves.

1820

24 de agosto

Revolução liberal no Porto, que teria como consequência a convocação das cortes portuguesas.

1821

25 de abril

Regresso de d. João VI e da corte a Portugal.

29 de setembro

Decretos das cortes de Lisboa exigindo o regresso de d. Pedro a Lisboa e ratificando a subordinação a elas das Juntas de Governo das províncias brasileiras.

1822

9 de janeiro

O príncipe d. Pedro, desafiando as cortes de Lisboa, decide ficar no Brasil.

3 de junho

Convocação de uma Assembleia brasílica, com deputados de todas as províncias.

1º e 6 de agosto

Manifesto aos Povos do Brasil e *Manifesto aos Governos e às Nações Amigas*, justificando as posições tomadas por d. Pedro.

7 de setembro

Proclamação da independência do Brasil às margens do rio Ipiranga, em São Paulo.

12 de outubro

Aclamação de d. Pedro como imperador constitucional do Brasil.

10 de dezembro

Coroação de d. Pedro como imperador do Brasil.

1823

4 de maio

Instalação da Assembleia Constituinte.

12 de novembro

D. Pedro I fecha a Assembleia Constituinte.

1824

25 de março

Juramento da Constituição, outorgada por d. Pedro I.

2 de julho

Proclamação da Confederação do Equador, movimento federalista e republicano, envolvendo Pernambuco, Ceará, Paraíba e Rio Grande do Norte.

1831

7 de abril

Abdicação de d. Pedro I em favor de seu filho, também Pedro, com pouco mais de 5 anos de idade.

INTRODUÇÃO AO VOLUME **1**

ALBERTO DA COSTA E SILVA
AS MARCAS DO PERÍODO

EM 1807, NAPOLEÃO BONAPARTE ACHAVA-SE NO AUGE DA FORÇA E DA glória. Apesar do golpe do 18 Brumário, da coroação como imperador, da criação de uma nova nobreza e do restabelecimento da escravidão nas colônias da França, continuava a ser visto por muitos como um paladino das ideias e esperanças da Revolução Francesa e, consequentemente, por outros, como uma espécie de monstro capaz de todas as crueldades e infâmias. Em terra, seus exércitos pareciam invencíveis, mas, enquanto não lograsse desembarcar na Inglaterra e submeter sua mais determinada inimiga, não conseguiria instaurar, como desejava, uma nova ordem europeia, sob sua liderança. Faltava-lhe para isso o domínio do oceano. Com a esquadra esgarçada após a batalha naval de Trafalgar, não tinha como atravessar o canal da Mancha. Dos mares eram senhores os britânicos. Havia, por isso, que procurar isolá-los em suas ilhas e neutralizar o poder de sua marinha. Com esses objetivos, um Napoleão que vivia dias vitoriosos decretou, em 1806, em Berlim, o bloqueio continental da Grã-Bretanha. Os britânicos não mais deveriam comerciar com os demais europeus, nem ter acesso aos portos destes. O bloqueio impunha-se a todos, inclusive a Portugal, que deveria fechar suas costas aos navios da Inglaterra, sua aliada histórica.

Impossibilitado de aderir ao bloqueio e, mais ainda, de ceder ao ultimato napoleônico de declarar guerra à Inglaterra até 1º de setembro de 1807, Portugal foi invadido por tropas francesas e espanholas sob o comando do general Junot. Diante da invasão, o príncipe d. João, regente do reino desde praticamente 1792, por incapacidade de sua mãe, a rainha d. Maria I, que enlouquecera, optou por transladar-se com sua corte para o Brasil. Ao fazê-lo, o príncipe e seu governo continuavam em terras portuguesas, de modo que, embora os franceses viessem a controlar o Portugal europeu,

110

Excellentissimo Governador e Cap.m General.
Cumpra-se, e Registe-se. B.a 20 de Julho
de 1808 – Doutor Lobo

Decreto q determina a differença de direitos q pagão os Nacionaes e Estrangeiros

Sendo Conveniente ao bem publico remover todos
os embaraços, que possão tolher o livre giro, e a cir
culação do Commercio: E Tendo Consideração
ao estado de abatimento em que de prezente se acha
o Nacional interrompido pelos Conhecidos
estorvos, e actuaes circumstancias da Europa:
Dezejando animalo, e promovelo em beneficio
da cauza publica pelos proveitos, que lhe rezul
tão de se augmentarem os Cabedaes da Nação
por meio de maior Numero de trocas, e transa
çoens Mercantis, e de se enriquecerem os Meos
fieis Vassallos, que se dão a este ramo de pros
peridade publica, e que muito pertendo favore
cer como huma das Classes uteis do Estado.
E querendo outro sim augmentar a navegação
para que prospere a Marinha mercantil,
e com ella a de guerra necessaria para a defeza
dos Meos Estados e Dominios: Sou Servido
Ordenar que todas as fazendas, e Mercadorias,
que forem proprias dos Meos Vassallos, e por
sua Conta Carregadas em Embarcaçoens
Nacionaes, e entrarem nas Alfandegas do
Brazil paguem de Direitos por entrada dez
eseis por Cento somente, e os generos que se deno
minão Molhados paguem menos a terça
parte do que se acha estabelecido, derrogada
nesta parte a disposição da Carta Regia
de Vinte e oito de Janeiro passado, ficando em seo
Vigor em tudo o mais: E que todas as Merca
dorias, que os Meos Vassallos assim importa
rem para as reexportar para Reynos, e Do
minios Estrangeiros, declarando o por esta

Manuscrito de Memorial pelo conde da Ponte ao d. João VI, solicitando a abertura dos portos, 27 de jan. 1808

DOCUMENTO ORIGINAL, FLS. 1, 1V, 2 E 2V
COLEÇÃO ARQUIVO NACIONAL, RIO DE JANEIRO

não conquistariam o Estado português, que continuaria a funcionar naquela parte do Império que era economicamente a mais dinâmica, com os mercados internos em crescimento e a se articularem cada vez mais entre si.

Antes mesmo do desembarque, em 8 de março de 1808, de d. João no Rio de Janeiro, começou o processo de grandes mudanças por que passaria o Brasil. Durante escala na Bahia, o príncipe regente decretou, em 28 de janeiro, a abertura dos portos às nações amigas, desfazendo num só ato o que era da essência da condição colonial: o monopólio do comércio exterior pela metrópole. Só por intermédio dessa a colônia exportava o que produzia e importava o que necessitava, vendendo mais barato e comprando mais caro, a diferença movimentando a economia portuguesa. Era tamanha a importância do Brasil dentro do Império português, como produtor, exportador, importador e consumidor, que se poderia considerar que a economia metropolitana dependia da brasileira.

É bem verdade que, no Brasil, o exclusivo colonial deixara na prática, a partir da segunda metade do século XVII e, sobretudo, no século seguinte, de se aplicar à mais importante das atividades mercantis externas: o tráfico de escravos com a África. Carregados de aguardente, farinha de mandioca, tabaco em rolo e carne-seca, além de artigos importados via Portugal, como tecidos, objetos de latão e cobre, cutelaria e armas de fogo, os navios partiam diretamente do Rio de Janeiro para Luanda ou Benguela e de Salvador para Ajudá ou Lagos, e regressavam também diretamente com escravos. Até mesmo os vultosos capitais que alimentavam esse comércio — o maior negócio do Brasil e que influenciava todos os outros — eram predominantemente originários da colônia e não da metrópole.

Em 1808, de um dia para outro, o Rio de Janeiro transformou-se na capital portuguesa. Na cabeça do Império. Tiveram de ser recriadas, no lado americano do Atlântico, as instituições estatais metropolitanas. Ou, melhor, foi necessário remontar o Estado, que tinha vindo nos navios, incompleto e aos pedaços. Transplantou-se para o Brasil o Antigo Regime, no qual só aos poucos foi abrindo brechas o pensamento antiaristocrático e liberal. E não faltou sequer que se redesenhassem no Rio de Janeiro, com o concurso de artistas franceses imigrados, as representações do teatro do poder, na aclamação de d. João VI e na aclamação e coroação de d. Pedro I. Em tudo, procurava-se repetir Lisboa, ainda que em boa parte com cenários de madeira, pano e papel. Mas havia coisas que se faziam tão bem quanto lá: a música, por exemplo, que tinha em d. João um apaixonado. D. Pedro herdou o fascínio do pai: tocaria vários instrumentos e deixaria um pequeno conjunto de obras como compositor.

Pouco depois da chegada da família real ao Brasil, os portugueses da Europa começaram a resistir aos invasores e, juntamente com tropas britânicas, desembarcadas em agosto de 1808 e comandadas pelo general Arthur Wellesley, futuro duque de Wellington, batiam os franceses em Roliça e Vimeiro. Voltaram as tropas napoleônicas, sob o comando de Nicolas Soult, a invadir Portugal em 1809, mas foram novamente derrotadas pelos britânicos de Wellesley e pelos portugueses, cujo exército havia sido reorganizado pelo general William Beresford. Seguiu-se, em 1810, uma terceira invasão, a mais violenta de todas, sob o comando de André Massena, mas os franceses foram batidos em Buçaco e em Torres Vedras pelo duque de Wellington, e perseguidos até os Pirineus pelas tropas aliadas britânicas, portuguesas e espanholas, pois a Espanha se havia também rebelado contra a França.

No início de 1811 e, mais ainda, após a derrota definitiva de Napoleão, em junho de 1815, em Waterloo, d. João poderia ter regressado a Lisboa sem perigo. Mas não desejava fazê-lo. Sentia-se bem no Brasil, longe das intrigas europeias. Em dezembro de 1815, alçou o Brasil à condição de Reino Unido a Portugal e Algarves. E, possivelmente, pretendia do Rio de Janeiro governar esse Reino Unido. Tanto era assim, que resistiu o quanto pôde às pressões para retornar a Lisboa e fez questão de, após a morte de d. Maria I, ser aclamado rei, no início de 1818, em terra americana.

Lisboa passara a receber instruções e ordens do Rio de Janeiro, e o Rio de Janeiro a comandar a administração de todas as regiões do Brasil. Antes da chegada da corte, embora a cidade abrigasse o governador-geral da colônia, as capitanias gerais subordinavam-se diretamente a Lisboa. A unidade das possessões portuguesas na América era, portanto, precária, e cada capitania, um país em potencial. Os seus habitantes sentiam-se, ao mesmo tempo, portugueses do Brasil e paraenses, maranhenses, pernambucanos, baianos, mineiros ou paulistas. Mais do que um Brasil, havia Brasis. Ou "Brazils", como, na época, percebiam os ingleses e punham nos livros que escreviam.

A partir de 1808, a situação começou a cambiar: o poder centralizou-se no Rio de Janeiro, que foi impondo a unidade ao país. Na visão de algumas capitanias (que depois passaram a ser províncias), o Rio apenas substituíra Lisboa. E com a mão mais pesada. Os impostos nelas recolhidos não eram nelas aplicados: escoavam para o Rio de Janeiro, onde iam custear as despesas da corte e do governo central. Essa percepção de que para elas não havia mudado a condição colonial e de que a metrópole opressiva tinha apenas trocado de sede foi mais aguda em Pernambuco, que tinha o maior superávit comercial do país. E foi lá onde eclodiu, em 1817, uma revolução de tendência republicana, que teve o apoio das províncias de Alagoas, Paraíba e Rio Grande do Norte.

Se grande foi a frustração das expectativas de que a transladação da família real para o Brasil traria melhoras para a região, com maior autonomia provincial e liberdade para os cidadãos, talvez tenha sido maior ainda a que se seguiu à proclamação da independência. Em 1824, Pernambuco novamente revoltou-se e, contando com apoios nas províncias do Ceará, da Paraíba, do Piauí e do Rio Grande do Norte, formou a Confederação do Equador, com um projeto, para o Brasil, federativo e republicano. Tanto o movimento de 1817 quanto o de 1824 foram violentamente reprimidos, do embate saindo vitoriosas a concepção política unitária e a posição do Rio de Janeiro como o centro do poder.

Não menor e crescente era a insatisfação em Portugal, onde não faltava quem declarasse que o país havia sido reduzido a colônia do Brasil. Sem o exclusivo comercial e a intermediação das exportações e importações brasileiras, os negócios minguaram. Diante da apatia econômica, não se estranhe que os comerciantes do Porto tenham tido ouvidos fáceis para a pregação liberal de Manuel Fernandes Tomás e, com o apoio da burguesia do resto do país e a adesão do exército, imposto, na Revolução de 1820, a substituição do Antigo Regime autocrático pela monarquia liberal.

Os principais protagonistas de todos esses movimentos revolucionários estavam fortemente influenciados pela Revolução Francesa — e no Brasil, também pela Revolução Americana. As notícias dos acontecimentos em Portugal e da convocação das cortes, com deputados eleitos, para dotar o Reino de uma Constituição, alvoroçaram os habitantes do Brasil, mas a exigência do regresso de d. João VI a Portugal causou apreensão, porque não podia deixar de ser interpretada como um indício de que se tentaria o retorno à situação anterior à chegada da família real.

Como em Portugal, havia também no Brasil quem defendesse um Reino unitário. Mas com a capital não mais em Lisboa, porém no Rio de Janeiro. Os que favoreciam a continuidade do Reino Unido, preservada a autonomia das partes, tinham, contudo, ainda maior influência. Antes mesmo da criação do Reino Unido, Silvestre Pinheiro Ferreira antecipara essa posição, ao apresentar a d. João um projeto de reforma política que previa a proclamação de d. Maria I como imperatriz do Brasil, além de rainha de Portugal, e o estabelecimento de duas regências: o príncipe da Beira seria regente do Portugal europeu e dos arquipélagos dos Açores e da Madeira, e d. João, do Brasil e das possessões na África e na Ásia.

Seriam então poucos os que, no Brasil, propugnavam a separação de Portugal. Foram, contudo, aumentando, à medida que as decisões e o comportamento das cortes de Lisboa apontavam para o que se tinha por impensável: o regresso do Brasil à condição de colônia. A um reino luso-brasileiro, com igualdade entre suas duas partes, as cortes contrapunham um reino lusitano, tendo o Brasil como subalterno — e com isto não concordavam, no Brasil, nem mesmo aqueles que defendiam a indissolubilidade do Império. O processo de afastamento e ruptura deu-se, portanto, por iniciativa portuguesa — que queria restaurar a hegemonia política e o controle econômico sobre a antiga colônia — e não, brasileira.

Depois de ter chamado de volta d. João VI, as cortes ordenaram o regresso a Portugal do príncipe d. Pedro, que o pai havia deixado, com amplos poderes, a reger o Brasil. Além disso, insistiram em determinar que as juntas de governo provinciais ficassem diretamente subordinadas a Lisboa. Com as imposições das cortes, o Brasil não só perdia a autonomia, mas também se fragmentava. Desfazia-se o sonho de unidade da América portuguesa.

As duas decisões tomadas em Lisboa eram inaceitáveis. D. Pedro, em 9 de janeiro de 1822, decidiu ficar no Brasil e, cinco meses depois, convocou uma Assembleia brasílica, que, integrada por deputados de todas as províncias, se contraporia às tentativas de fracionar o país.

Estava-se a um passo da separação de Portugal, se é que este já não fora dado. Embora sem formalmente proclamá-la, dois documentos datados de 1º e 6 de agosto de 1822, o *Manifesto aos Povos do Brasil* e o *Manifesto aos Governos e Nações Amigas*, foram escritos na linguagem da independência, ainda que justifiquem as posições de d. Pedro como defesa do Reino Unido contra as intenções das cortes de restabelecer o regime colonial. Os dois manifestos parecem dizer-nos que não era d. Pedro o insubordinado, mas as cortes, que tinham por objetivo destruir o Reino Unido. Em última análise, era o Portugal europeu que não aceitava conviver em igualdade de condições com o Portugal americano.

No segundo desses documentos, d. Pedro não esconde "a vontade geral do Brasil" de proclamar "à face do universo a sua independência política". Mas dentro, ainda, do quadro do Reino Unido. Um mês depois, tudo mudaria, e Portugal e o Brasil se veriam como adversários. Ou, pior, como inimigos. O Grito do Ipiranga, a 7 de setembro, que se tornou o momento simbólico da Independência, a aclamação de d. Pedro como imperador do Brasil, em 12 de outubro, e sua coroação, em 1º de dezembro, marcaram a separação definitiva.

A independência foi decidida por Rio de Janeiro, São Paulo e Minas Gerais, com o apoio das províncias do Sul. Seguiram-se as adesões. De Pernambuco, Goiás, Mato Grosso, Rio Grande do Norte, Alagoas e Sergipe. Permaneceram fiéis às cortes quatro províncias do Norte — Pará, Maranhão, Piauí e Ceará —, bem como parte da Bahia. Sentiam-se mais próximas de Lisboa do que do Rio de Janeiro. E era com Portugal que mantinham o grosso de seu comércio. Em todas elas havia, no entanto, grupos favoráveis à independência, que se autodenominavam patriotas e se sublevaram. O Rio de Janeiro correu ao auxílio deles, para expulsar as tropas portuguesas e assegurar pelas armas que o país se manteria indiviso. As guerras da independência foram violentas e sangrentas, mas localizadas e com menos de um ano de duração.

A revolução de 1820 criou, tanto em Portugal quanto no Brasil, um clima de liberdade que favoreceu a discussão das ideias políticas. A censura oficial, de certo modo, abrandou. Os que sabiam ler, liam muito e com paixão. E não apenas obras importadas da Europa, mas principalmente jornais, panfletos e livros editados no Brasil pela Impressão Régia, com um catálogo rico de obras literárias, políticas e científicas, e por outras gráficas que se instalaram no país. Como nunca dantes, podia-se publicamente falar e escrever o que se pensava e queria. Muitas vezes com palavras duras, quando não insultuosas.

A independência não esfriou a atmosfera. O debate político generalizou-se. Na base de todas as polêmicas e, sobretudo, dos debates da Assembleia Constituinte, instalada em maio de 1823, estavam três indagações. A primeira, sobre a soberania: quem a detinha, o povo, o imperador ou ambos? A segunda, sobre a autonomia das províncias: o Império deveria ser federativo ou unitário? A terceira, sobre a posição dos portugueses no novo Estado: poderiam eles continuar a dominar o comércio e a imiscuir-se na política? Essa última pergunta podia tornar-se delicada e ácida, ao lembrar-se que o imperador era português e que gostava de cercar-se de portugueses.

No Brasil, não se descuidava do que se passava em Portugal. Foram, por isso, recebidas com alarme as notícias do golpe militar, conhecido por Vilafrancada, que, em 3 de junho de 1823, fechou as cortes e restabeleceu o poder absoluto de d. João VI. Temia-se que d. Pedro I, que mostrava crescente inclinação autoritária, seguisse o mau exemplo. E ele o fez, cinco meses depois, dissolvendo a Assembleia. Resistiu, contudo, à tentação de tentar governar sem freios e, em 1824, outorgou ao país uma Constituição de espírito liberal, redigida por um Conselho de Estado nomeado por ele. Nessa Carta, o Brasil se definia como uma monarquia constitucional e unitária, com um executivo forte que geria o país a partir do Rio de Janeiro.

Apesar da inconformidade das províncias com o poder centralizado no Rio de Janeiro, a cidade tornou-se, de certo modo, mestra do resto do Brasil. Morada da família real e, depois, do imperador, não só as transformações urbanísticas, mas principalmente as mudanças de gosto, valores e comportamentos, que nela se davam, tanto em casa quanto na rua, não tardaram em ser imitadas por toda parte. O que fora uma colônia fechada ao resto do mundo passou a receber da Europa, sobretudo da Inglaterra e da França, as mais variadas influências, que conviviam ou conflitavam com os costumes tidos por tradicionais.

O que não se alterou foi a divisão da população em homens livres e escravos. O regime escravista continuou intacto, se é que não se fortaleceu. Mas, entre o branco senhor e o negro escravo, cresciam constantemente os elementos que complicavam e enriqueciam os quadros demográfico e social: o mulato, o negro nascido livre e o liberto, o caboclo, o cafuzo, o índio e o branco pobre. Se os europeus — principalmente portugueses, mas também espanhóis, ingleses, franceses, italianos, suíços, alemães — não cessavam de descer nos portos brasileiros, incomparavelmente mais numerosos foram os escravos africanos neles desembarcados — cerca de 750 mil, entre 1808 e 1831 —, reinjetando permanentemente os modos de vida de diferentes regiões da África no dia a dia dos brasileiros.

O tráfico de escravos e o reconhecimento da independência foram os dois grandes temas que ocuparam prioritariamente a diplomacia do novo país. No trato de ambos, teve ela de lidar com a maior potência da época, a Grã-Bretanha, que se via como protetora e virtual suserana de Portugal e insistia em fazer do Brasil herdeiro do mesmo tipo de relações desiguais. Foi por intermédio de Londres que o Brasil logrou que Portugal reconhecesse, pelo tratado de 29 de agosto de 1825, a independência brasileira — condição essencial para que o fizessem as potências europeias. O Brasil pagou um alto preço por esse reconhecimento, e, entre os compromissos assumidos com os britânicos, incluiu-se o de fazer cessar em curto prazo o tráfico de escravos. A determinação britânica de acabar com o comércio de africanos e a relutância brasileira em abandoná-lo azedariam as relações entre os dois países da segunda à sexta década do século XIX.

A política externa de d. João, no Brasil, teve por foco a Europa e a defesa dos interesses da Casa de Bragança, a dinastia que reinava em Portugal. Essas ênfases não se alteraram com d. Pedro e se acentuarão após a morte de d. João VI, em 1826, quando o problema da sucessão ao trono lusitano passou a predominar nas preocupações do imperador. Na maior parte do tempo e em relação à maioria dos assuntos, o interlocutor era a Inglaterra, e isso era verdade até mesmo no contexto sul-americano.

Separado de quase todos os países sul-americanos por enormes espaços pouco habitados, desabitados ou de pouca densidade econômica, as relações do Brasil com seus vizinhos se concentravam, desde a época colonial, praticamente na bacia do rio da Prata. A anexação pelo Brasil, em 1821, da Banda Oriental, com o nome de Província Cisplatina, desembocaria numa guerra com os orientais e argentinos, resolvida, em agosto de 1828, pela mediação britânica, que impôs a argentinos e brasileiros a independência do território, com o nome de República Oriental do Uruguai.

A guerra na Cisplatina, com um desenlace que se tomou como uma derrota do Brasil, foi altamente impopular entre os brasileiros e contribuiu para acentuar o descontentamento com d. Pedro I. Este era visto cada vez mais como autocrata, inimigo das liberdades, favorecedor dos portugueses e mais interessado em assegurar o trono português para sua filha d. Maria da Glória do que em bem governar o Brasil.

Em poucos anos, a partir de 1821, mudou a percepção que os naturais do Brasil tinham de si próprios. Antes, consideravam-se portugueses da América e co-herdeiros da mesma história e da mesma cultura que os da Europa. Depois, passaram a tê-los como inimigos e a repudiar o legado lusitano. Valorizaram-se as raízes ameríndias, e muitos saíram à busca de seus antepassados indígenas e, quando não os tinham, os inventavam.

Esse radicalismo nativista acirrou os ânimos da Assembleia Geral, que iniciou seus trabalhos em 1826, e deu o tom a boa parte dos escritos que, com crescente violência antiportuguesa, se publicavam nos jornais. No parlamento e na imprensa, ampliava-se a oposição ao imperador, suspeito de portuguesismo e de desejar restabelecer o absolutismo. Nas eleições de 1830, para uma nova legislatura, o número de deputados oposicionistas, federalistas e até mesmo com inclinações republicanas aumentou consideravelmente. Todos passaram a falar ainda mais alto.

Foi nesse ambiente tenso que chegaram da França as notícias da Revolução de Julho de 1830. O rei d. Carlos X, ao tentar dissolver a Câmara dos Deputados e limitar a liberdade de imprensa, desatou um movimento revolucionário que o depôs e instalou uma nova monarquia, com Luís Filipe, duque de Orleans, o "rei-cidadão". A situação francesa foi comparada à brasileira, e d. Pedro, a Carlos X. Temia-se que o imperador repetisse 1823. Não o tentou. Nem teria dessa vez o apoio do Exército, que então tivera. E, quando a crise aumentou, com a reação popular aos rumores de golpe de Estado e com a guerra entre brasileiros e portugueses a se travar nas ruas, um acuado d. Pedro I, em 7 de abril de 1831, abdicou do trono em favor de seu filho Pedro, que tinha apenas 5 anos de idade.

Na época, não foram poucos os que consideraram que dataria do 7 de abril de 1831 a verdadeira independência do Brasil. Hoje, prevalece a opinião de que em 1808, com a instalação da corte portuguesa no Rio de Janeiro, o país deixou de ser colônia, o que se deu formalmente em 16 de dezembro de 1815, quando foi elevado a Reino Unido a Portugal e Algarves. Pode-se também afirmar que a separação da antiga metrópole antecedeu o 7 de Setembro: verificou-se em 9 de janeiro de 1822, o Dia do Fico, quando d. Pedro decidiu, desobedecendo às ordens de Lisboa, permanecer no Brasil e continuar a governá-lo.

A independência do Brasil teve características que a distinguem do que se passou nas outras partes do continente americano. E não falta quem a dispa da roupagem revolucionária e a interprete como uma independência conservadora. Seus principais protagonistas foram o príncipe herdeiro da coroa de Portugal, que se fez brasileiro, continuando português, e um cientista de brilhante carreira na Europa, onde descobriu quatro novos minerais e foi secretário da Academia das Ciências de Lisboa, o também poeta, que falava e escrevia em seis idiomas e lia em 11, José Bonifácio de Andrada e Silva. Nenhum dos dois tinha por projeto o corte dos laços políticos com Portugal; foram para isso empurrados pelas cortes portuguesas. Com a independência, o Brasil tornou-se uma monarquia hereditária e constitucional, num continente republicano. E, apesar das pressões regionais, não se fragmentou, como sucedeu com a América espanhola.

Durante os 14 anos que antecederam o Sete de Setembro e os nove do reinado de d. Pedro I, o país experimentou grandes mudanças. Abriu-se ao mundo. Começou a descobrir-se. Foi estudado por cientistas estrangeiros, que pela primeira vez tiveram acesso a seu interior. Alterou muitos de seus costumes. Adotou novos valores estéticos, com a difusão do estilo neoclássico, sobretudo em sua versão francesa. E procurou pôr-se em dia com as ideias europeias. Esse processo modernizador encontrou resistências e foi mais do que tímido em muitas áreas. Mesmo nas cidades maiores, velhos hábitos resistiram à pressão das novidades. O mais desapontador de tudo: não se tocou no sistema escravista. E, pelas ruas do Rio de Janeiro, do Recife ou de Salvador, continuaram a passar negros com grilhões ao pescoço e máscaras de flandres. E a ser açoitados no pelourinho. Muito mudara para alguns, e nada ou pouco para a maioria. A base econômica continuou a mesma, ainda que, com o fim da ordem colonial, tivesse cessado a proibição de indústrias. O país assentava-se na agricultura e na pecuária e, embora continuasse a crescer a produção para o mercado interno, o que mais chamava a atenção era a grande propriedade rural movida pelo trabalho escravo e votada à exportação.

Um período histórico como esse, durante o qual o pão quotidiano foi a controvérsia e a polêmica, não pode deixar de provocar, no presente, evocações contraditórias. Ao procurar descrevê-lo e entendê-lo, cinco autores de formação intelectual distinta, com percepções, ideias, convicções e dúvidas diferentes, tinham de fazê-lo, cada qual de sua perspectiva, com contornos e traços dessemelhantes e ênfases que não são as mesmas. Os retratos nem sempre coincidem, como se pode ver, para ficar num só exemplo, nos de José da Silva Lisboa, o visconde de Cairu. Não se buscou, porém, neste livro, uma coincidência de pontos de vista; resguardaram-se e até mesmo se privilegiaram as dissonâncias. Mas a isto aspiramos: que, ao abrir-se o biombo, embora cada uma de suas cinco abas esteja pintada de jeito diferente, os desenhos incompletos de uma continuem nas outras, e todas se conjuguem, para devolver à nossa imaginação, agitado, complexo, colorido, o Brasil como era, ou como pensamos que fosse, entre 1808 e 1831.

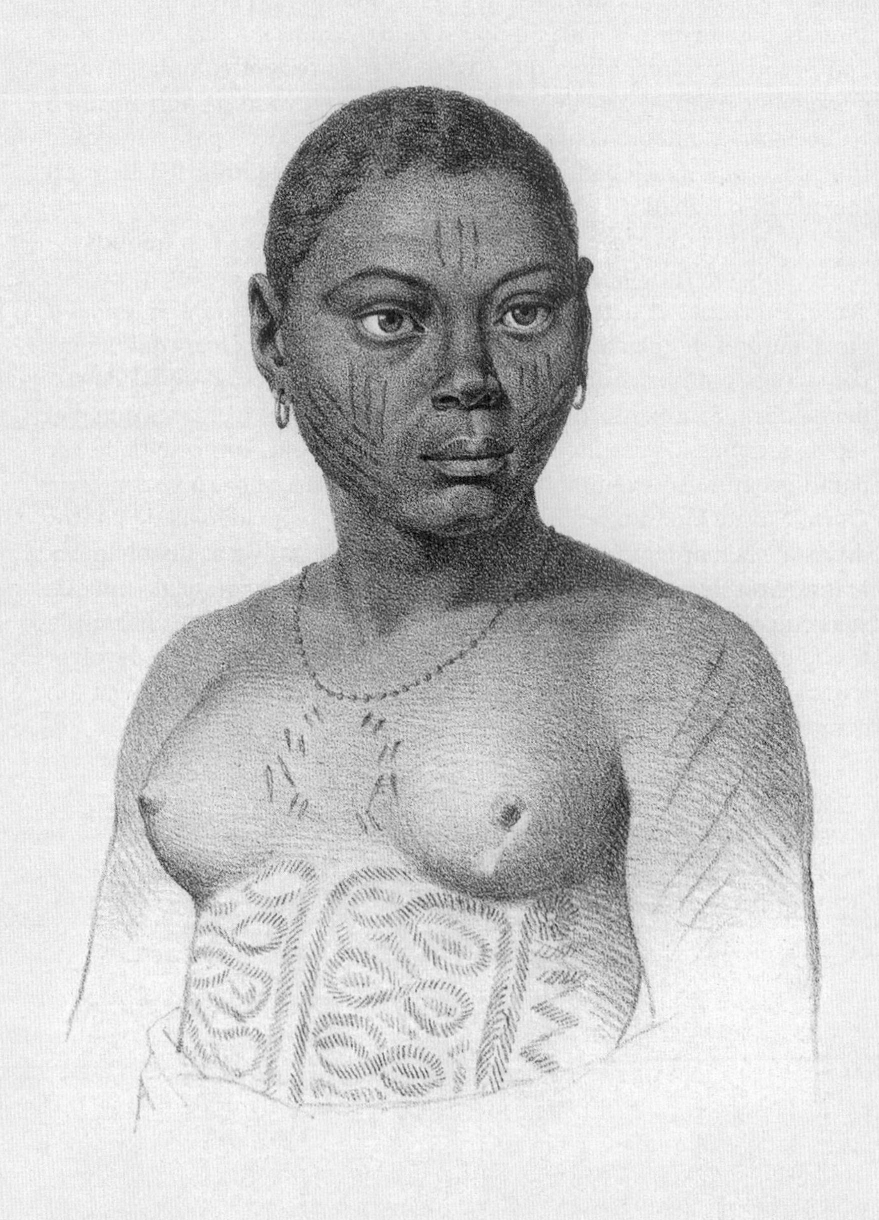

DETALHE DA IMAGEM DA PÁGINA 40

PARTE 1

ALBERTO DA COSTA E SILVA
POPULAÇÃO E SOCIEDADE

EM 1805, A IGREJA CATÓLICA CONTOU NO BRASIL 3,1 MILHÕES DE habitantes. Havia quem estimasse mais: cerca de 3,9 milhões. Doze anos mais tarde, calculava-se a população do país em 3.817.000 indivíduos, dos quais 259.400 seriam ameríndios aculturados, 1.043.000 brancos, 526.500 mulatos e negros libertos ou nascidos livres e 1.930.000 negros escravos. Os números podiam ser, contudo, maiores, porque não se incluíram nos cálculos as crianças escravas com menos de 10 anos de idade, nem os ameríndios bravos, isto é, aqueles que continuavam a resistir à penetração europeia ou viviam em florestas e savanas onde não haviam chegado os portugueses.

Não se sabia quantos seriam esses índios que se mantinham senhores de seus destinos, embora muitos grupos vivessem não muito longe das povoações dos brancos — e neste caso estavam, para ficar em dois exemplos, os botocudos do Vale do Rio Doce, no Espírito Santo, contra os quais, mal chegado ao Brasil, o príncipe d. João decretou guerra justa, e os chamados tapuias do Maranhão, que passavam do continente, onde viviam, para a ilha de São Luís e atacavam as quintas e as propriedades rurais nos arredores da cidade.

Quanto mais se afastava do litoral e adentrava os sertões, mais se acentuava nos povoados a presença dos índios aportuguesados e de caboclos, mamelucos ou curibocas, os mestiços de brancos com indígenas. Mesmo nas áreas próximas ao litoral, sobretudo nas de antiga colonização, como Bahia, Pernambuco e São Paulo, a maioria das famílias antigas tinha em sua origem no Brasil uma mulher indígena, e contava com várias outras, ao longo das gerações. Por isso, entre os considerados brancos, em todas as classes sociais, uma alta proporção devia ser de caboclos. E tampouco faltavam, entre os tidos por brancos, alguns mulatos claros, sobretudo os nascidos em famílias de prestígio.

Em 1831, a população devia andar por volta dos 5 milhões, dos quais entre um terço e a metade seria de escravos. Como os demais números demográficos apresentados para os dois primeiros quartéis do século XIX, estavam estes destituídos de rigor. Não passavam de aproximações da realidade. Fosse, contudo, de 4,5 milhões ou de 6 milhões o número de habitantes do Brasil, era pouca gente para terras tão extensas, pois a colônia portuguesa nas Américas ocupava mais de 8,3 milhões de quilômetros quadrados. Também esses números não eram precisos, porque se desconhecia muito do território, e suas fronteiras terrestres não tinham ainda, em vários trechos, sido traçadas.

OS PORTUGUESES

Os portugueses se haviam fixado em alguns lugares meio ao acaso; noutros, a perseguir terras gordas para os canaviais ou melhores pastagens para o gado; noutros, para controlar a mineração do ouro e de diamantes; noutros, porque enseadas seguras e portos naturais; e noutros, ainda, pela percepção política de que eram pontos-chave e estratégicos para garantir a posse da terra. Aqui, surgiram povoações que se tornaram vilas e cidades; ali, engenhos de açúcar, currais ou plantações de algodão ou tabaco; acolá, fortes à beira-rio e a olhar a floresta.

Esses centros populacionais estavam em geral dispersos num quase continente, distantes uns dos outros e muitas vezes sem comunicação constante entre si. Navios, é certo, ligavam as cidades litorâneas, e, no correr do século XVIII, desenvolvera-se uma rede de ligações terrestres e fluviais, ainda que precárias, que vinculavam diferentes centros de produção. Tropas de burros e boiadas abriam e conservavam caminhos a ligar o Rio Grande do Sul a São Paulo, o Maranhão e o Piauí a Pernambuco, Mato Grosso a Minas Gerais, Minas Gerais à Bahia e ao Rio de Janeiro, o Norte ao Nordeste, o Nordeste ao Sul, o Sul ao Oeste. Entre uma cidadezinha e outra, enormes vazios, dias e dias sem se ver uma só casa. As distâncias eram enormes, e os meios de transporte de pessoas, escassos. Viajava-se mais facilmente de Belém do Pará ou de São Luís do Maranhão para Lisboa do que para Salvador ou o Rio de Janeiro.

Era pequena a população urbana. Podemos disso fazer ideia quando calculamos que, em 1823, menos de 9% dos habitantes do Brasil viviam nas capitais das províncias — e, tirando as capitais das províncias, poucas eram as cidades que mereciam este nome. Mesmo as capitais eram, quase todas,

Jean-Baptiste Debret
Interior de uma casa de ciganos

IN: *VOYAGE PITTORESQUE ET HISTORIQUE AU BRÉSIL*
PARIS: FIRMIN DIDOT FRÈRES, 1834. TOMO II, GRAVURA 10
LITOGRAFIA, 17,3 × 22,6 CM
SEÇÃO DE ICONOGRAFIA DA FUNDAÇÃO BIBLIOTECA NACIONAL, RIO DE JANEIRO

acanhadas. Uma das melhores, a belíssima Vila Rica (a atual Ouro Preto) que, no auge da exploração aurífera, na metade do século XVIII, chegara a contar com 20 mil moradores, estava reduzida a 8 mil no início do Oitocentos.

Calcula-se que, em 1808, o Rio de Janeiro, cabeça do vice-reinado, tivesse entre 50 mil e 60 mil habitantes. Salvador abrigaria 51 mil pessoas. Recife, em 1810, segundo o inglês Henry Koster, cerca de 25 mil. Pelos cálculos dele, a refletir possivelmente os números que lhe davam os locais, em São Luís viveriam 12 mil pessoas ou um pouco mais. Outro súdito britânico, John Mawe, que andou pelo Brasil na mesma época, aumentou o número para

20 mil. E estimou em 10 mil habitantes a população de Belém e em 20 mil a de São Paulo. O Rio e Salvador não eram, porém, cidades pequenas para a época. Muito menores do que Lisboa, que contava, no fim da primeira década do século XIX, com 180 mil habitantes, rivalizavam em número de gente com o Porto, a segunda cidade de Portugal.

Em 1821, o Rio de Janeiro já tinha 79 mil habitantes, sem contar os que viviam na área rural do município. Com estes talvez chegasse aos 112 mil. E há quem diga que a população urbana já atingia os 90 mil. A cidade recebera um grande influxo de portugueses: os nobres e altos funcionários que, com sua criadagem, acompanharam d. João na transferência da corte para o Brasil, e aqueles que, nos anos seguintes, se deslocaram para o Rio de Janeiro, a fim de ficar perto do rei e de suas benesses.

Qual se fizera, desde o século XVII, na Amazônia e, na centúria seguinte, em Santa Catarina e Rio Grande do Sul, não cessaram, durante a estada de d. João e o Primeiro Reinado, os esforços para enviar para as terras brasileiras — perigosamente vazias ou semivazias — colonos saídos das áreas superpovoadas de Portugal, principalmente do arquipélago dos Açores. Em 1809, 3 mil islenhos se instalaram no sul do país e novas levas não tardaram em seguir para a Bahia, o Espírito Santo, São Paulo e Minas Gerais.

Em alguns poucos grupos predominavam os rapazes solteiros. A regra, porém, é de que fossem formados por casais. Os açorianos, como também os madeirenses, já chegavam ao Brasil de família formada, contrastando, portanto, com os portugueses continentais, que geralmente viajavam sozinhos e se uniam a ameríndias, caboclas, mulatas e negras. No período colonial, as autoridades portuguesas, na esperança de dar remédio à falta de mulheres europeias, enviavam para o Brasil órfãs, indigentes, prostitutas e condenadas à prisão, muitas vezes por motivos menores ou que hoje não se considerariam delitos. E não seria incomum, já no início do século XIX, que portugueses de êxito contratassem casamento em Portugal com mulheres que pouco conheciam ou que veriam pela primeira vez ao desembarcarem no Brasil.

Havia portugueses de todas as regiões e com modos de vida diferentes. Se, no início da colonização, predominaram os estremenhos, os alentejanos, os algarvios e, vindos de todas as partes do reino, os cristãos-novos, tornaram-se mais visíveis, no primeiro terço do Oitocentos, além dos açorianos e madeirenses, os minhotos, os trasmontanos e os beirões. Os brancos nascidos no Brasil já superavam os metropolitanos que moravam no país, e, somados, eram menos numerosos do que, juntos, os negros, os caboclos, os cafuzos e os mulatos.

Também os negros nascidos no Brasil, ou crioulos, competiam em quantidade com os africanos. Mas estes, apesar dos esforços britânicos para restringir o tráfico, continuaram a chegar em grandes números — acima de 750 mil entre 1808 e 1831, mais, portanto, do que em qualquer outro quarto de século da história brasileira — e de diferentes partes da África. Era nas Américas que eles se reconheciam como negros e africanos e era no Brasil que recebiam nomes que os vinculavam aos portos de venda e embarque, e se tornavam angolas, benguelas, cabindas, minas ou moçambiques, nomes que só vagamente, e nem sempre, indicavam a região de origem — e não definem a que povos pertenciam.

Desde o início do comércio de escravos para o Brasil, na metade do século XVI, era marcante a presença de cativos retirados da África Centro-Ocidental, da região compreendida atualmente pelo Gabão, os dois Congos e Angola. No começo, predominavam os congos, os angicos, os andongos, os libolos, os vilis, os quissamas, os luangos, os iacas, os imbangalas, os bailundos, os huambos. Com o tempo, as redes de captura se foram expandindo da costa para o interior e, no primeiro terço do Oitocentos, já seria preponderante, nos embarques em Cabinda, Luanda e Benguela, gente vinda de muito longe, até de terras a leste do rio Lualaba e do alto Zambeze, que o *mantiânvua* ou imperador da Lunda, por exemplo, recolhia como tributo de seus vassalos ou aprisionava em suas guerras e razias. Desciam nos portos brasileiros pendes, songos, ganguelas, luenas, lubas, lovales, lózis, bembas e outros mais, entre os povos que falavam idiomas bantos. De línguas bantas era também a quase totalidade dos que os navios negreiros iam adquirir na Contracosta, sobretudo em Moçambique. E neles vinham macuas, macondes, nhanjas, carangas e vários grupos tongas, como os chopes, os changanas e os rongas.

Os escravos africanos de línguas bantas podiam ser encontrados em todas as partes do Brasil, predominando em algumas delas, a começar pelo Rio de Janeiro e o vale do Paraíba do Sul. Já os negros da Alta Guiné — mandingas, jalofos, sereres, bijagós, pepeis, susus, limbas, banhuns e beafadas —, que compuseram alguns dos mais antigos embarques de cativos, endereçaram-se predominantemente, a partir da segunda metade do século XVIII, para o Maranhão e o Pará.

Do golfo do Benim, também conhecido como Costa dos Escravos, vinham levas e levas de cativos que falavam idiomas iorubás e gbe. Eram comuns em Pernambuco e preponderantes na Bahia, onde a denominação

40

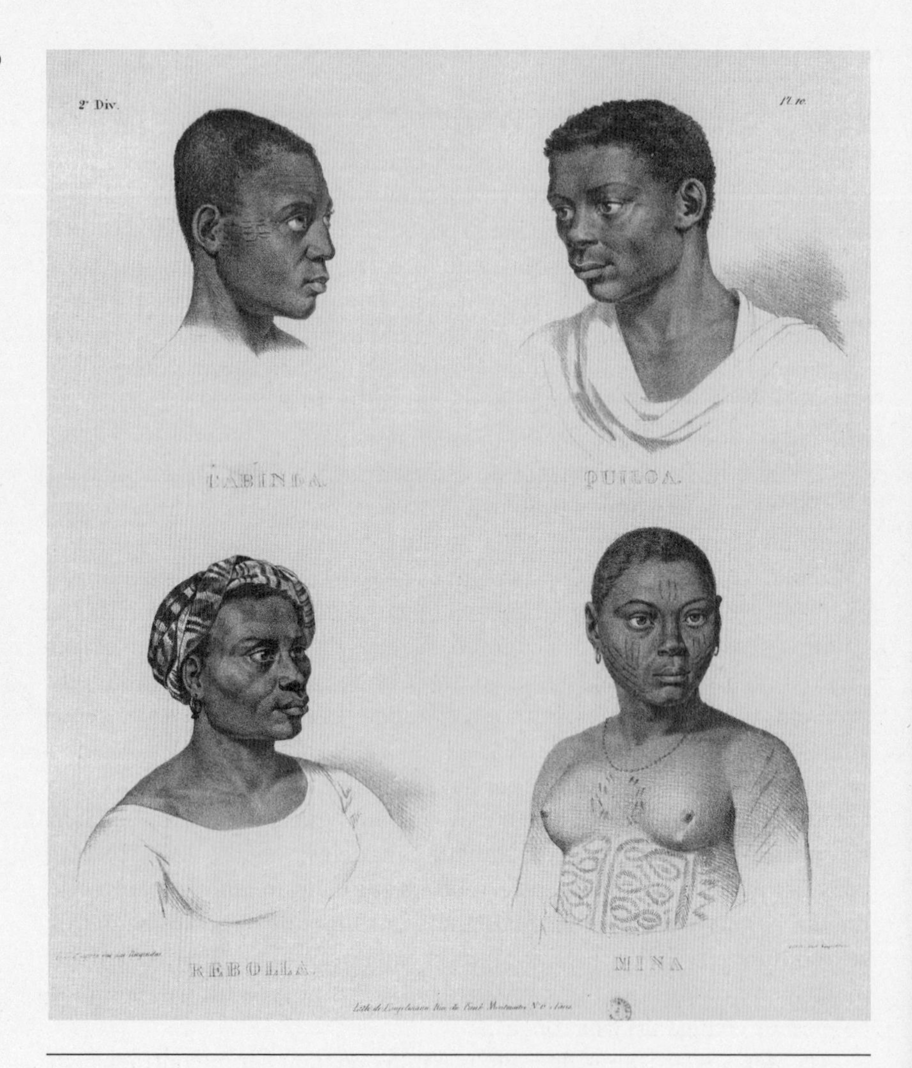

Johann Moritz Rugendas

Escravos africanos – "Cabinda / Quiloa / Rebolla / Mina"

IN: *VIAGEM PITORESCA ATRAVÉS DO BRASIL*

PARIS: LITH. DE G. ENGELMANN, 1835. GRAVURA 40

GRAVURA, 19,5 × 29,5 CM

SEÇÃO DE ICONOGRAFIA DA FUNDAÇÃO BIBLIOTECA NACIONAL, RIO DE JANEIRO

nagô compreendia ijebus, ijexás, auoris, efans, quetos, ondos, oiós, ifés e outros povos; e por geges se tinham os fons, os huedás, os mahis, os evés, os guns e os gás. Do interior da região chegaram também aos mercados brasileiros, especialmente aos baianos, hauçás, baribas, nupes, grunces e bornus. Não faltavam acãs — fantes, acuamus, adansis, axantes. E da baía de Biafra eram trazidos ibos, ibíbios, ijós e efiques, que, no Brasil, foram geralmente agrupados sob a denominação de calabares.

O Rio de Janeiro era, na época, o maior porto de entrada de escravos do mundo. Perto de 60% dos importados pelo Brasil ali desembarcavam. Parte ficava na cidade e em terras fluminenses, parte seguia para Minas Gerais. Salvador também abastecia, além do Recôncavo Baiano, Minas Gerais, e em seu cais desciam cerca de 30% dos cativos. Os demais se distribuíam por outros portos, dos quais os principais eram o Recife, São Luís, Santos e Porto Alegre.

IMIGRANTES

Os africanos formavam uma multidão de estrangeiros. Havia, no entanto, outros expatriados, que, embora relativamente poucos, se foram tornando, por suas atividades e "língua enrolada", cada vez mais visíveis: espanhóis, franceses, ingleses, irlandeses, suíços, alemães, italianos, austríacos, suecos e holandeses.

Até o decreto de 25 de novembro de 1808, com o qual o príncipe regente d. João abriu o país aos estrangeiros que nele se quisessem estabelecer, o país estava fechado aos homens livres que não fossem portugueses. Abriam-se pouquíssimas exceções: para agilizar o comércio, por exemplo, as cidades do Rio de Janeiro, do Recife e de Salvador podiam acolher, cada uma delas, quatro famílias britânicas.

A partir de 1808, tudo mudou. E, a repetir a experiência com os casais açorianos, o próprio governo procurou arregimentar imigrantes de outros países europeus e patrocinar a fundação de colônias de estrangeiros: pagava-lhes a viagem de navio e lhes concedia, ao chegar, um trato de terra. As primeiras colônias de imigrantes foram Santa Leopoldina, na Bahia, em 1818, e Nova Friburgo, em 1820, ambas com suíços, predominantemente católicos e de fala francesa.

Igualmente aliciados por agentes do governo foram os imigrantes alemães dirigidos, sobretudo a partir de 1824 — data da criação da Colônia Alemã de São Leopoldo —, para o Rio Grande do Sul e Santa Catarina. Provinham principalmente de Hesse, da Prússia, de Saxe, de Würtemberg e de

Oldemburgo, e entre eles havia católicos e protestantes. Como se dera com os suíços de Nova Friburgo, nem todos eram agricultores, mas carpinteiros, ferreiros, sapateiros, alfaiates, tanoeiros, seleiros, tecelões e práticos de outros ofícios. A esses imigrantes somaram-se muitos dos oficiais e soldados alemães que serviram como mercenários a d. Pedro I e ficaram no Brasil.

Se já se calcularam em mais de 6.800 os alemães que entraram no Brasil de 1811 a 1830, não há estimativas para os espanhóis, muito mais numerosos. Estes chegaram por conta própria, vários deles de países vizinhos, por inconformidade com as mudanças políticas que lá se davam. Quer viessem da península ibérica, quer das Américas, buscaram em geral instalar-se nas cidades. E dividiram-se por muitas atividades urbanas.

Também preponderantemente urbana foi a imigração francesa. Após a assinatura da paz com a França em 1814, começaram os franceses a desembarcar no Brasil, para atender à demanda de serviços que a própria presença deles constantemente ampliava. Num país cujas principais cidades, no fluir do século, se afrancesariam, eram comerciantes de produtos de luxo, alfaiates, modistas, chapeleiros e cabeleireiros, livreiros, professores e governantas, cozinheiros, padeiros e confeiteiros, serralheiros, marceneiros e estofadores.

A maioria vinha fazer a América: contava com enriquecer em pouco tempo e regressar à França. Não eram poucos, entre eles, os ex-bonapartistas, refugiados políticos à espera que a pátria lhes desse melhores dias. Mas acabavam, uns e outros, por ancorar para sempre.

Já os britânicos geralmente não chegavam como imigrantes. Fossem comerciantes, engenheiros ou mecânicos, tinham um período determinado de permanência, a serviço de suas empresas. Alguns resolviam deixar de ter patrões e se estabeleceram com lojas, albergues e tavernas. E não faltaram os médicos, professores, alfaiates e outros profissionais que, atraídos pelas promessas do Brasil, para ele se transferiram.

Vindo também da Europa, desceu no Rio de Janeiro, no início do Oitocentos, pelo menos um grupo de ciganos, para somar-se aos outros que, desde o século XVII, foram mandados para o Brasil. Todos juntos seriam poucos, mas davam na vista, por seus trajes vistosos, tanto no interior, onde se dedicavam a consertar tachos de cobre e a comerciar com cavalos, quanto na corte e nas principais cidades portuárias, onde, sedentários, se tornaram mercadores de escravos, oficiais de justiça e meirinhos.

Outros imigrantes que, apesar de seu número reduzido, chamaram a atenção dos contemporâneos foram os chineses. D. João trouxe os primeiros, de Macau, em 1814, com o objetivo de difundir no Brasil a cultura do chá. Outros a eles se seguiram, principalmente no período logo após a Independência. A maioria abandonou a agricultura e se voltou para o comércio ambulante.

Quem saísse de casa, no Rio de Janeiro, não esperava encontrar um chinês. Mas podia topar um cigano. Principalmente se fosse para um dos lugares em que se ajuntavam: a rua da Constituição e o Campo de Santana. Foi, aliás, no Campo de Santana, durante as festas pelo casamento de d. Pedro com d. Leopoldina, que eles, em belíssimos cavalos, todos brancos e escolhidos a dedo, entusiasmaram a cidade com suas proezas de ginetes.

UMA SOCIEDADE ESCRAVISTA

Para qualquer lado que se olhasse, era quase certo, porém, dar com um ou mais escravos negros. O Brasil era uma sociedade escravista — e não só uma sociedade na qual os escravos desempenhavam os trabalhos essenciais ao funcionamento do sistema econômico, mas uma sociedade em que a vida diária girava em torno deles.

A maior parte da escravaria concentrava-se nos engenhos de açúcar, nas plantações de algodão, café e tabaco, nas fazendas de gado e nas charqueadas. Principalmente, portanto, nas áreas de produção para a exportação.

O quadro clássico é o da casa-grande, tendo ao lado, conforme o caso, o engenho, os currais, os pátios de secagem ou os barracões de trabalho, os depósitos, as casas dos agregados e as senzalas dos escravos.

A casa-grande ou casa de fazenda, fosse de pedra, taipa ou tijolo, imitava os solares e as quintas rurais portuguesas, com o acréscimo de uma ou mais varandas, recurso arquitetônico para abrandar o calor, copiado da Índia ou da África. A casa senhorial podia assentar-se ou não sobre amplos porões e ser térrea ou sobrado.

Algumas senzalas não passavam de um conjunto de cabanas com paredes de tábuas, adobe ou tijolos, à europeia, ou de sopapo ou palha, piso de terra batida e uma única porta, à africana. Nos estabelecimentos com numerosa escravaria, era de norma uma ou mais de uma construção retangular, de frente larga, com ou sem alpendre, a dividir-se em vários cubículos estreitos, cada qual com sua porta, com forte fechadura, como celas de prisão. Noutros, grandes barracões funcionavam como dormitórios coletivos, verdadeiros depósitos de escravos, de pé-direito alto, cobertos de telha, sem janelas e com uma única porta. Havia ainda propriedades nas quais se combinavam diferentes tipos de senzalas: os escravos solteiros, divididos por sexo, ficavam nos dormitórios coletivos; os casados e com família, em cabanas ou quartos separados. No fim do Primeiro Reinado, com o aumento do preço dos escravos, alguns senhores, preocupados com as dificuldades para repor os que morriam, começaram a construir senzalas mais higiênicas, com amplas varandas, para as quais se abriam a porta e a janela de alojamentos relativamente arejados.

Nem todos os escravos das propriedades agrícolas moravam nas senzalas. Os que prestavam serviços domésticos — e costumavam ser numerosos — podiam ter acomodações próprias na casa-grande, nos fundos do prédio, nas águas-furtadas ou no porão. Ou passavam a noite, quando amas de crianças pequenas, nos quartos destas. Em muitos casos, porém, dormiam onde encontravam lugar para pendurar uma rede ou estender uma esteira: na cozinha, na copa, nos vãos das escadas e nos corredores.

Nesta casa-grande pretendia-se viver à europeia. A contrariar, porém, a arquitetura, mais do que a um casarão rural do Minho, ela se assemelhava, na organização e nas relações humanas, a um *agbo ilê*, ou conjunto habitacional, na África, de um iorubá de poder e posses. Parecia mais uma residência senhorial africana do que uma quinta portuguesa. Na casa-grande brasileira vivia o senhor com sua mulher e, em muitos casos, as concubinas, livres ou escravas, os filhos com suas esposas, e netos, mãe, sogra e irmãs viúvas, cunhados, sobrinhos e, além da escravaria, vários agregados, recrutados entre o parentesco sem recursos e brancos e mestiços pobres, que, sendo eleitores, lhe alicerçavam a influência política. Tal qual um aristocrata africano em seu *agbo ilê*. E, como ele, tinha prestígio e força porque comandava muita gente. Sua riqueza media-se não só pela extensão de suas terras, mas também — e talvez principalmente — pelo número de seus escravos.

A posse de escravos era também o indicador da abastança nas cidades. De tal forma se ostentavam os escravos que eles podiam ser considerados bens suntuários. A indicar *status*. Os que possuíam muitos cativos faziam questão de, ao ir à missa de domingo, por exemplo, ser acompanhados por alguns deles, as escravas cheias de joias e vestidas de sedas ou algodões finos, com rendas e bordados, e os homens de coletes, camisas com folhos e calças cingidas às pernas. Uns e outros, porém, quase sempre descalços, porque era da condição do escravo andar de pé no chão.

Dentro de casa, quando não havia visitas, as roupas eram simples, leves como pedia o calor, e geralmente gastas. Tanto as dos senhores — mulheres e homens mal-ajambrados e de chinelos — quanto as dos cativos. De um modo geral, reinava o desleixo. Os brancos, apesar do calor, não tomavam banho todos os dias. Muitos, nem uma só vez por semana. Já os índios e os negros gostavam de água e, sempre que podiam, se banhavam uma ou mais vezes por dia, e acabaram por transmitir aos filhos dos europeus o hábito do banho diário.

Havia, claro, uma ou outra residência que seguia os costumes europeus e, mesmo no dia a dia, mantinha os escravos usando uniforme, e as escravas, turbantes, camisas com mangas bufantes e saias rodadas. Mal ou bem-vestidas, nas casas de gente rica ou importante, onde estivesse a senhora ou as sinhazinhas, ficavam de pé uma, duas ou três escravas, à espera de suas ordens, que se podiam restringir, durante toda uma tarde, a trazer um copo d'água ou a recolher um novelo de lã que rolara no chão.

Mas não era só nas casas ricas que havia escravos; nas dos remediados, também. A primeira coisa que, em geral, fazia uma pessoa, mal melhorava de vida, era comprar um escravo ou uma escrava. Tinha-se isso como excelente investimento, ainda que não destituído de risco, pois o cativo podia ficar incapacitado, fugir ou morrer. Não havia morada de médico, advogado, professor, funcionário público, pequeno comerciante, boticário ou oficial do exército, até mesmo de baixa patente, sem escravas para as tarefas domésticas. E um carpinteiro, um ferreiro ou um pintor de parede, se ia bem na profissão, adquiria um ou mais rapazolas para aprender o ofício e ajudá-lo na faina. A doceira fazia o mesmo com as mocinhas. E isso se dava também com os ex-escravos e as ex-escravas, pois não era incomum que libertos possuíssem cativos, como mostram os inventários daqueles que, ao morrer, deixaram bens.

Havia senhores de numerosa escravaria que a alugavam para grandes serviços, inclusive públicos, como calçar uma via urbana. Outros, uns poucos e poderosos, contratavam com a municipalidade a limpeza de parte da cidade, por exemplo, e a executavam com seus escravos.

O que não faltava era os que punham escravos para ganhar na rua dinheiro para eles. Esses negros de ganho viviam num simulacro de liberdade: só voltavam à residência do senhor para dormir, quando não moravam fora dela, em quartos que partilhavam com outros em porões e águas-furtadas, ou em choças erguidas em terrenos alagadiços, nos areais, no sopé dos morros ou encostadas aos muros de grandes casas ou de chácaras. Sua obrigação era entregar, diária ou semanalmente, uma determinada importância em dinheiro ao dono, dinheiro que obtinham executando os mais diversos trabalhos, os mais comuns; entre as mulheres, o de vendedora ambulante de comidas e doces, e, entre os homens, o de carregador. Em cidades como Salvador e Rio de Janeiro, reuniam-se em cantos, muitas vezes por nações — um canto era predominante ou exclusivamente hauçá; outro, ijebu; este, fon; e aquele, ganguela ou luena, ainda que se dissesse angola. Ofereciam-se para tarefas individuais, como levar um cesto de frutas de uma chácara para uma quitanda, ou coletivas, como fazer uma mudança ou carregar um piano. Alguns logravam ganhar mais do que o devido ao dono e formavam um pecúlio com o qual adquiriam a liberdade.

Escravos eram endereçados por seus senhores para vender nas praças e de porta em porta refrescos, frutas, legumes, galinhas, vassouras, espanadores, colheres de pau, gamelas, peneiras, esteiras, gaiolas de passarinhos, vazias ou com um canário-da-terra, um corrupião ou um galo-de-campina, e toda sorte de bens. E escravos e ex-escravos dedicavam-se às mais variadas ocupações — e podiam ser recrutados nas ruas como pedreiros, carpinteiros, funileiros, sapateiros, alfaiates e até barbeiros-cirurgiões, conhecedores das técnicas de sangrar um paciente com sanguessugas, de sarjar-lhe um tumor ou lhe aplicar um emplastro. As escravas alugavam-se para diferentes tarefas, sobretudo as de ama de leite, cozinheira, doceira, costureira e bordadeira.

Em cidades como o Rio de Janeiro, Salvador, Recife, São Luís, Niterói, Campos, Pelotas e algumas outras, os escravos equivaliam em número às pessoas livres ou mesmo as ultrapassavam. Assim, em 1821, os escravos formavam um terço da população do Rio de Janeiro e pouco mais da metade da de Salvador. Em outros lugares, a proporção era ainda maior: 4/5 dos habitantes de Niterói, em 1833, e quase 60% dos que viviam em Campos, em 1840. Havia, entretanto, algumas áreas onde era pequena a escravaria, ou porque pobres ou porque a principal atividade econômica — pecuária extensiva, como no Piauí, ou produção de alimentos em propriedades relativamente pequenas, como na Zona da Mata, em Minas Gerais — não requeria muita mão de obra cativa.

Nem todos os escravos se acomodavam à escravidão ou a aceitavam como um inexorável destino. Rebelavam-se. Matavam donos e feitores. Fugiam. Alguns escapavam das plantações para as cidades, onde tentavam passar por libertos. Outros, evadidos das propriedades rurais ou das residências urbanas, refugiavam-se nas matas e no alto das montanhas. Formavam quilombos, que podiam ser uma pequena aldeia, um conjunto de vilarejos ou uma área fortificada à maneira africana, cercada por fosso com estrepes e plantas espinhentas e por muralha de barro ou paliçada. Em alguns dos maiores, procurava-se reproduzir as estruturas políticas e sociais que seus líderes tinham conhecido na África, e na maioria deles — até porque compostos por gente de variadas origens, que muitas vezes recorriam ao português para se entenderem entre si — essa África já estava crioulizada, abrasileirada.

Johann Moritz Rugendas
Negras do Rio de Janeiro
IN: *VIAGEM PITORESCA ATRAVÉS DO BRASIL*
PARIS: LITH. DE G. ENGELMANN, 1835. GRAVURA 37
GRAVURA, 29 × 24 CM
SEÇÃO DE ICONOGRAFIA DA FUNDAÇÃO BIBLIOTECA NACIONAL, RIO DE JANEIRO

Não era raro que houvesse quilombos em área de difícil acesso a alguns poucos quilômetros das cidades. Às vezes colados a elas, como os quilombos existentes nas matas do Catete, das Laranjeiras, do Engenho Velho e da Tijuca, no Rio de Janeiro, e em Brotas e Itapagipe, em Salvador. De seus refúgios, os quilombolas assaltavam as chácaras suburbanas e as casas-grandes rurais. Roubavam roupas, alimentos e armas. Também raptavam mulheres e incitavam os escravos à fuga. Não era infrequente, porém, que houvesse uma convivência pacífica e até comércio entre quilombos e moradores das fímbrias das cidades ou dos povoados. E, numa grande urbe, um quilombola oferecendo à venda as galinhas que trazia num garajau não teria dificuldade em ser confundido com um escravo de ganho. Era mais um vendedor negro, dos muitos que enchiam as ruas.

CIDADES PORTUGUESAS E AFRICANAS

Quem, aliás, desembarcasse no Rio de Janeiro, em Salvador ou no Recife, poderia sentir-se na África, se só olhasse para a gente esparramada pelo cais e descuidasse da arquitetura que repetia a portuguesa. As igrejas, os sobrados, as moradas-inteiras, as meias-moradas e até a porta e as janelas que se apertavam nas ruas estreitas podiam ter sido trazidos inteiros de Lisboa. Mas dos bairros pobres e desleixados de uma Lisboa que hesitasse em sair do passado e com um ar de Oriente islâmico, pela persistência das gelosias e dos muxarabis, que resistiam à hostilidade das administrações municipais. No caso do Rio de Janeiro, apesar de proibidas, em 1809, nos sobrados, as gelosias continuaram nas janelas de alguns deles e da maioria das casas térreas, e por muito tempo, pois em 1826 as fixou no papel o pintor francês Jean-Baptiste Debret e, em 1829, as descreveu em livro o inglês Robert Walsh.

Embora predominassem as casas térreas, nas paisagens urbanas chamavam a atenção os sobrados. De um ou dois andares, na maioria dos casos, mas que subiam, aqui e ali, a quatro ou cinco. No Recife, esses prédios mais altos eram numerosos — podiam chegar a sete andares, se contarmos o mirante — e, assim como os mais baixos, podiam ter a fachada coberta de azulejos. Tal qual sucedia em São Luís. Os que não apresentavam a frente louçada, pintavam-se principalmente de branco, mas também de azul, amarelo, rosa ou até mesmo de cores fortes como o zarcão ou o vermelho sangue de boi.

Fosse em Belém, São Luís, Recife, Salvador, Vila Rica, São Paulo ou Porto Alegre, as construções colavam-se umas às outras, podendo ver-se agarrada a um casarão imponente, com mais de dez janelas por andar e sacadas de ferro belamente trabalhadas, uma casinhola de sopapo rebocado e chão de terra batida. No Rio e no Recife, alguns sobrados eram esguios: altos de vários pisos, mas de frente estreita, na qual mal cabiam três janelas pequenas.

Mesmo nos casarões mais imponentes não havia água encanada nem esgoto. Alguns deles podiam ter poço no quintal. A maioria, porém, era abastecida de água por escravos e escravas, que iam, muitas vezes ao dia, buscá-la em bilhas e potes nos chafarizes públicos, nas fontes e nos riachos. E escravos recolhiam a urina e os excrementos dos penicos em tonéis — os "tigres" —, que levavam nos ombros ou à cabeça, para jogar no mar ou em terrenos baldios. Lançava-se no quintal ou, na ausência dele, das janelas para a rua, após um grito de "água vai!", a água usada no banho de cuia e nas cozinhas. Isso se verificava à noite, como mandavam as posturas municipais, ou até mesmo de dia, ao arrepio delas.

Não era só por medo dos detritos que poucos se atreviam a sair à noite, e sempre armados, e de vela, candeeiro ou tocha na mão. De uma janela aberta podia cair sobre a rua a luz tênue de uma lamparina e em alguns pontos da cidade havia lampiões de mecha embebida em azeite de baleia que mal interrompiam a escuridão. Eram poucos, pouquíssimos: somente 172 em toda a capital do Império em 1833, e concentrados em determinadas áreas, como a proximidade dos teatros. Quase a tatear na treva, quem saía à noite estava sujeito não só à ação dos bandidos, mas também a cair nas ruas de terra ou mal empedradas, cheias de buracos, de valas e de porcarias.

Com a corte no Rio de Janeiro e a expansão da cidade por novos bairros, ganhou prestígio outro tipo de casa nobre: a residência, em geral assobradada, em centro de terreno, com jardim a confundir-se com o quintal. Muitas, no início, eram de estrangeiros — de britânicos, de franceses, de alemães —, mas se foram tornando o tipo de morada de prestígio para a nobreza e a gente abastada.

Nesses casarões, como de resto nos sobrados senhoriais que, apesar de colados uns aos outros, possuíam quintal, não era incomum que se procurasse reproduzir as comodidades rurais: plantavam-se horta e pomar, mantinha-se um galinheiro e, até mesmo, num espaço murado no fim do terreno, uma vaca para dar leite e, dela apartado por uma cerca, seu bezerro.

O que mais se via, a bater palmas diante dessas casas e a sair por suas portas, eram negros. E também caminhando pelas ruas e cruzando as praças, sentados em caixotes nas esquinas à espera de trabalho, recolhendo água nos chafarizes, fazendo a barba ou cortando o cabelo de um freguês numa escadaria, vendendo acarajé ou pamonha de milho em tabuleiros cobertos por uma toalha branca ou empinando papagaios nos terrenos baldios. Os negros eram os senhores das ruas. Podiam-se encontrar numa área movimentada da cidade uma dúzia de brancos, a pé ou a cavalo, vestidos à europeia, e até com uniformes cheios de dourados, ou uma cadeira de arruar com uma senhora ou uma sinhazinha a esconder-se atrás do cortinado, mas não chegavam a modificar a paisagem.

Negros, e de libré, eram, por sinal, os que sustinham os varões da cadeirinha. Outros, livres ou libertos, procuravam imitar o modo de vestir dos europeus. Os que assim trajavam contavam-se na multidão, como também aqueles poucos que não traziam mais do que um pano a passar por entre as pernas e amarrado na cintura. Muitos saíam à rua de calções largos, o torso nu, ou coberto com camisa também larga ou por um pano enrolado nos ombros. O mais comum é que vestissem calça comprida e blusa de algodão rústico. Havia quem, de gorro na cabeça, se cobrisse com um camisolão, à africana. Ou, à africana, usasse o barrete iorubano, semelhante ao frígio, mas com a ponta larga dobrada e caída para o lado ou para a frente. Já a meninada pequenina, esta corria não só pelas vielas, mas também pelas praças, nua ou quase nua.

A mistura de modos de trajar era surpreendentemente rica entre as mulheres negras. Esta, no seu traje de tecido indiano, vestia-se como se estivesse em Goa. Esta outra enrolava-se dos ombros às canelas com um vistoso pano da costa, importado das ilhas de Cabo Verde, dos rios da Guiné ou de Ijebu Ode. Ou o trazia amarrado à cintura. Naquela, de pano da costa era apenas um xale, sobre um vestido pregueado, cortado à europeia. E, aqui e ali, via-se uma jovem mãe trazendo seu pequenino escanchado às costas, preso por um pano largo, como se estivesse no golfo do Benim.

A variedade de cores nos trajes das negras e mulatas era enorme, mas as nascidas livres e as libertas, quando não imitavam a indumentária europeia, pareciam ter preferência pelo branco e por um modelo de roupa já então chamado de baiana — turbante, saia rodada, blusa que podia ou não ser rendada e de mangas bufantes —, um traje que lembrava a maneira de vestir das *signares*, *nhanhas*, *nharas*, *senoras* e *donas*, como eram conhecidas, na costa atlântica da África, as mulheres e viúvas negras de mercadores europeus e suas filhas mulatas, que, com esses trajes, procuravam se distinguir e marcar distância das outras africanas.

As ruas e praças centrais das cidades eram sujas, fedorentas, tumultuadas, coloridas e barulhentas. Em 1808, uma senhora de posses e até mesmo remediada raramente por elas passava a pé. Quando o fazia, acompanhada pelo marido ou pelas escravas e coberta por uma mantilha e por um manto que se estendia dos ombros aos pés, era para ir de casa a uma igreja que ficava a um quarteirão de distância. E isso valia ainda mais para as moças solteiras. Mulher de condição saía pouco de casa, para ir à missa e à novena ou para visitar parente ou amiga, e sempre de cadeirinha, liteira, palanquim, carruagem ou sege. Algumas sequer saíam para a missa: mandavam rezá-la na capela que tinham na quinta ou no sobrado. E, se o marido recebia visita masculina, em vez de fazer as honras da casa, escondiam-se num quarto.

Com a transferência da corte portuguesa para o Rio de Janeiro, os modos de vida da classe dominante começaram a mudar. A própria d. Carlota Joaquina, esposa de d. João, ao percorrer, montada a cavalo, as ruas da cidade, desmoralizou o costume de ficarem as mulheres encerradas em casa, assim como o de saírem à rua embuçadas, como se fossem muçulmanas. O fim da guerra na Europa e a chegada ao Rio de um bom número de profissionais da moda franceses aceleraram o processo. Até então, os vendedores de tecidos, botões, linhas e fitas batiam à porta das freguesas, que escolhiam o que queriam, sem sair de suas salas de visitas. E as costureiras iam provar os vestidos na moradia das clientes. Depois que se abriram no centro da cidade as lojas francesas de tecidos, com suas montras e amplos estoques, e as modistas, os chapeleiros e os cabeleireiros estrangeiros ganharam fama, tornou-se de bom-tom ir às compras nas ruas Direita e do Ouvidor e elegante frequentar as confeitarias e casas de chá. Algumas senhoras passaram a pentear-se nos salões da moda para ir ao teatro, que se tornara um hábito elegante e onde todos esperavam ver o rei.

Pouco a pouco, apesar da desconfiança ou, mais ainda, do temor, algumas meninas de famílias mais afoitas passaram a estudar fora de casa, nas escolas femininas que foram surgindo, dirigidas por professoras francesas, inglesas e alemãs, com um currículo bem mais amplo do que o ministrado pelas mestras particulares. Com estas últimas, as meninas não aprendiam mais do que a ler e escrever, a fazer as operações fundamentais de aritmética, a falar um pouco de francês, a tocar piano, a bordar e a executar outros trabalhos manuais.

Houve homens que não se conformaram com as novidades e continuaram a manter suas esposas e filhas fechadas em casa, só saindo para ir à igreja, acompanhar procissão e cumprir o menor número possível de obrigações sociais. E possivelmente a maioria das mulheres viu, de início, no comportamento rueiro das outras falta de recato. Ou, pior, de vergonha. Fora do Rio e de cidades como São Luís, Recife e Salvador, os velhos costumes continuaram a dominar por algum tempo, mesmo depois de 1831. Mas já não causaria escândalo a senhora que saísse de casa sem ter os cabelos e parte do rosto ocultos por um véu e estar resguardada dos ombros aos tornozelos por uma capa de lã ou coberta por um manto da cabeça aos pés. Como a maioria das mulatas e muitas negras que haviam melhorado de vida sempre tinham feito, as brancas passaram a exibir os trajes finos e a elegância do andar.

Às mulheres deve-se uma parte importante do processo de modernização, europeização e afrancesamento do Rio de Janeiro, que iria contaminar paulatinamente as outras urbes brasileiras. No correr do século, não houve cidade de certo porte que não procurasse imitar a capital e não tivesse, ainda que com outro nome, sua rua do Ouvidor.

A mudança de costumes nas cidades maiores notava-se com mais nitidez dentro de casa — e das casas ricas foi-se propagando, por imitação, para as remediadas. Começou-se a desviar o olhar de quem, à mesa, levava a faca à boca, e as mães repreendiam os filhos e, com ainda maior rigor, as filhas que amassassem com os dedos um bolinho de comida em vez de usar o garfo. Nas cidadezinhas e vilarejos, assim como entre os mais pobres, continuou-se, entretanto, a comer com as mãos e, sendo comum a falta de mesa, sentado numa esteira, no chão.

No Rio de Janeiro, as mulheres de posses passaram a vestir-se, primeiro, a imitar as nobres vindas de Lisboa; depois, a seguir as notícias de Paris. Os homens trajavam rigorosamente à inglesa, com lãs pesadas (que os fazia sofrer ainda mais o calor de um verão que na maior parte do país se estendia por quase todo o ano), e, além de não dispensarem os anéis, gostavam de ostentar suas condecorações e uma grossa corrente de ouro a atravessar o colete.

A maioria das residências dos relativamente bem situados na vida, até então quase sem recheio — um conjunto de sofás de palhinha, uma mesa de jantar com suas cadeiras, uma cama de casal (o resto da família dormia quase sempre em rede), alguns baús para guardar a roupa e pouco mais —, ganhou móveis franceses e ingleses, guarda-roupas, cômodas, armários, aparadores, cortinas, tapetes, grandes espelhos, relógio de pé e piano. E aqueles sobrados mais ricos, que já eram bem mobiliados com as peças, quase sempre de jacarandá maciço, características do Brasil do século XVIII, trocaram de decoração para acompanhar a moda.

As transformações por que passou o Rio de Janeiro no primeiro terço do Oitocentos eram mais visíveis na rua do Ouvidor e na rua Direita — da qual se retiraram definitivamente, em 1824, os mercados de escravos, completando-se sua transferência para o Valongo, onde os desgraçados continuaram, até 1831, a ser exibidos seminus aos compradores — e menos no Terreiro do Paço ou no Campo de Santana, domínios dos negros, dos mestiços, dos ciganos e de brancos que sempre tinham sido pobres ou que haviam empobrecido sem remédio.

Mesmo nas residências das pessoas importantes, eram poucas as mudanças que passavam do salão, da sala de jantar e da alcova do casal para os quartos das crianças, a copa, a cozinha e o quintal, ou que não eram, no percurso, acabocladas ou amulatadas.

UM PAÍS MESTIÇO

Nos almoços e jantares de cerimônia, serviam-se os pratos mais requintados da culinária portuguesa e, cada vez mais, as novidades francesas. Em muitos sobrados, mas sobretudo nas casas do que se poderia chamar de classe média, o quotidiano da cozinha era diferente, e nela o óleo de oliva competia com o azeite de dendê, e juntavam-se o leite de coco, as pimentas-de-cheiro e a malagueta ao alho, aos coentros e à cebola, e ficavam lado a lado as couves, as berinjelas, os maxixes, os chuchus, os carurus, os jerimuns, os repolhos, os tomates e os quiabos, e se alternavam o pirão de mandioca, o arroz solto, o purê de batata e o angu de milho. Não havia dia sem farofa, paçoca ou farinha de mandioca.

Sem repouso, verificavam-se confrontos, trocas, somas e misturas entre o fogão dos sobrados e a trempe das choças e das casinholas de barro socado, entre o complexo alimentar do trigo, da oliva e do vinho e o da mandioca, do dendê e da cachaça. Na casa do branco, o negro tomou gosto pela azeitona, pelos queijos e pelas linguiças. E passou a comer doces, o que não fazia na África. E os brancos, ainda que com muita relutância, foram-se rendendo aos quitutes ameríndios, africanos e mestiços — ao moquém de peixe, ao vatapá, ao amendoim torrado, à macaxeira assada, ao beiju, ao abará, à pamonha, ao mungunzá, ao xinxim de galinha, ao arroz de hauçá, ao cuscuz de milho e ao milho na brasa. Muitos deles adquiriam o gosto por esses pratos ainda crianças, a comer na copa ou na cozinha com as babás, as amas cafuzas ou negras.

As famílias ricas contratavam governantas e preceptoras europeias, principalmente francesas, mas não apagavam o que o convívio com as babás imprimira na mente da criançada. Os rapazolas, já a cursar leis na Universidade de Coimbra, não esqueciam, por exemplo, as histórias que lhe tinham sido contadas, quando meninos, para chamar o sono e que tanto podiam ser tupis quanto andongas, minhotas ou bretãs. E não era incomum que fossem uma mescla de narrativas de várias origens.

Somavam-se e misturavam-se culturas diferentes. Nas casas e, de modo ainda mais intenso, nas ruas. O que se costuma simplificar como o entrecruzar dos modos de ser portugueses com os dos ameríndios, africanos e outros europeus era um processo muito mais rico e mais complexo. Pois, se no próprio Portugal, apesar de sua antiga unidade como nação, se podiam distinguir distintas regiões culturais, eram ainda mais numerosos os povos indígenas, cada qual com seus diferentes valores, tradições e costumes, e não havia uma África, mas várias Áfricas.

Nas ruas das cidades brasileiras, um alentejano que, em Portugal, nunca tinha cruzado com alguém de Entre-Douro-e-Minho, de um ou mais deles se tornava amigo. E o mesmo se passava com um angico do Congo, que, antes de chegar ao Brasil, não sabia o que fosse um ijó do Delta do Níger e dele não entendia uma palavra. Numa esquina, um mahi contava uma história a um luena, e este a transmitia a um queto, como se fosse tradicional em sua gente. E um libolo aprendia uma canção dos lundas. E um oió encomendava a um quioco que sabia talhar a madeira uma imagem de Xangô. E o acará dos ijebus virava o acarajé dos ijexás.

No contato nas ruas, os negros adotaram o violão, o cavaquinho e o pandeiro, com o zabumba do norte de Portugal (o zé-pereira) a dar força ao compasso em contraste com a polirritmia do golfo da Guiné; e os brancos aprenderam a tocar o agogô, o reco-reco e o aguê. Este último, como a fornecer um bom exemplo de como se processavam as somas culturais, passou a ser conhecido como piano de cuia. Nas ruas criavam-se novos gêneros musicais, e um deles, o lundu, uma dança de negros, não demorou em insinuar-se entre as modinhas, nos saraus dos sobrados, e a ser cantado pelas sinhás, com acompanhamento ao piano.

A essa mistura de objetos, valores e condutas correspondia o aumento crescente de mestiços. Não temos números para o período, mas, no recenseamento de 1872, eles correspondiam a 34,3% da população. Em algumas províncias podiam ser mais da metade — e neste caso estavam o Piauí, Alagoas, Sergipe e Goiás — e, noutras, chegar aos 50% ou bem perto disso — como no Maranhão, Ceará, Paraíba, Pernambuco, Bahia e Mato Grosso. A situação não devia ser muito diferente em 1831, com os mulatos predominando nas províncias onde era grande o número de escravos, como a Bahia e Alagoas, e os caboclos e cafuzos, onde era forte a presença de ameríndios, como o Piauí, o Ceará, Goiás, Pará e Mato Grosso.

Lieuten Chamberlain
Uma família brasileira

IN: *VIEWS AND COSTUMES OF THE CITY AND THE NEIGHBORHOOD OF RIO DE JANEIRO*
LONDRES: HAY MARKET, 1821 (EDITADO POR THOMAS MS LEAN)
GRAVURA, 20 × 28 CM
SEÇÃO DE ICONOGRAFIA DA FUNDAÇÃO BIBLIOTECA NACIONAL, RIO DE JANEIRO

Havia mestiços em todas as classes sociais, inclusive nas elites, como observaria o conde de Gobineau, ministro da França no Rio de Janeiro em 1869 e 1870, que, com exagero, só tinha por brancas a família imperial e poucas mais. Bem antes dele, já Karl von Martius e Johann Baptist von Spix, que estiveram no Brasil de 1817 a 1820, afirmavam ser "difícil determinar o limite entre as pessoas de cor e os brancos legítimos", ou, em outras palavras, saber onde terminavam o caboclo e o mulato e começava o branco. Não era incomum que filhos de padres com escravas ou libertas e filhos naturais de grandes proprietários rurais com cativas negras e mulatas fossem mandados estudar em Coimbra e Montpellier e, no regresso, o preconceito de cor amolecido pelo prestígio do diploma, passassem a integrar as camadas privilegiadas da sociedade. Já era assim entre 1808 e 1831. E mesmo antes.

A mestiçagem não escondia a multiplicidade de culturas que havia no país. Bastava sair à rua ou passar pelas senzalas de uma propriedade rural para ouvir falar várias línguas diferentes. É bem verdade que, ao contrário do que sucedera até o final do segundo terço do século XVIII, o tupi deixara de predominar sobre o português, como idioma doméstico, em São Paulo, no Pará e em outras partes do país — e isto se devera à proibição, decretada em 1757 pelo marquês de Pombal, do ensino nas escolas elementares e do uso público de outra língua que não a portuguesa.

Apesar da interdição pombalina, podia-se ouvir, em Belém, uma senhora falar com outra, de janela a janela, em nheengatu; no Rio de Janeiro, um grupo de negros a conversar em quimbundo; e, em Salvador ou no Recife, em iorubá ou numa das muitas outras línguas faladas pelos africanos trazidos para o Brasil. Quando não provinham da mesma região, o mais comum era que se entendessem entre si em português, mesmo se seus idiomas vernáculos pertencessem à mesma família linguística — ao grupo banto, por exemplo. Um congo conseguia comunicar-se com um falante de quimbundo, como um português com um castelhano, mas não compreendia o que lhe dizia um bemba ou um macua, ainda que os três fossem bantos, do mesmo modo que um castelhano não percebe um romeno, embora ambos se expressem em idiomas latinos.

Se eles eram de povos vizinhos, ainda que de línguas diferentes, podiam entender-se numa delas ou numa terceira. Era comum que um africano — membro de sociedades polígamas e exogâmicas — falasse mais de um idioma, além do materno, e que se comunicasse numa das línguas francas que cobrem vastas regiões, como o mandinga, o hauçá e o suaíli, ou numa das línguas que aprendera com as várias mulheres de seu pai, pertencentes muitas vezes a distintas nações. Um menino fante podia ser criado com meios-irmãos que se expressavam em axante, gã e evé.

Quando um queto se dirigia a um branco, a um caboclo, a um mulato, a um crioulo ou a um quissama, era em português que o fazia. E era em português que, nos engenhos e nas fazendas, se davam as ordens nos trabalhos coletivos de cortar cana, colher café ou recolher o gado. Nas cidades e no campo, a língua portuguesa se impusera como a segunda língua de muitos, além de ser o único idioma falado por uma maioria que não cessava de aumentar. Descontadas algumas diferenças de pronúncia e a presença de umas poucas expressões locais, o português era milagrosamente o mesmo em todas as áreas povoadas, dispersas por um imenso território e com precária e irregular comunicação entre si.

Mas o português também se mestiçava, sob a influência dos idiomas indígenas e africanos, ganhava novas entonações, sofria modificações sintáticas e enriquecia seu vocabulário com milhares de palavras tupis, jês, aruaques, caribes, quimbundas, quicongas, umbundas, iorubás, fons e de outras línguas. Palavras corriqueiras como "cutucar", "mingau", "pereba" e "tipoia", e de uso quotidiano como "cachimbo", "cochilar", "fungar" e "xingar" — para citar apenas oito exemplos — entraram no idioma sem que se desse por isso. As quatro primeiras provinham do tupi, e as quatro últimas, do quimbundo.

AS DIVISÕES DA SOCIEDADE

O país era ao mesmo tempo multicultural e mestiço. Mas estava dividido em duas metades inimigas, atadas pela violência: os homens livres e os escravos. Mesmo quando as relações do dia a dia não se mostravam conflituosas, não se calavam no espírito de uns e de outros a hostilidade e o medo.

O homem livre era branco; era negro o escravo. Essa dualidade não se desmentia pelo fato de haver negros nascidos livres ou que tinham adquirido a liberdade, e nem mesmo pelo fato de alguns deles serem donos de outros homens. Até prova em contrário, um negro era visto como escravo.

Os mulatos não chegavam a alterar o desenho: se escuros, eram em geral tratados como negros; se claros, como brancos. Ou quase brancos. Traços de união ou de desunião entre uma metade e a outra, o mulato, o cafuzo e o mestiço indefinido funcionariam, porém, sem que disso tivessem consciência, como amortecedores do antagonismo entre elas, ainda que disfarçado ou esconso.

Os brancos não formavam um grupo coeso. Dividiam-se, primeiramente, entre os nascidos no Brasil e os provenientes de Portugal, ou reinóis. A rivalidade entre eles manifestava-se em todos os patamares sociais, entre os brancos pobres, remediados e ricos, mas tomara contornos politicamente mais nítidos, antes e depois da independência, na oposição entre os senhores rurais, preponderantemente brasileiros, e os comerciantes urbanos, em geral portugueses.

Os senhores rurais julgavam-se uma "nobreza da terra" e olhavam com desprezo para os mercadores. Não eram, salvo contadas exceções, aristocratas pelo nascimento e sangue. Reivindicavam, contudo, uma ascendência de que muito se orgulhavam, com muitas gerações na terra brasileira, e se consideravam uma classe privilegiada, com foros próprios e direito de mando

Armand Julien Pallière
Chafariz das Marrecas

AQUARELA E TINTA FERROGÁLICA, 24 × 29,3 CM
MUSEU HISTÓRICO NACIONAL, IBRAM,
MINISTÉRIO DA CULTURA, RIO DE JANEIRO

incontrastável dentro de suas propriedades. Já não eram, porém, economicamente o que tinham sido antes, e assistiam, inconformados e indignados, à riqueza ir resvalando para as mãos dos comerciantes citadinos, de muitos dos quais, sobretudo dos traficantes de escravos, eram grandes devedores.

Com a vinda da família real para o Rio de Janeiro, entrou em cena outro tipo de reinol, de comportamento que se tinha por requintado e que havia sido polido pela vida de corte. Os aristocratas que acompanharam d. João ou vieram logo depois para sua companhia passaram a ser invejados e imitados, tanto pelos proprietários rurais que tinham casa na cidade, quanto pelos negociantes. Até mesmo o comportamento de seus fâmulos passou a ser copiado.

Para decepção dos senhores rurais, os nobres chegados de Lisboa entenderam-se com os seus conterrâneos, os comerciantes. Foi, aliás, com estes que d. João contou para cobrir as necessidades financeiras da corte. Recompensou-os com o que até então lhes fora negado: reconhecimento de seus préstimos, prestígio e honras. A muitos concedeu a Ordem de Cristo e a vários nobilitou.

Com a proclamação da independência do Brasil, acentuou-se a hostilidade dos brasileiros contra os reinóis. Sucederam-se os episódios de violência contra os portugueses e suas propriedades. E criou-se, durante algum tempo, uma situação difícil e contraditória, em todos os estratos sociais, para aquelas famílias que eram mistas, compreendendo antigos metropolitanos e filhos da terra.

D. Pedro I continuou o processo, iniciado por d. João VI, de criar uma nobreza no país. Uma nobreza de mérito e não de linhagem, pois os títulos não passavam de pai para filho. Pródigo em distribuir essas mercês, principalmente entre os grandes fazendeiros, d. Pedro fez ao todo, em apenas nove anos, dois duques, 27 marqueses, oito condes, 42 viscondes e vinte barões.

Participar da vida da corte era o máximo a que podiam aspirar os grandes proprietários rurais e os grandes negociantes urbanos. Pisavam eles o degrau mais alto da escada social, tendo logo abaixo seus confrades com menores cabedais, os altos funcionários do Estado, as patentes mais elevadas das Forças Armadas e os profissionais liberais de renomada, muitos dos quais eram também terras-tenentes e plantavam cana, café, algodão e tabaco ou criavam gado.

Em um degrau abaixo ficavam os brancos que formavam uma espécie de classe média — pequenos comerciantes, contadores, oficiais do Exército e da Marinha, boticários, despachantes — e, noutro, inferior, os mecânicos, mestres de obras, ourives, marceneiros, seleiros, tanoeiros e praticantes de outros trabalhos manuais. Finalmente, no nível do solo, os brancos pobres, que viviam de biscates, de disfarçada caridade e competiam com os escravos nos trabalhos desqualificados.

Também os negros, além de se distinguirem em livres e escravos e de se reconhecerem em diferentes nações, se dividiam em duas metades: os africanos e os crioulos. Os dois grupos se olhavam com recíproca desconfiança, os nascidos no Brasil não escondendo certo sentimento de superioridade, que se manifestava de várias maneiras, não sendo comum, por exemplo, que uma crioula se casasse com um africano. Era entre os crioulos que se recrutavam, sempre que possível, os escravos domésticos, enquanto os africanos tendiam a ser endereçados às plantações, onde grande parte do trabalho, pesado e rotineiro, e da madrugada ao pôr do sol, era executado por grupos sob uma disciplina dura, quando não feroz.

Entre os escravos domésticos, diferiam em princípio os fados de quem tinha dono rico, apenas remediado ou mesmo pobre. O primeiro alimentava-se melhor, vestia-se bem, tinha tarefas definidas, armava sua rede ou estendia sua esteira para dormir num quarto que dividia com poucos companheiros, e não lhe faltavam momentos de ócio. O segundo comia pouco e mal, usava trajes sumários de estopa ou algodão cru, dormia onde encontrava lugar e não tinha descanso porque devia estar preparado para todo tipo de tarefa. Quem tinha um senhor pobre, acompanhava-o nas agruras da pobreza e era obrigado a extenuar-se para lhe minorar as aflições.

Às vezes, no entanto, era melhor ter por dona uma viúva remediada ou pobre do que uma família rica, porque aquela empregara suas economias em adquirir dois ou três escravos para pô-los a trabalhar nas ruas para ela — e este para muitos era o melhor destino a que podiam aspirar. Por menos rigoroso que fosse o senhor, a casa era quase sempre vista como prisão; a rua traduzia-se por liberdade. Uma liberdade com gosto de África, pois era na rua que encontravam os da nação da qual tinham sido arrancados e, entre eles, muitas vezes, patrícios chegados havia pouco e com notícias ainda frescas da terra natal.

TRADIÇÃO E MUDANÇA

Cada leva de gente descida de um navio negreiro reinjetava um ou mais pedaços da África na vida brasileira, e reavivava em determinados grupos os seus valores e costumes. Trazia, além disso, novidades, pois, assim como um punhado de trasmontanos recém-desembarcado carregava consigo experiências distintas dos conterrâneos chegados ao Brasil duas décadas antes, e podia até mesmo dominar técnicas por seus antecessores desconhecidas, um grupo de ijexás que aportasse em 1825 trazia uma bagagem mental em que não faltavam diferenças com relação àquela dos ijexás escravizados 15 anos antes. Os navios negreiros não apenas reforçavam as tradições; atualizavam também a África que se prolongava no Brasil.

As pressões modernizadoras da Europa eram, entretanto, muito mais fortes. Exercendo-se sobre as elites intelectuais e as classes endinheiradas, delas se propagaram, rápida em alguns casos, lentamente noutros, para os diversos segmentos da sociedade. E em todos encontraram resistências. Os velhos hábitos de consumo, por exemplo, não cederam de pronto às exigências da moda e ao prestígio das mercadorias inglesas e francesas. Os tecidos europeus não expeliram os asiáticos; a eles se somaram. Não se apagou, entre os bem-postos na vida, o gosto pelas sedas chinesas, pelos tafetás, pelas musselinas bordadas com fios de ouro ou prata e outras fazendas finas indianas, nem se reduziu, nas camadas populares e até mesmo entre a escravaria, a preferência pelos algodões do golfo de Cambaia e pelos panos africanos.

O Índico continuou por bastante tempo a ser uma fonte dos bens de luxo apreciados pelas classes altas brasileiras. Era antigo o comércio, ora legal, ora de contrabando, entre Goa, Macau e outros portos do Oriente e o Brasil. E de lá continuaram a fluir para as principais cidades brasileiras, e delas a ganhar as casas-grandes rurais, os quimonos e túnicas estampadas, os leques de madrepérola, os pentes de tartaruga, as bengalas com castões e ponteiras de marfim, ouro ou prata. Os sobrados rechearam-se com mobiliário de fabrico ou desenho inglês ou francês, mas não dispensaram as mesas e caixas de charão, os objetos de laca, os biombos e os móveis pintados. E a louça inglesa, apesar do fascínio que exercia, não expulsou a faiança e a porcelana chinesas.

Mudaram, nas cidades, sobretudo naquelas que podiam ser consideradas comparativamente grandes, muitas maneiras de vestir-se, de estar à mesa, de sair à rua, de comportar-se socialmente; mas outras persistiram, intocadas. E muito pouco se alterou nos povoados e nos estabelecimentos rurais. Por toda parte, o ano continuou a estar marcado pelas mesmas celebrações: o Dia dos Reis, a Semana Santa, a Páscoa, as Festas Juninas, os Finados e o Natal. Em homenagem aos Reis Magos, ganhavam as ruas os pastoris e, em alguns lugares, o bumba meu boi; jejuava-se na Quaresma; pulava-se fogueira nas noites de Santo Antônio, São João e São Pedro; ia-se ao cemitério no dia de Finados e à missa do galo, após a ceia, na noite de Natal. Durante as procissões, a cidade inteira parecia acompanhá-las. Em sua honra, nas sacadas dos sobrados, estendiam-se, muitas delas importadas da Índia, as mais belas colchas bordadas que se tinham em casa. E, do início de dezembro a 6 de janeiro, algumas residências abriam — coisa rara — as janelas do andar térreo, a fim de que os vizinhos e transeuntes pudessem admirar o presépio armado na sala.

Os escravos africanos dividiam o tempo de forma diferente, mas tiveram de adotar o sistema dos senhores. Aqueles que estavam acostumados, como os originários do golfo do Benim, com uma semana de quatro dias, trocaram-na pela de sete, dos brancos. E, quaisquer que fossem suas nações, procuraram, quando possível, fazer coincidir as suas datas maiores com as dos cristãos. Durante a festa de Nossa Senhora do Rosário, por exemplo, coroavam o rei do Congo e talvez desfilassem pelas ruas a calunga, ou boneca do maracatu, um símbolo do poder sagrado entre os ambundos. Já os que veneravam os orixás iorubanos comemoravam Ogum no dia de São Jorge, no Rio de Janeiro, ou de Santo Antônio de Pádua, na Bahia.

Se alguns grupos de africanos e seus descendentes lograram — nos calundus ou candomblés, por exemplo — preservar os ritos que assinalam, entre eles, as fases da vida, tiveram todos de conformar-se, exteriormente pelo menos, com as cerimônias que as marcavam entre os cristãos.

62 BATISMO, CASAMENTO E MORTE

Ninguém, livre ou escravo, deixava de batizar um filho. E o mais depressa possível, pois era comum que crianças morressem poucos dias após o nascimento, principalmente de tétano umbilical, e, sem batismo, o pequenino não iria para o céu, mas para o limbo. Muitos dos que sobreviviam à primeira semana faleciam pouco depois. Antes dos 7 anos. Pois era grande, em todas as classes sociais, a mortalidade infantil. Havia até mesmo uma espécie de culto da criança morta, do anjinho, que muitas vezes ia, vestido de branco, num caixão azul ou rosa, fazer companhia à mãe, falecida durante ou logo após o parto.

Este era feito em casa, por parteiras ou "aparadeiras", e nem sempre em condições mínimas de higiene. Ter filho representava sempre um risco de vida. Eram tão comuns as infecções puerperais, e delas e de outras complicações faleciam tantas jovens, que, enquanto durava o parto, a família, reunida num cômodo ao lado, rezava o rosário, a pedir a proteção divina para a parturiente, que, ao sentir as primeiras dores, se confessava e comungava, a preparar-se para um mau desenlace.

Se a criança vingava, o rito do batismo a punha sob a proteção de novos parentes, substitutos dos pais, o padrinho e a madrinha. Não era raro que um dos dois fosse um santo — São José, Sant'Ana, Nossa Senhora da Conceição —, que se esperava zelasse pelo afilhado. E também pelos pais, uma vez que o compadrio impunha obrigações recíprocas e criava, quando não estava envolvido um santo, uma espécie de parentesco fictício.

Entre os escravos, pedia-se a alguém da família do dono que aceitasse levar à pia batismal o menino que acabara de nascer, na esperança de que lhe dessem a liberdade. Ou escolhiam-se amigos do senhor. Ou um casal de libertos bem de vida. O mais comum, no entanto, era que se tomassem por compadres companheiros de infortúnio. Formavam-se no seio da escravaria, a envolver várias fazendas da vizinhança ou mais de um bairro nas cidades, redes de compadrio, com as quais se recriavam, sobre outras bases, as famílias extensas, com seus deveres de solidariedade, que tinham conhecido e deixado na África.

Na classe senhorial e nos estratos livres da sociedade, havia, além de rapazes de bigode ainda ralo que já eram viúvos, homens de barbas grisalhas que tinham enterrado sucessivamente duas ou três mulheres. E as moças podiam casar-se muito cedo: aos 12, 13, 14, 17 anos de idade. A maioria das que sobreviviam a sucessivas gravidezes chegava aos 30 anos envelhecida por uma gordura balofa, consequência de uma vida longe do sol e quase sem atividades físicas, pois lhe poupavam do menor esforço os braços e as pernas das escravas.

Os matrimônios eram na maioria dos casos arranjados pelos pais. Repetiam-se os de primo com prima e de tio com sobrinha. E a preocupação maior parecia ser, por meio do casamento, a de preservar o patrimônio familiar e, se possível, aumentá-lo. Tinha-se, entretanto, por rara a família que não contava com uma ou mais histórias em que a cerimônia na igreja consertava a fuga de casa de uma jovem com seu apaixonado.

Como as moças quase não saíam à rua, namoravam os vizinhos e os amigos da família. Ou ficavam à janela, vendo passar repetidas vezes, de esquina a esquina, um admirador, a pé ou a cavalo, e a se comunicar com ele pelos movimentos do leque ou do lenço. E, com o leque e, mais ainda, os olhos, davam-lhe esperanças na missa ou no teatro.

Não eram poucos os maridos que mantinham, nas cidades, uma segunda casa, com a amásia querida, quase sempre cabocla, mulata ou negra. Em algumas propriedades rurais, as concubinas do senhor — pois podia haver mais de uma — roçavam com a mulher legítima. Quando o homem possuía dois ou três engenhos ou fazendas, elas podiam distribuir-se pelas diferentes casas-grandes.

Era da essência da escravidão o livre acesso sexual ao escravo, pois seu corpo pertencia ao senhor. Desde meninas, as escravas estavam sujeitas a ser estupradas pelo dono, por seus filhos, por outros parentes do senhor e pelos feitores. A violência contra a mulher, e também contra rapazes, era a norma. Não eram poucos os senhores que possuíam verdadeiros haréns de cativas. Mas não deixava de haver, como exceções, casos em que a escrava dominava afetiva ou sexualmente o dono e abria espaço para a liberdade.

Não foram raras, aliás, as histórias de amor entre senhor e escrava. E entre senhora e escravo, embora sobre estas últimas tenha havido sempre mais discrição e sombra. Algumas ligações, fundadas em intensa atração ou afeto mútuos, foram duradouras, alongando-se desde os primeiros encontros até a morte de um dos parceiros. Parece ter sido desse tipo o relacionamento do barão de Tinguá com sua ex-escrava, a africana Laura, da nação conga, a quem, no testamento, ele chama de "mãe de sua família", especificando que era a mãe de todos os seus seis filhos. E o do barão de Capivari com a ex-escrava América Luísa Conceição, a quem ele legou uma fortuna: terras, casas, dinheiro, 3 mil pés de café e 21 escravos. É de crer-se que, em casos como esses, o senhor de alta condição social, quando solteiro ou viúvo, só não se casava na igreja com a escrava ou ex-escrava porque isso era socialmente impensável. Ela era, porém, sua mulher e a dona da casa.

Havia senhores que favoreciam o casamento católico dos escravos. Outros faziam vista grossa ao que chamavam de uniões consensuais, ignorantes de que algumas delas poderiam ser feitas segundo normas tradicionais africanas. Os documentos das igrejas mostram, contudo, que não eram poucos os escravos que se casavam formalmente, a cumprir os ritos sociais dos brancos. Do que não há registro claro é o de uniões de libertos africanos com duas ou mais mulheres. Mas que as havia, certamente havia, sobretudo entre os islamitas e aqueles que permaneciam fiéis aos deuses que tinham trazido da África.

Sempre que lhe era permitido e possível, ou quase sempre, o escravo procurou constituir família, ainda que a soubesse frágil, porque dependente, para durar, da vontade e dos interesses do senhor. Formar família, ainda que para lucro do dono e sob o risco permanente de vê-la desfeita, equivalia a constituir um entorno de afeto e, assim, mitigar o desamparo, romper a solidão e entretecer uma esperança de futuro.

Se marido e mulher tinham o mesmo dono, este podia, por venda, separá-los um do outro, e os dois, dos filhos. Se pertenciam a senhores diferentes e trabalhavam em fazendas vizinhas ou em casas do mesmo ou de outro bairro, estavam sujeitos a dois arbítrios. Um escravo podia casar-se com uma liberta, e um liberto com uma escrava, sendo comum que o parceiro livre tudo fizesse para comprar a liberdade do outro. E também dos filhos, quando a mulher era a cativa, pois os rebentos herdavam a condição da mãe.

Tanto entre as pessoas livres quanto entre as escravas, havia muitas mulheres chefes de família. Algumas, porque viúvas que não tinham voltado a casar-se. Ou porque, sendo escravas, o marido ou companheiro havia sido vendido para longe. Outras, porque tinham parceiros que não assumiam a responsabilidade pelos filhos. Outras ainda, porque abandonadas pelo homem. Era comum que o europeu, ao regressar à sua terra, deixasse atrás, ao desamparo, a família mestiça que formara no Brasil. Essas mulheres, quase todas pobres ou a esconder a pobreza, mantinham-se como costureiras, bordadeiras, quituteiras, doceiras e vendedoras ambulantes, quando não se agregavam a uma família de posses.

Não era raro que os padres, contrariando os votos de castidade, tivessem filhos, que eram geralmente aceitos pela sociedade, não sendo poucos os que se destacaram na política, nas letras e nas artes durante o Império. Alguns sacerdotes formavam família monogâmica e estável: passavam toda a vida adulta com a mesma mulher — em geral, branca, mas também as havia mulatas ou negras — e com ela podiam ter uma prole numerosa.

Pobres, ricos ou remediados, brasileiros, europeus ou africanos, todos almejavam uma boa morte. E a boa morte era aquela que se dava sem grandes dores, na cama, em casa, no seio da família, após o recebimento da comunhão e dos santos óleos.

A morte era um acontecimento público. No momento em que se pedia a um padre que ministrasse a extrema-unção a um enfermo, como que soavam as três batidas que abriam a representação num teatro. Sob um pálio sustentado por paroquianos e antecedido por um rapazola a tocar uma sineta, pelo sacristão com uma cruz processional e por outros atendentes com tocheiros, e seguido por um punhado de devotos e um número de curiosos que aumentava a cada esquina, o sacerdote caminhava solenemente pelas ruas que separavam a igreja da casa do doente. Se fosse rica a paróquia ou a irmandade a que pertencia quem se acreditava à beira da morte, da procissão do viático podiam também constar uma pequena banda de música e um grupo de soldados com o cano das espingardas voltado para o solo.

O defunto era cuidadosamente banhado, tinha as unhas e os cabelos cortados, raspada a barba, ou aparada. Vestiam-no com um traje de santo — na maioria dos casos o burel de São Francisco de Assis — ou com uma mortalha branca ou negra. O queixo amarrado e com uma vela nas mãos, era posto num esquife sobre uma mesa ou uma armação de madeira, ladeada por tocheiros. Era demorado o velório, com as carpideiras, junto ao corpo, a chorarem e a se lastimarem, e as mulheres da casa a puxarem em voz alta o terço. Acorriam à residência do falecido parentes, amigos, conhecidos, irmãos de confraria religiosa, vizinhos e curiosos, todos transformados em personagens do espetáculo da morte. Fosse a família do morto rica, remediada ou pobre, esperava-se que tornasse menos incômodo a vigília oferecendo repetidas vezes aos que dela participavam comida e, principalmente, bebidas.

O enterro realizava-se na maioria das vezes ao cair da noite. O cortejo podia ser pequeno ou grande, conforme a condição do morto. À frente, vinha a cruz, ladeada por grandes tocheiros. Depois, o pároco e outros sacerdotes, cada qual com sua vela ou tocha. Finalmente, o defunto, num caixão aberto, carregado aos ombros, a família e os demais acompanhantes. Se o falecido fosse membro de uma irmandade religiosa, seus confrades o acompanhariam com a opa que os distinguia e com suas tochas. Em alguns casos, havia uma banda de música. Noutros, um séquito de mendigos, que, finda a cerimônia, recebiam uma paga ou esmola predeterminada. No caminho até a igreja onde se daria o sepultamento, o cortejo podia parar várias vezes, a fim de que as pessoas da redondeza pudessem ver o morto e lhe dar adeus.

Nesse período de 1808 a 1831, foi-se difundindo entre a gente de posses outro tipo de cortejo fúnebre: aquele em que tanto o defunto quanto seus acompanhantes iam de casa à igreja em carros puxados a cavalo. E continuou o costume, entre os mais pobres e entre os escravos, de serem os mortos levados a enterrar em redes. Tanto estes quanto os que eram transportados em coches se sepultavam nas igrejas, ainda que a maioria dos escravos o fosse no adro.

Ter um bom enterro era, para muitos, mais importante do que uma boa vida. Para assegurá-lo, o caminho mais curto era pertencer a uma ordem terceira ou a uma irmandade católica. Essas confrarias eram sociedades beneficentes, que auxiliavam seus membros nos momentos difíceis, mas que, sobretudo, lhes organizavam e custeavam os sepultamentos. De algumas dessas irmandades só podiam participar os grandes da terra. De outras, só os brancos. Mas havia as que eram formadas por ex-escravos negros — como, por toda a parte, as Irmandades de Nossa Senhora do Rosário, de Santa Ifigênia e de São Benedito —, e aquelas a que só tinham acesso os pardos ou mulatos.

No caso das confrarias negras, era comum que privilegiassem determinadas nações africanas, que servissem para criar novos vínculos grupais e reforçar os antigos. Esta irmandade era controlada pelos crioulos; esta outra, pelos que falavam quimbundo; aquela, pelos mahis; aquela outra, pelos congos. O denominador comum era o respeito à morte e a veneração dos antepassados.

As confrarias de negros procuravam enterrar seus membros com toda a solenidade e brilho possíveis. Seguindo à risca os rituais cristãos. É provável, porém, que, às escondidas, se cumprissem também as obrigações com que tradicionalmente, na África, cada povo se despede de seus mortos. Já nessa época, nos candomblés baianos, seriam realizadas as cerimônias fúnebres iorubanas tradicionais, o *axexé*, e existiriam os *egunguns*, os mascarados que trazem os mortos de volta ao mundo dos vivos.

Não se apagavam, nas confrarias e fora delas, as hierarquias africanas. Um príncipe africano que, derrotado numa disputa política, fosse vendido como escravo ao Brasil — e vários tiveram esse destino —, ao ser reconhecido pelos seus, deles tendia a receber respeito e obediência. Geralmente, os que podiam ter sido seus súditos na África juntavam as economias para comprar-lhe a liberdade. E lhe asseguravam um grande enterro, que podia ser ao mesmo tempo cristão e africano.

Jean-Baptiste Debret presenciou um desses cortejos funerários. Da aquarela em que o registrou, quase se podem ouvir os vivas, as palmas, as exclamações e os cantos de louvor, os tambores e o foguetório. À frente do préstimo, um rapaz acende um rojão, dois outros fazem cambalhotas e um quarto parece dançar. Um quinto batuca numa caixa. Chapéus são

Jean-Baptiste Debret
Cortejo fúnebre de um filho de rei negro
IN: *VOYAGE PITTORESQUE ET HISTORIQUE AU BRÉSIL*
PARIS: FIRMIN DIDOT FRÈRES, 1834. TOMO III, GRAVURA 29
LITOGRAFIA, 29,2 × 23,2 CM
SEÇÃO DE ICONOGRAFIA DA FUNDAÇÃO BIBLIOTECA NACIONAL, RIO DE JANEIRO

lançados ao ar. O defunto, um rei ou o filho de um rei africano, vai numa rede, suspensa numa vara longa e forte, cujas extremidades se apoiam nos ombros de dois homens, e coberta por um grande pano com uma cruz. Se retirarmos a cruz, poderíamos estar no golfo do Benim, a celebrar festivamente um grande morto, que iniciava o percurso para tornar-se um ancestral.

Havia escravos que não se sepultavam nas igrejas: os que não tinham recebido o batismo e não eram, portanto, católicos. Nesse caso estavam os que morriam durante a quarentena a que se submetiam, no porto, os navios negreiros. Para esses mortos havia sítios especiais, como o Cemitério dos Pretos Novos, no Valongo, no Rio de Janeiro, e o Campo da Pólvora, em Salvador. Neles, os africanos eram enterrados frequentemente à flor da terra, sem qualquer cuidado, e partes deles ficavam a descoberto quando o solo era lavado pela chuva.

Descaso semelhante tinham alguns senhores de escravos, que, desrespeitando o que mandava a Igreja, os costumes e a lei, enterravam em qualquer lugar ou, pior ainda, abandonavam ao deus-dará os cadáveres dos que faleciam a seu serviço.

Depois que d. João abriu o país aos estrangeiros, cresceu o número daqueles que, não sendo católicos, não podiam ser sepultados nas igrejas e em solo consagrado. Para eles criaram-se, nas principais cidades, locais de sepultamento próprios, que tomaram geralmente o nome de Cemitérios dos Ingleses.

A RELIGIÃO NO DIA A DIA

O europeu protestante devia ser olhado com desconfiança. Por mais polido e afável, era um herege. No entanto, aqueles que escreveram livros sobre a estada no Brasil não se queixam de terem sido maltratados por diferença de fé. Reclamam dos governantes, do calor, dos mosquitos, da sujeira das ruas, de costumes que lhes pareciam esdrúxulos, e têm, alguns deles, palavras duras de repúdio à escravidão, mas são quase unânimes em louvar e agradecer a hospitalidade afetuosa da gente da terra. Até por padres e em mosteiros foram recebidos, e bem recebidos, para jantar.

A Igreja católica estava presente na vida das pessoas do nascimento à morte. Nas cidades maiores, não era raro verem-se dois templos no mesmo quarteirão, às vezes, colado um ao outro, e, por toda a parte, nichos com santos. As casas ricas tinham capela; as remediadas, um santuário; as pobres, quando podiam, uma imagem de santo sobre uma toalhinha bordada, num móvel da sala ou do quarto. Era raro, entre os fiéis, quem não trouxesse, pendurada ao pescoço, a medalhinha de seu santo protetor — ou várias, de diferentes santos de sua devoção.

Faziam-se promessas a troco de tudo e rezava-se muito. Na missa. Nas novenas. Nas procissões. Em casa. Considerava-se uma bênção ter um filho padre. E, embora fosse comum que cada família desse o seu, faltavam sacerdotes fora das cidades grandes e médias. Havia povoações que passavam meses e até mais de um ano sem ver um padre, sem ter uma só missa rezada em sua igrejinha. Esta era, contudo, cuidada pelos fiéis, que nela se reuniam aos domingos e nos dias santificados para rezar o terço. Quando o padre chegava ao vilarejo, tinha à espera de batismo um grande número de crianças, e outras tantas desejosas de fazer a primeira comunhão, além de noivos e amigados por casar.

A ausência de sacerdotes favorecia um catolicismo popular, bordado de flores pequeninas. Um catolicismo popular que estava presente também nas grandes cidades, onde não faltava quem tratasse os santos com intimidade, e pusesse suas imagens de cabeça para baixo, até que fosse alcançada a graça exigida. Um catolicismo popular que podia vestir de respeitabilidade e levar da cozinha para a sala, ou da senzala para a casa-grande, pedaços das crenças trazidas da África. Desde que não fosse aberto, para se verificar seu conteúdo, um bentinho católico não se distinguia de um grigri de mandinga. E amarrar uma alma para obter um favor pressupunha uma participação dos espíritos na vida diária não muito diferente daquela em que acreditavam os ambundos.

Muitos africanos não abandonaram a religião em que foram criados na África e a transmitiram a seus filhos e netos crioulos. Mas a praticavam com muito cuidado a fim de evitar a repressão das autoridades, que em geral viam com maus olhos os batuques noturnos e muitas vezes destruíam os santuários com violência e prendiam os que neles se encontravam. Entre esses presos podia estar um escravo ou liberto que não perdia a missa aos domingos, mas tocava o tambor ritual num terreiro no qual os deuses ou os ancestrais se apossavam do corpo dos fiéis. Nisso não via ele contradição, pois o panteão africano se ampliara com os santos católicos e nestes identificava entidades trazidas da África.

Como cada povo possuía suas crenças próprias, é de crer-se que tenham sido muitas as religiões africanas no Brasil. O que os senhores de escravos e as autoridades generalizavam como batuques podia corresponder a rituais distintos entre um terreiro e outro. Aqui os deuses eram nagôs, acolá, libolos, mais adiante, fons.

Divindades e ritos não deixaram de alterar-se, ao atravessar o Atlântico. Na África, os deuses eram nacionais e locais, estavam vinculados a uma cidade-estado, a uma família real, a uma fonte, a um trecho de rio, a um monte, a um bosquete. Vieram para o Brasil na alma dos escravizados e, aqui, perderam aqueles pontos de referência e universalizaram-se. Um grupo mais numeroso, com deuses tidos por fortes ou sacerdotes de prestígio, podia atrair para sua fé outros menores ou converter indivíduos isolados. Assim, um grunce que vivesse entre ijebus poderia acabar por aderir à religião dos orixás.

Foram igualmente numerosos os africanos que se tornaram católicos estritos. Outros já eram na África muçulmanos ou foram convertidos ao islame ao chegar ao Brasil. Enquanto continuavam escravos, dificilmente podiam cumprir até mesmo o dever das cinco orações diárias: se não tinham impedimento para rezar, prostrado, de madrugada e durante o primeiro terço da noite, na direção de Meca, não havia como interromper o trabalho para o *salat* do meio-dia, do meio da tarde e do crepúsculo. Mal adquiriam a liberdade, procuravam, porém, ser islamitas zelosos e se reuniam para a leitura do Alcorão e para a prece das sextas-feiras. Em segredo, pois era complicado ser muçulmano numa cidade brasileira. Não só as autoridades, mas também os outros negros os olhavam com suspeita.

Os crioulos os tinham como gente estranha, cujo comportamento destoava dos modos de vida dos demais. E muitos dos africanos chegados do golfo do Benim no fim do século XVIII e início do XIX haviam sido feitos cativos durante o *jihad* ou guerra santa de Usuman dan Fodio e demorariam para esquecer que os moslins tinham sido seus adversários e escravizadores.

Fossem brancos, mestiços ou negros, católicos, adeptos de crenças africanas ou maometanos, a religião guiava a vida de cada um. Havia, é certo, entre as elites, um punhado de incréus, mas estes discutiam o seu Voltaire nos gabinetes fechados. Mesmo entre os maçons, predominavam os católicos.

UMA SOCIEDADE CONTRADITÓRIA

No primeiro terço do século XIX, a população brasileira cresceu rapidamente. Em 1831, já se estimava em 5 milhões de pessoas. Durante o período, acentuou-se a imigração de brancos vindos da Europa e das ilhas atlânticas, e o número de negros trazidos anualmente da África superou todos os níveis até então alcançados.

Ao mesmo tempo em que aumentavam os brancos e os negros, expandiam-se os mestiços, cada vez mais visíveis na paisagem humana. Formavam eles boa parte da oficialidade de baixa patente do Exército e das camadas inferiores do serviço público e se distinguiam entre os mestres dos ofícios mecânicos. Eram numerosos entre os padres e os músicos. E nos engenhos, plantações e fazendas, ocupavam posições de mando, como empregados especializados e feitores. Parece que predominavam entre os capitães do mato, ou capturadores de escravos fugidos.

Nas cidades, eles integravam, com os negros livres, os libertos e os brancos que eram como eles pequenos funcionários, caixeiros, lojistas de uma ou duas portas, oficiais menores das forças armadas ou da polícia, ou viviam do trabalho manual, uma espécie de baixa classe média, ou o que se poderia chamar de massa popular — aquele povo (no sentido que se dava à palavra no Antigo Regime) que quase todos os viajantes e observadores europeus pensavam não existir num país em que só enxergavam senhores e escravos. Era essa massa popular que dava força às manifestações políticas de rua nas quais se expressava o crescente sentimento de nacionalidade. Durante o processo que desembocaria na independência e na abdicação de d. Pedro I, os que a formavam deixaram de se ver como

Jean-Baptiste Debret
Dança indígena na Missão de São José
IN: *VOYAGE PITTORESQUE ET HISTORIQUE AU BRÉSIL*
PARIS: FIRMIN DIDOT FRÈRES, 1834. TOMO I, GRAVURA 20
LITOGRAFIA, 21,6 × 32,9 CM
SEÇÃO DE ICONOGRAFIA DA FUNDAÇÃO BIBLIOTECA NACIONAL, RIO DE JANEIRO

portugueses do Brasil ou como africanos, e cada vez mais, como baianos, mineiros, paraenses, pernambucanos, piauienses, mineiros, paulistas ou rio-grandenses, e, finalmente, brasileiros.

O mesmo se passou com boa, se não a maior parte dos proprietários rurais e das elites urbanas. Não foram poucos os nascidos no Brasil ou mesmo os reinóis abrasileirados que trocaram de sobrenome, e deixaram de ser Alves, Almeida ou Teixeira para se tornarem Índio do Brasil, Patriota, Brasileiro ou Tamoio. O futuro visconde de Jequitinhonha, por exemplo, fez com que se esquecessem de que se chamava Francisco Gomes da Silva, ao passar a assinar-se Francisco Gê de Acaiaba e Montezuma. Tomar nomes indígenas correspondia a afirmar-se um nacionalista radical, que havia rompido todos os vínculos com a antiga Metrópole.

Ao índio dito bravo continuou-se a fazer guerra, mas o índio antigo, o índio que se queria ter por ancestral, o tupi que já deixara de existir como nação, começou a ser cultuado, a simbolizar a brasilidade. As pessoas orgulhavam-se dos antepassados indígenas e, quando não os tinham, muitas vezes os inventavam.

O nativismo, ainda quando exacerbado, não implicava o desejo de retorno à taba. As mesmas elites que assumiam nomes indígenas se esmeravam em comportar-se como se estivessem na Europa. O Brasil era a única monarquia do continente americano, e sua corte e seu Parlamento não se apartavam dos moldes europeus. Em 33 anos, o país passara de colônia para um império. Trocara de pele. Nas cidades maiores, impuseram-se novos comportamentos sociais, ainda que não substituíssem inteiramente os modos de vida tradicionais. As mulheres saíam às compras, mas continuavam a espiar a rua, escondidas atrás das gelosias e das cortinas. E negros caminhavam pelos logradouros públicos com grilhões ao pescoço e máscaras de flandres. E eram açoitados no pelourinho. Muito mudara para alguns, e nada ou pouco mudara para a maioria e nas engrenagens que moviam a sociedade. Até no palácio da Quinta da Boa Vista, com seu cerimonial europeu, os escravos entravam e saíam de todas as salas.

O país continuava escravista, com cada metade de sua população a olhar para a outra com desconfiança, inimizade ou temor. Sem libertar os escravos e conceder-lhes a cidadania, a nação brasileira ficara incompleta.

BIBLIOGRAFIA

ALENCASTRO, Luiz Felipe de. Vida privada e ordem privada no Império. In: NOVAIS, Fernando A.; ALENCASTRO, Luiz Felipe de (Orgs.). *História da vida privada no Brasil.* Império: a corte e a modernidade nacional. São Paulo: Companhia das Letras, 1997. V. 2, p. 11–93.

BANDEIRA, Júlio; LAGO, Pedro Corrêa do. *Debret e o Brasil.* Rio de Janeiro: Capivara, 2007.

DEBRET, Jean-Baptiste. *Viagem pitoresca e histórica ao Brasil.* Tradução de Sérgio Milliet. São Paulo: Livraria Martins, 1940. 2 v. [Paris, 1834–1839]

FLORENTINO, Manolo. *Em costas negras*: uma história do tráfico de escravos entre a África e o Rio de Janeiro. São Paulo: Companhia das Letras, 1997. [1995]

______; GÓES, José Roberto. *A paz das senzalas*: famílias escravas e tráfico Atlântico, Rio de Janeiro, c. 1790-c. 1850. Rio de Janeiro: Civilização Brasileira, 1995.

FREYRE, Gilberto. *Sobrados e mucambos*. 6. ed. Rio de Janeiro: José Olympio, 1981. 2 v. [1936]

GRAHAM, Maria. *Diário de uma viagem ao Brasil*. Belo Horizonte: Itatiaia; São Paulo: Edusp, 1990. [Londres, 1824]

KARASCH, Mary. *A vida dos escravos no Rio de Janeiro*: 1808–1850. São Paulo: Companhia das Letras, 2000. [Princeton, 1987]

KOSTER, Henry. *Viagens ao nordeste do Brasil*. Tradução de Luís da Câmara Cascudo. Recife: Massangana, 2002. 2 v. [Londres, 1816]

LEVASSEUR, E. *O Brasil*. 2. ed. Rio de Janeiro: Bom Texto/Letras & Expressões, 2001. [Edição francesa: Paris, 1889]

LUCCOCK, John. *Notas sobre o Rio de Janeiro*. Belo Horizonte: Itatiaia; São Paulo: Edusp, 1975. [Londres, 1820]

MATTOSO, Kátia M. de Queirós. *Bahia, século XIX*: uma província do Império. Rio de Janeiro: Nova Fronteira, 1992.

MAWE, John. *Viagens ao interior do Brasil, principalmente aos distritos do ouro e dos diamantes*. Tradução de Solena Benevides Viana. Introdução e notas de Clado Ribeiro de Lessa. Rio de Janeiro: Zélio Valverde, 1944. [Londres, 1812]

RAMOS, Arthur. *Introdução à antropologia brasileira*. Rio de Janeiro: Casa do Estudante do Brasil, 1943. 2 v.

REIS, João José. *A morte é uma festa*. São Paulo: Companhia das Letras, 1991.

RUGENDAS, Johann Moritz. *Viagem pitoresca através do Brasil*. Belo Horizonte: Itatiaia; São Paulo: Edusp, 1989. [Paris, 1835]

SCHWARCZ, Lilia Moritz; AZEVEDO, Paulo César de; COSTA, Ângela Marques da. *A longa viagem da biblioteca dos reis*: do terremoto de Lisboa à Independência do Brasil. São Paulo: Companhia das Letras, 2002.

VAINFAS, Ronaldo (Org.). *Dicionário do Brasil Imperial (1822–1889)*. Rio de Janeiro: Objetiva, 2002.

______; NEVES, Lúcia Bastos Pereira das (Orgs.). *Dicionário do Brasil joanino, 1808–1821*. Rio de Janeiro: Objetiva/Prefeitura do Rio de Janeiro, 2008.

WALSH, Robert. *Notices of Brazil in 1828 and 1829*. Londres, Boston: [s.e.], 1830–1831.

DETALHE DA IMAGEM DA PÁGINA 84

PARTE **2**

LÚCIA BASTOS PEREIRA DAS NEVES
A VIDA POLÍTICA

ERA NO TEMPO DO REI...

Foi assim que o escritor Manuel Antônio de Almeida abriu e situou a narrativa de seu célebre romance, *Memórias de um sargento de milícias*, publicado originalmente em folhetins no *Correio Mercantil* do Rio de Janeiro, entre 1852 e 1853. O livro procurava descrever cenas, episódios de costumes e fatos políticos e sociais da vida na corte de d. João na América portuguesa. Apesar de a figura real se encontrar ausente da trama, sua presença permeia e define o enredo e, sobretudo, demonstra que d. João havia ingressado no imaginário do país.

Sem dúvida, embora possa estabelecer-se uma continuidade institucional, política e cultural entre a época joanina no Brasil, a Regência de d. Pedro e o Primeiro Reinado, sugerindo que 1831 — a abdicação do imperador — constitua uma ruptura mais significativa para a consolidação do novo país do que 1808 ou, até mesmo, do que 1822, o estabelecimento da corte portuguesa no Rio de Janeiro não deixou de representar, em mais de um sentido, o fim do período colonial, como assinalam vários historiadores desde Oliveira Lima, em 1907, cujo trabalho ainda permanece como o de maior influência na produção da historiografia.

Naquele momento, a América portuguesa caracterizava-se como uma sociedade ainda marcada pelas estruturas do Antigo Regime. Cinco regiões distintas, unidas pela língua e a religião, formavam um mosaico de atribuições e poderes administrativos, muitas vezes entrelaçados e superpostos uns aos outros — o vice-rei, no Rio de Janeiro, os governadores das capitanias e as câmaras municipais, sem mencionar a estrutura eclesiástica. Se os segundos mantinham relações com o primeiro, ao qual se subordinavam em teoria, não deixavam de fazê-lo igualmente com a Coroa em Lisboa, o que, somado às comunicações precárias, pouco contribuía para garantir a eficiência da administração colonial; para assegurar a manutenção da ordem e a defesa do território; e, nem mesmo, para estimular as atividades econômicas. Não obstante, tratava-se da região mais rica do Império.

No final do século XVIII, diante desse quadro, certamente influenciado pela independência das colônias inglesas em 1776 e pelos rumos da Revolução Francesa, Rodrigo de Sousa Coutinho enfatizou a mútua dependência dos diferentes domínios da Coroa portuguesa e o "sacrossanto princípio" de sua unidade, propondo, ao mesmo tempo, uma série de medidas no sentido de aliviar o peso da dominação metropolitana. Sobretudo, dava-se conta do poder das ideias e queria que "o português, nascido nas quatro partes do mundo, se julgue somente português, e não se lembre senão da glória e grandeza da monarquia a que tem a fortuna de pertencer" (Coutinho, 1993:49), antecipando, assim, uma concepção de integridade territorial e de *nacionalidade*, que calou fundo nos espíritos da época, possibilitando a constituição de um império luso-brasileiro.

Assim, quando a assinatura do Tratado de Fontainebleau entre França e Espanha, em 27 de outubro de 1807, foi seguida por um ultimato de Napoleão Bonaparte e pela notícia da entrada, em território português, das tropas comandadas por Junot, não chegou a ser surpresa que d. João optasse pela saída há muito aventada por diversos homens públicos: a retirada da corte para a parte americana do Império. A partida há muito planejada, como precaução, foi executada, porém, em curto prazo, trazendo inúmeros problemas, que propiciaram a desordem no momento do embarque. Segundo documentos de época, "tudo foi confusão e desarranjo para se aprontar em poucos dias o puro indispensável para uma viagem tão distante" (Neves, s.d.:224).

Tal viagem, no entanto, representava a maneira de garantir a integridade da monarquia que somente estaria assegurada por meio da preservação dos domínios americanos, cujos recursos naturais e humanos sobrepunham-se aos do próprio Reino. Além do mais, cumpria tomar uma decisão em favor da antiga aliada Inglaterra. Vale lembrar que a manobra, naquela altura, tinha precedentes, pois tanto o rei do Piemonte quanto o das Duas Sicílias, para salvar a Coroa ao longo das guerras napoleônicas, já haviam se ausentado "temporariamente de suas capitais e Estados", também protegidos pelos ingleses. Nenhum deles, porém, ousara enfrentar a aventura de cruzar um oceano.

Após deixar a barra do Tejo à vista das tropas napoleônicas, as difíceis condições de navegação forçaram uma curta escala na Bahia, e foi em 7 de março de 1808 que entraram na baía da Guanabara as embarcações portuguesas, conduzindo o primeiro monarca que pisou no Novo Mundo. A recepção à corte foi grandiosa. Repiques de sinos, fogos e um "imenso povo luzido" que acompanhava o cortejo com expressões de "Viva o nosso príncipe!".

Juntamente com parte de sua comitiva, d. João estabeleceu-se no agora Paço Real, antigo palácio dos vice-reis. Contíguo, ficava o convento do Carmo, onde permanecia recolhida a rainha d. Maria I. Após a morte dela, em março de 1816, acompanhado dos filhos, Pedro e Miguel, assim como da filha mais velha, Maria Teresa, d. João fixou sua residência na quinta de São Cristóvão, que havia recebido de presente do português Elias Antônio Lopes, rico comerciante e mercador de escravos, que obteve, por isso, diversas mercês. Além dessas residências, d. João ainda contava com uma espécie de casa de campo, em Santa Cruz, na antiga fazenda dos jesuítas, e a Real Coutada da Ilha do Governador, uma área de caça exclusiva.

Apesar desses diversos locais de residência, a sede do governo identificava-se ao Paço. Ali, de acordo com um rígido protocolo, realizavam-se as cerimônias oficiais, e foi no largo à sua volta, entre 1808 e 1821, que ocorreram os atos públicos, as solenidades e a saída dos soberanos nas ocasiões de gala. Criava-se assim um novo local de sociabilidade, capaz não só de atrair, como observou Oliveira Lima, a vida cortesã, militar e mercantil, como de exercer extraordinário fascínio sobre o povo em geral, o que veio a alterar profundamente a vida da cidade.

Desse modo, nasciam esperanças e representações inéditas. Em especial, aquelas de um grande império, doravante concebido em dimensões ainda mais amplas, como assinalaram os políticos e memorialistas daquela época.

Antonio Luiz de Brito Aragão e Vasconcellos, em suas *Memórias sobre o estabelecimento do Império do Brasil, ou Novo Império Lusitano*, traduzia as expectativas e anseios de seus contemporâneos, suscitadas pela chegada da corte portuguesa ao Rio de Janeiro:

> *O Brasil soberbo por conter hoje em si o Imortal Príncipe, [...] já não será uma Colônia marítima, isenta do comércio das Nações como até agora, mas sim um poderoso Império, que virá a ser o moderador da Europa, o árbitro da Ásia e o dominador da África* (Vasconcellos, 1920–1921:7).

A criação deste grande império, também sonhado por Luiz Gonçalves dos Santos, polemista famoso, conhecido como padre Perereca, que considerava os estados do Brasil como a "mais bela, e rica porção do globo" (Santos, 1981:187), exigia, porém, uma profunda transformação tanto da capital, o Rio de Janeiro, quanto das engrenagens administrativas e políticas que faziam mover o mundo luso-brasileiro.

Os primeiros atos da regência joanina no Brasil resultaram do momento — definido pelas guerras napoleônicas —, destacando-se a abertura dos portos às nações amigas (em 28 de janeiro de 1808), que quebrou o regime de monopólio comercial característico da condição de colônia. Em Portugal continental, a medida assentou um duro golpe. Findas as invasões napoleônicas, as casas de comércio portuguesas, tanto quanto as manufaturas locais, logo descobriram que, apesar de não estarem excluídas do mercado brasileiro, expunham-se, doravante, à competição dos produtos e negociantes de outros países, em particular, os ingleses, em condições bastante desvantajosas, por força das condições estabelecidas pelos tratados de Aliança e Amizade e de Comércio e Navegação, com a Inglaterra, em 1810.

Outra questão fundamental dizia respeito às instituições políticas centrais ligadas à administração do novo Império luso-brasileiro. Em primeiro lugar, Antônio de Araújo de Azevedo (futuro conde da Barca) viu-se substituído por Rodrigo de Souza Coutinho (logo conde de Linhares), como ministro e secretário de Estado dos Negócios Estrangeiros e da Guerra, em virtude da postura deste, favorável à Inglaterra e contrária à França napoleônica. João Rodrigues de Sá e Melo Menezes e Souto Maior, visconde e conde de Anadia, conservou a pasta dos Negócios da Marinha e Domínios Ultramarinos, enquanto a do Reino foi atribuída a Fernando José de Portugal, futuro conde e marquês de Aguiar. Ao mesmo tempo, as secretarias foram reorganizadas. No lugar daquela dos Negócios do Reino, desvinculada dos Domínios Ultramarinos, surgiu a pasta dos Negócios do Brasil, à qual se incorporaram as funções da secretaria da Fazenda e a presidência do Real Erário.

Uma série de outros atos administrativos e governamentais consolidou o fim do estatuto colonial do Brasil. Assim, foram criados tribunais superiores que também tinham sede em Lisboa. Ainda em 1808, erigiu-se o Tribunal da Mesa do Desembargo do Paço e da Mesa da Consciência e Ordens, semelhante aos dois órgãos metropolitanos, criados desde o século XVI. O primeiro encarregava-se dos pedidos dirigidos diretamente ao monarca, como supremo dispensador da Justiça, que manifestava sua livre vontade por decretos de *mera graça*; e, o outro, a Mesa da Consciência e Ordens, ocupava-se dos assuntos religiosos, que cabiam à Coroa por força do *padroado*. A administração judiciária foi complementada com a criação de duas novas Relações, a do Maranhão (1812) e a de Pernambuco (1821), além de manter-se a da Bahia. A Relação do Rio de Janeiro foi elevada à Casa de Suplicação no Brasil (maio de 1808), ou seja, a tribunal superior de Justiça, que deliberava os pleitos em última instância. Surgiu ainda a Real Junta do Comércio e Agricultura, Fábricas e Navegação do Estado do Brasil e Domínios Ultramarinos.

Ainda foi instituída a Chancelaria-Mor do Estado do Brasil, análoga à de Lisboa, e estabelecido o Registro de Mercês. Inúmeras dignidades e honrarias foram concedidas por d. João aos portugueses do Brasil, como retribuição do auxílio financeiro dado pelos comerciantes de "grosso trato" (atacadistas que compravam e vendiam mercadorias em larga escala, tanto para o mercado interno quanto para o externo, e ocupavam a mais elevada posição na hierarquia comercial) às precárias finanças do governo. Regra geral, as dignidades eram distribuídas após as grandes festas da corte.

O governo das colônias e das possessões insulares coube exclusivamente ao rei e a seus ministros no Rio de Janeiro, provocando certo constrangimento aos governadores do Reino, pois estes não aceitavam que, após a expulsão das tropas francesas do território português, não continuassem a ter o direito de participar da governação da Madeira e dos Açores, até porque estas ilhas estavam muito mais próximas de Portugal do que do Brasil.

Modelada naquela existente em Lisboa desde 1760, a Intendência Geral da Polícia, durante a administração de Paulo Fernandes Viana (1808–1821), além de *policiar* a cidade, no sentido que era o da época, aproximando-a daquilo que se começava a considerar a *civilização*, tinha por missão outras funções: castigar os perturbadores da ordem civil e os corruptores da moral pública; exercer tarefas como a de urbanização do Rio de Janeiro, a de controle dos espetáculos públicos e a de solução dos conflitos conjugais, familiares e de vizinhança. Dessa forma, embora sua jurisdição abrangesse todas as capitanias, acabou concentrando suas atividades na capital. A única exceção, sob esse aspecto, era a preocupação com a divulgação das ideias revolucionárias, que a colocava em contato com o país inteiro.

Esse arcabouço administrativo possibilitou também a contratação de inúmeros funcionários para diferentes níveis de governo. Os cargos mais importantes, ligados às secretarias de Estado, permaneceram nas mãos das pessoas tituladas que acompanharam a família real. Outros buscavam tirar proveito da situação extraordinária em que se encontravam, acumulando cargos inexpressivos na burocracia, cujos soldos serviam para assegurar uma existência ociosa. Abaixo, havia a multidão de cerca de mil servidores do Paço, uma vez que cada membro da família real e cada casa nobre possuíam seus próprios criados, bem remunerados, além de disporem de várias regalias, conforme a condição: *ração*, moradias pagas, cavalo, servidores e, até mesmo, seges.

Além disso, novos empregos foram oferecidos a pessoas nascidas no Brasil, nas várias repartições e instituições. Tal situação acabou favorecendo as elites letradas, a população de bacharéis e os homens de letras, que, sem condições de sobreviver de seus escritos, buscaram ascender na escala social por sua habilidade e por seu saber. Por conseguinte, esses indivíduos foram beneficiados, em função da longa permanência da corte no Brasil, e não mais aceitavam perder os privilégios que acabaram por incorporar. Além disso, forjava-se no Rio de Janeiro um poderoso grupo de comerciantes, imigrados de Portugal ou aí já radicados há muitos anos, consolidado ainda por inúmeras alianças matrimoniais.

As primeiras medidas administrativas e políticas do governo de d. João, embora decorrentes das circunstâncias, foram tomadas, portanto, no intuito de reforçar a imagem do regente como senhor do novo império que se pretendia criar. Assim, pode-se explicar a guerra justa declarada aos índios botocudos, considerados vassalos infiéis por resistirem ao domínio português e, portanto, à autoridade do regente; e a elaboração do *Manifesto ou exposição justificativa do procedimento da corte de Portugal a respeito da França*, redigido por Rodrigo de Sousa Coutinho. O *Manifesto*, de 10 de maio de 1808, terminava com uma "declaração", em que se anunciava o rompimento de "toda a comunicação com a França", autorizando os súditos portugueses a fazer guerra aos vassalos do imperador dos franceses e declarando "nulos e de nenhum efeito" todos os tratados que este último obrigara os portugueses a assinar. Preparava-se, dessa forma, a inserção da América portuguesa no jogo da diplomacia europeia, não mais como colônia de Portugal, mas como o centro decisório do poder e dos acordos e tratados doravante firmados por Portugal.

A tais medidas somaram-se a invasão e conquista da Guiana francesa (1809) e a intervenção militar na Cisplatina (1811), com repercussões internacionais. Eram represálias contra os dois principais inimigos de Portugal ao longo das guerras napoleônicas: França e Espanha. Arquitetava-se a ampliação do Império na América, seguindo a tradicional política europeia de compensação de territórios. Tais atitudes, sem dúvida, reforçavam a imagem de um soberano que assumia as rédeas do novo Império; entretanto, era quase sempre por meio da implantação das velhas instituições e práticas do Antigo Regime português que se concebia fazê-lo.

A reconstrução desse aparelho central e das principais estruturas administrativas da Coroa portuguesa, no outro lado do Atlântico, contribuiu, desse modo, para um alargamento da centralização de poder na cidade do Rio de Janeiro, que passou a figurar, com o passar dos anos, como a nova metrópole em relação às demais capitanias do Brasil. O Rio de Janeiro converteu-se em palco de um *processo civilizatório* que Maria Odila da Silva Dias denominou de "interiorização da metrópole". A cidade constituiu-se como o centro de difusão dos *modos* civilizados da Europa ilustrada para todo o território da ex-colônia.

O REINO UNIDO DE PORTUGAL, BRASIL E ALGARVES

Em 16 de dezembro de 1815, o Brasil foi elevado a Reino Unido de Portugal e Algarves, por sugestão do representante francês Talleyrand, com o objetivo de reforçar a posição de Portugal nas negociações do Congresso de Viena. Tornava-se necessário dar um novo status oficial à antiga colônia que agora abrigava a sede do governo. Segundo José da Silva Lisboa, futuro visconde de Cairu, era um "absurdo" considerar como "simples feitoria comercial", ou como uma colônia, a "terra da residência do soberano", uma vez que "o sistema colonial cessou com a união do Brasil ao original patrimônio da monarquia" (Lisboa, 1818:114–115). Tal medida assegurou, portanto, a permanência da corte no Rio de Janeiro e soou, inicialmente, como certa opção pela parte americana do Império luso-brasileiro, demonstrando que não havia mais uma posição de subordinação do Brasil a Portugal. Para o Senado da Câmara do Rio de Janeiro, tratava-se de uma política ilustrada e uma "preeminência" que o Brasil merecia por "sua vastidão, fertilidade e riqueza". Portanto, tal "união" contribuía para a prosperidade geral das partes constituintes da monarquia portuguesa (como consta da *Gazeta do Rio de Janeiro*, de 10 de janeiro de 1816). Nesse sentido, longe de enfraquecer os laços entre Portugal e Brasil, essa medida favoreceu o "triunfo de um império histórico unificado", como afirma Kirsten Schultz (2008:276).

O Brasil transformava-se na sede de direito do Império luso-brasileiro, vivendo o poderoso influxo de sua recém-abertura ao mundo, e, sobretudo, com acesso ao círculo de poder à volta de d. João. Já Portugal, a antiga metrópole, encontrava-se desgastado pelas invasões dos franceses e pelo virtual domínio inglês. Ressentia-se com a perda de suas anteriores funções e ficava desprovido da proximidade de um soberano, que, nos quadros mentais do Antigo Regime, representava a possibilidade de correção das injustiças. Para compatibilizar os interesses das duas partes do Império, a política de d. João não podia deixar de se tornar, na expressão de Valentim Alexandre, "bifronte". Ou, como apontava, em 1819, com clareza, Pedro de Sousa e Holstein, o conde de Palmela: "Não podemos deixar de considerar que a Monarquia Portuguesa tem dois interesses distintos, o Europeu e o Americano, os quais nem sempre se podem promover juntamente, mas que não devem em caso nenhum sacrificar um ou outro" (apud Alexandre, 1993:355). Tarefa quase, senão de todo, impossível.

De um lado, o dos portugueses europeus, tornava-se imprescindível o retorno de d. João ao antigo Reino, uma vez que, derrotado Napoleão, a paz europeia havia sido restabelecida. Para eles, faltavam ao Brasil características adequadas para sede da monarquia, em virtude das grandes extensões despovoadas, expostas a uma invasão por mar, difícil de impedir, dada a impossibilidade de organizar um exército numeroso o suficiente. Para atingir tais objetivos, não lhes faltava o apoio da Inglaterra, pois, em Lisboa, mais vulnerável perante o tradicional inimigo espanhol, a corte se mostraria menos inclinada a afastar-se de sua órbita de influência. Já do lado dos portugueses americanos, lembrava-se o exemplo da independência das colônias espanholas para defender a permanência do rei, considerando preferível conservar um grande poder no Novo Mundo do que se sujeitar à condição de satélite de terceira ou quarta ordem de alguma potência no Velho.

D. João, porém, recusava-se a retornar. E, em 1815, deu início a uma grande reforma na quinta de São Cristóvão. Aliás, na visão do funcionário régio Luís dos Santos Marrocos, tratava-se de uma constante — "Sempre aqui se projeta em obras, e obras de grandes quilates" (Marrocos, 2008:291), escrevia em junho de 1815.

Apesar disso, a valorização da parte americana do Império, implícita na opção pela permanência da corte, pressupunha, como antevira Rodrigo de Sousa Coutinho desde 1797, entre outras medidas, uma nova concepção do corpo político da monarquia, capaz de substituir o despotismo dos governos militares das capitanias por um governo civil bem regulado, que impedisse os abusos dos ministros e o comportamento arbitrário dos agentes da Coroa. Entretanto, após a euforia inicial, as capitanias logo descobriram que somente eram lembradas por ocasião do lançamento de novos impostos. Como resultado, na prática, a centralização governamental a partir do Rio de Janeiro levou a um declínio da autonomia local, gerando melindres e resistências nas chamadas "pequenas pátrias" — a expressão é de Roderick J. Barman —, que passaram a ver a corte com ressentimento, como uma nova metrópole.

Decorridos os primeiros anos da administração joanina e finda a invasão do território português pelas tropas francesas, algumas províncias, como começavam a ser denominadas as capitanias, articularam-se novamente a Lisboa, em função, sobretudo, de interesses econômicos e comerciais, como eram os casos do Pará, do Maranhão e mesmo da Bahia, cujas redes mercantis distinguiam-se daquelas do Centro-Sul e permaneciam bastante dependentes das casas de comércio portuguesas. Segundo Sierra y Mariscal, a chegada de d. João ao Brasil fez do Rio de Janeiro o "receptáculo de todas as riquezas do Império português", atraindo não só um

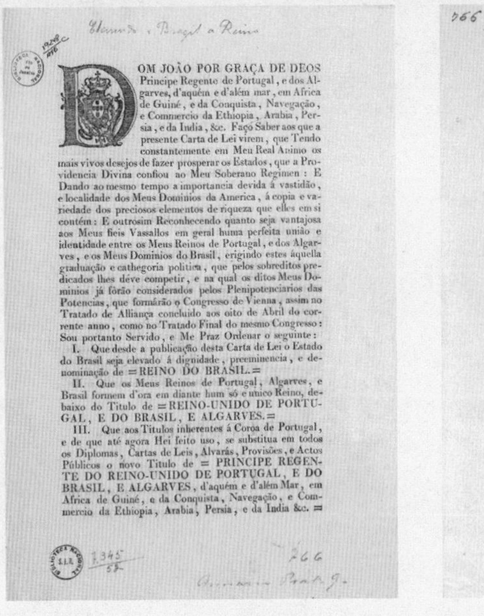

DOM JOÃO POR GRAÇA DE DEOS Principe Regente de Portugal, e dos Algarves, d'aquém e d'além mar, em Africa de Guiné, e da Conquista, Navegação, e Commercio da Ethiopia, Arabia, Persia, e da India, &c. Faço Saber aos que a presente Carta de Lei virem, que Tendo constantemente em Meu Real Animo os mais vivos desejos de fazer prosperar os Estados, que a Providencia Divina confiou ao Meu Soberano Regimen: E Dando ao mesmo tempo a importancia devida á vastidão, e localidade dos Meus Dominios da America, á copia e variedade dos preciosos elementos de riqueza que elles em si contém: E outrosim Reconhecendo quanto seja vantajosa aos Meus fieis Vassallos em geral huma perfeita união e identidade entre os Meus Reinos de Portugal, e dos Algarves, e os Meus Dominios do Brasil, erigindo estes áquella graduação e cathegoria politica, que pelos sobreditos predicados lhes déve competir, e na qual os ditos Meus Dominios já forão considerados pelos Plenipotenciarios das Potencias, que formárão o Congresso de Vienna, assim no Tratado de Alliança concluido aos oito de Abril do corrente anno, como no Tratado Final do mesmo Congresso: Sou portanto Servido, e Me Praz Ordenar o seguinte:

I. Que desde a publicação desta Carta de Lei o Estado do Brasil seja elevado á dignidade, preeminencia, e denominação de = REINO DO BRASIL. =

II. Que os Meus Reinos de Portugal, Algarves, e Brasil formem d'ora em diante hum só e unico Reino, debaixo do Titulo de = REINO-UNIDO DE PORTUGAL, E DO BRASIL, E ALGARVES. =

III. Que aos Titulos inherentes á Coroa de Portugal, e de que até agora Hei feito uso, se substitua em todos os Diplomas, Cartas de Leis, Alvarás, Provisões, e Actos Públicos o novo Titulo de = PRINCIPE REGENTE DO REINO-UNIDO DE PORTUGAL, E DO BRASIL, E ALGARVES, d'aquém e d'além Mar, em Africa de Guiné, e da Conquista, Navegação, e Commercio da Ethiopia, Arabia, Persia, e da India &c. =

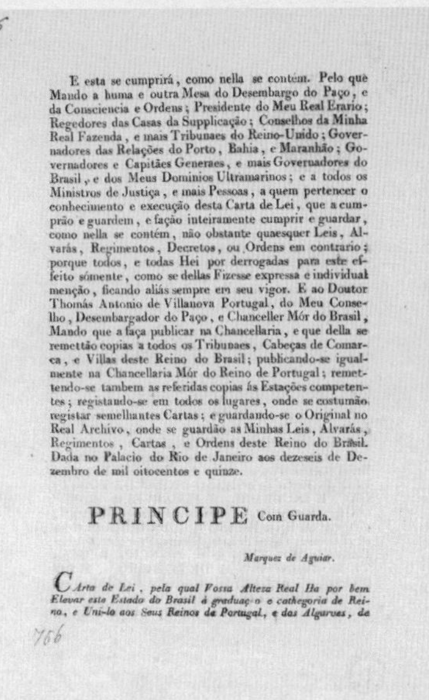

E esta se cumprirá, como nella se contém. Pelo que Mando a huma e outra Mesa do Desembargo do Paço, e da Consciencia e Ordens; Presidente do Meu Real Erario; Regedores das Casas da Supplicação; Conselhos da Minha Real Fazenda, e mais Tribunaes do Reino-Unido; Governadores das Relações do Porto, Bahia, e Maranhão; Governadores e Capitães Generaes, e mais Governadores do Brasil, e dos Meus Dominios Ultramarinos; e a todos os Ministros de Justiça, e mais Pessoas, a quem pertencer o conhecimento e execução desta Carta de Lei, que a cumprão e guardem, e fação inteiramente cumprir e guardar, como nella se contém, não obstante quaesquer Leis, Alvarás, Regimentos, Decretos, ou Ordens em contrario; porque todos, e todas Hei por derrogadas para este effeito sómente, como se dellas Fizesse expressa e individual menção, ficando aliás sempre em seu vigor. E ao Doutor Thomás Antonio de Villanova Portugal, do Meu Conselho, Desembargador do Paço, e Chanceller Mór do Brasil, Mando que a faça publicar na Chancellaria, e que della se remettão copias a todos os Tribunaes, Cabeças de Comarca, e Villas deste Reino do Brasil; publicando-se igualmente na Chancellaria Mór do Reino de Portugal; remettendo-se tambem as referidas copias ás Estações competentes; registando-se em todos os lugares, onde se costumão registar semelhantes Cartas; e guardando-se o Original no Real Archivo, onde se guardão as Minhas Leis, Alvarás, Regimentos, Cartas, e Ordens deste Reino do Brasil. Dada no Palacio do Rio de Janeiro aos dezeseis de Dezembro de mil oitocentos e quinze.

PRINCIPE Com Guarda.

Marquez de Aguiar.

Carta de Lei, pela qual Vossa Alteza Real Ha por bem Elevar este Estado do Brasil á graduação e cathegoria de Reino, e Uni-lo aos Seus Reinos de Portugal, e dos Algarves, de

Carta da lei na qual d. João eleva o Brasil à categoria de reino, sob o título: Reino Unido de Portugal e do Brasil e Algarves

RIO DE JANEIRO: IMPRESSÃO RÉGIA, 1815

FRENTE E VERSO, 30,6 × 21 CM

SEÇÃO DE OBRAS RARAS DA FUNDAÇÃO BIBLIOTECA NACIONAL, RIO DE JANEIRO

grande movimento comercial para seus portos, como também colhendo um grande número de impostos das demais províncias, especialmente as do Norte, que passaram a obter menos vantagens do que a sede da nova corte. O Rio de Janeiro transformou-se no "parasito do Império português", acabando por atrair "o ódio de todas as províncias" (Sierra y Mariscal, 1920–1921:60). Compreende-se, assim, mais tarde, quando da eclosão do movimento constitucionalista português e das guerras de independência, a hesitação de muitas províncias entre a adesão a Lisboa ou ao Rio de Janeiro.

Exemplo por excelência dessas tensões e conflitos, contudo, foi a Revolta de Pernambuco. Eclodiu em 6 de março de 1817, no Recife, quando o governador ordenou a prisão de alguns militares, denunciados por organizarem jantares e assembleias em que se emitiam princípios sediciosos, ameaçando a tranquilidade pública. Um dos implicados reagiu à prisão,

Ferdinand Le Ferrabure

Vista do Palácio de São Cristóvão, século XIX

AQUARELA, 19,2 × 28,5 CM

COLEÇÃO BEATRIZ E MÁRIO PIMENTA CAMARGO, SÃO PAULO

ferindo mortalmente seu comandante. O motim alastrou-se pelas ruas, com quebra-quebras e tumultos, dirigidos em especial contra os naturais de Portugal, e culminou, no dia seguinte, com a precipitada fuga do governador para o Rio de Janeiro. Instituído um governo provisório, ao qual se acrescentou um conselho formado por notáveis locais, os revoltosos concederam de imediato aumento de soldo aos militares e aboliram alguns impostos.

Diversas proclamações procuraram, então, conter o antilusitanismo da arraia-miúda, assegurar a adesão da população ao movimento e reforçar a união com as províncias de Alagoas, Paraíba e Rio Grande do Norte, que tinham espontaneamente se ligado ao movimento. Um pouco mais tarde, chegou-se a redigir uma Lei Orgânica, esboço de uma Constituição.

Entretanto, as discordâncias internas e o receio dos proprietários de terra de que a escravidão fosse abolida enfraqueceram o movimento. Além disso, ao buscar apoio em Washington e em Londres, as cartas dos insurretos não tiveram a ressonância esperada. Contidos por um bloqueio marítimo, os rebeldes não resistiram às forças enviadas por terra da Bahia, rendendo-se em 19 de maio. Seguiu-se uma impiedosa devassa. Os principais líderes do movimento, entre os quais o padre Miguel Joaquim de Almeida e Castro, conhecido como padre Miguelinho, professor de retórica do Seminário de Olinda e secretário do governo, foram executados. Quase duas centenas e meia de implicados permaneceram nos cárceres da Bahia até o indulto das cortes de Lisboa em 1821.

Apesar de conter, sem dúvida, sentimentos autonomistas e alguns ideais republicanos, parece mais difícil, hoje em dia, aceitar-se a interpretação tradicional da Revolta de 1817 como um simples prenúncio da independência de 1822. Ela resultou de uma combinação de fatores, poucos dos quais podem ser relacionados ao processo posterior de autonomia. Em primeiro lugar, em decorrência da participação nas lutas para a expulsão dos holandeses, Pernambuco distinguia-se por um imaginário original, que valorizava a ideia de uma nobreza da terra, alicerçada nas glórias passadas, e que justificava a reivindicação de tratamento diferenciado para a província, como mostrou Evaldo Cabral de Mello. Reivindicação que, apesar de inúmeras rivalidades locais, contribuía para acentuar, de forma mais intensa que em outras regiões, a oposição entre naturais do Brasil e de Portugal.

Nessa ótica, para a aristocracia pernambucana de inícios do século XIX, em particular, o estabelecimento da corte no Rio de Janeiro, em vez de regalias e privilégios, trouxe um excesso de cobranças e imposições que culminaram com os tributos exigidos para o custeamento da campanha militar na Cisplatina, num momento em que a seca de 1816 agravava ainda mais o crônico problema do abastecimento das cidades nordestinas, provocando a insatisfação da população "miúda". Finalmente, é preciso não esquecer que a criação do Seminário de Olinda, em 1800, modelado na reforma pombalina da Universidade de Coimbra, implantara em Pernambuco uma instituição de ensino única na colônia, capaz de formar toda uma geração, sobretudo de clérigos, afinada com os ideais reformistas, e que ganhou, na segunda década do século XIX, um espaço próprio de sociabilidade com o aparecimento da maçonaria.

Indício de tal descontentamento, uma carta ao presidente dos Estados Unidos, datada de Washington, de 16 de junho de 1817, e assinada por Antônio Gonçalves da Cruz, o Cabugá, como representante enviado pelos revoltosos, considerava que a vinda de d. João persuadira uma parte dos habitantes dos Estados do Brasil que ele "adotaria um melhor e mais moderado sistema de governo e uma administração liberal", mas "esta esperança só existiu por mui pequeno espaço de tempo". Bem longe se encontrava o governo "de mostrar-se justo, fazendo em sua administração uma moderada reforma, como lhe requeriam pessoas que zelavam [pelos] interesses dos povos do Brasil". Ao contrário, "só tratava cada vez mais de conter a vontade geral por meio da força e da extorsão, persuadindo-se que o melhor meio de imperar e de subjugar povos era reduzindo-os ao ínfimo estado de pobreza e ignorância" (Devassa de 1817, 1955:263).

Na Europa, igualmente insatisfeitos, os súditos da antiga metrópole também se manifestaram, por meio de uma conspiração de cunho liberal, desbaratada em Lisboa em maio do mesmo ano. Idealizada por uma sociedade secreta e maçônica, tinha no general Gomes Freire de Andrade seu principal mentor. O objetivo central era o de afastar os ingleses e outros estrangeiros do controle militar do país e promover "a salvação e a independência de Portugal", com a criação de um governo constitucional. Depois de um rápido processo, Gomes Freire e mais 11 presos — na maioria, militares que tinham prestado serviço no exército napoleônico — foram condenados à morte e executados em outubro de 1817. Tais medidas de repressão, típicas do Antigo Regime, não impediram, porém, o fortalecimento em Portugal de um sentimento nacional e antibritânico, que veio a afirmar-se na Regeneração de 1820.

Todavia, entre a elevação do Brasil a Reino e as revoltas de 1817 nos dois lados do Atlântico, falecia d. Maria I, afetada em suas faculdades mentais. D. João, que assumira os despachos em 1792 e, em 1799, a regência em caráter oficial, escreveu então aos dirigentes europeus — conforme se lê em documento guardado no Arquivo Histórico do Itamaraty:

> *Foi Deus Servido levar para Si a Rainha Fidelíssima a Senhora Dona Maria, Minha Muito Amada e Prezada Mãe, que faleceu no dia de hoje [20 de março] pelas onze horas e um quarto de manhã de um ataque de extrema debilidade, que sobreveio à penosa e prolongada moléstia que antecedentemente padecia* (lata 169/ maço 3/ pasta 1).

Em decorrência dessa morte, tornava-se indispensável aclamar o novo soberano. Era na América ou na Europa, porém, que devia ocorrer a cerimônia? Dois textos da época revelam o alcance desse fato. Em primeiro lugar, uma relação do duque de Luxemburgo, em missão no Rio de Janeiro, com o objetivo de reforçar os laços entre as coroas da França e do reino de Portugal e do Brasil. Ao chegar à nova corte, logo reconheceu que o falecimento da rainha não representava qualquer mudança no governo, pois d. João há muito já governava por si só. Quanto, no entanto, ao local da "coroação", registrava, o corpo diplomático ensaiava muitas conjecturas a respeito, uma vez que reconheciam que a escolha do local significava o estabelecimento "definitivo" na América, ou não, da sede do império. Em segundo, encomendado pelo soberano, o texto do áulico José da Silva Lisboa, *Memória dos benefícios políticos do governo de El-Rei Nosso Senhor D. João VI* (1818), pretendia fixar "tão grande época dos anais da América", a fim de indicar os principais benefícios políticos que d. João fizera ao Estado até a sua "faustíssima aclamação".

Apesar de tudo, foi na América que ocorreu a cerimônia, revestida, portanto, de um caráter inédito e carregada de consequências, como indicam os cerca de dois anos que levou para realizar-se, por conta da resistência manifestada em Portugal, sob a alegação de que ato de tamanha importância exigia a presença das cortes, ou seja, assembleia de caráter consultivo, composta pela representação tradicional — clero, nobreza e povo — que, no entanto, já não eram convocadas pelo soberano desde 1697. Somente com a convocação destas podia-se aceitar que o Brasil se tornasse efetivamente a sede do Império. A aclamação obedeceu ao costume antigo e pretendia reforçar a imagem de d. João como soberano do Reino Unido de Portugal, Brasil e Algarves. Nesse sentido, o cerimonial não poupou esforços ao organizar a festa, revestida de forte carga simbólica. Durante toda a cerimônia, d. João apresentou-se em uniforme de gala, embora sem a coroa na cabeça, em virtude do costume estabelecido havia muito em Portugal. Segundo a visão popular, desde a morte de d. Sebastião, na África, em 1580, este fora levado ao céu de coroa e devia trazê-la de volta a Lisboa. Por tal motivo, a coroa é sempre representada ao lado de d. João VI, ou, algumas vezes, sobre o trono, posto que, na realidade, os reis portugueses não eram coroados, nem sagrados, como os franceses e ingleses. Eram *aclamados*, representando a coroa apenas mais um componente do ritual.

Para registrar a magnitude da cerimônia e marcar seu sentido fortemente simbólico, o governo recorreu à contribuição, no dizer de Lilia Moritz Schwarcz (2008), daquela "colônia de Lebreton" de artistas e artífices franceses há pouco chegados ao Rio de Janeiro. Eles transformaram o Paço em uma praça imperial, na qual Grandjean de Montigny ergueu um templo de Minerva, em que se abrigava uma estátua de d. João. Um arco do triunfo, desenhado por Debret e projetado por Taunay, representava, à direita, o desembarque de d. João, amparado pela América e recebendo as chaves da cidade. À esquerda, as Artes e o Comércio rendiam homenagem ao rei, intitulado Libertador do Comércio, em reconhecimento pelas medidas que tomara. Tratava-se de uma arquitetura efêmera, mas que tinha dois objetivos claros: fazer da aclamação um momento-chave para demonstrar o peso político da parte brasileira no interior do Império português e a ascendência do próprio Rio de Janeiro sobre as demais províncias.

Se o segundo aspecto redundou em consequências desagradáveis para Pedro I no futuro, o primeiro não podia deixar de logo melindrar os sentimentos dos súditos residentes no outro lado do Atlântico, cujo rancor traduziu-se na denominação "governo tupinambá" para designar a administração no Brasil. Cresceram as tensões na parte europeia do Império. Em 1819, o periódico *O Campeão Português, Amigo do Rei e do Povo* afirmava que Portugal se achava reduzido "a uma progressiva decadência", sendo obrigado a constantes sacrifícios, "ora em homens, ora em dinheiro", que se destinavam ao Brasil. Portanto, os portugueses encontravam-se "sem rei e quase sem pátria", permanecendo "órfãos". E concluía: "*Sem povo* não há Trono nem Coroa, quando pode haver, e tem havido povo sem haver Trono ou Coroa...". Não tardou que tais insatisfações viessem à tona, com a eclosão do movimento revolucionário conhecido como Regeneração Vintista, em 1820.

DA REVOLUÇÃO DE 1820 AO MOVIMENTO CONSTITUCIONAL DO RIO DE JANEIRO

Em 20 de agosto de 1820, irrompia no Porto a revolução liberal, também conhecida como Revolução Vintista. Sua proposta era de uma *regeneração* política, que previa "uma reforma de abusos e uma nova ordem de coisas" (ver *A regeneração constitucional*..., 1821:3), substituindo as práticas do Antigo Regime pelas do liberalismo, embora sob a ótica das mitigadas Luzes ibéricas. Desse modo, evitavam-se, na expressão de época, os perigosos tumultos filhos da anarquia, típicos de uma revolução, como convinha a uma conjuntura dominada pela política conservadora da Santa Aliança. Exigiam-se a convocação de cortes, agora não mais consultivas, mas deliberativas, para a elaboração de uma Constituição, o retorno do soberano e o restabelecimento do lugar que Portugal julgava merecer no interior do

Império. Em um plano mais amplo, cumpria ainda aliciar as demais regiões do Império, sobretudo o Brasil, com a promessa de desterrar o despotismo, considerado responsável por todas as opressões.

Na América, as notícias do movimento propagaram-se rapidamente. Cartas particulares e ofícios dos governadores do Reino alcançaram o Rio de Janeiro em meados de outubro. Um pouco mais tarde, quando a dimensão do ocorrido se tornou conhecida, sobretudo após a chegada do conde de Palmela, em dezembro, a corte dividiu-se em duas tendências opostas. De um lado, havia aqueles, como o conde, que julgavam mais acertado o retorno de d. João VI a Lisboa, embora correndo o risco de emprestar legitimidade à revolução, para conter os excessos, com a promulgação de uma Carta Constitucional, seguindo o modelo de Luís XVIII na França, em 1814. De outro, liderados pelo ministro Tomás Antônio Vilanova Portugal, situavam-se os partidários de um absolutismo mais intransigente, que viam na permanência do Rio de Janeiro como sede da monarquia a possibilidade de preservar o Brasil do contágio das ideias liberais mais radicais, ainda que ao preço de perder-se o trono português na Europa.

No início de 1821, porém, os acontecimentos precipitaram-se. No Pará e na Bahia, províncias cuja comunicação direta com Lisboa era intensa, surgiram as primeiras manifestações de adesão do Brasil ao movimento constitucionalista, com o juramento à augusta Casa de Bragança, às cortes nacionais, à Constituição e à "santa religião". Em 26 de fevereiro, a pressão das tropas da Divisão Auxiliadora Portuguesa garantiu a adesão do Rio de Janeiro à Regeneração, exigindo-se do soberano o juramento imediato das bases da futura Constituição portuguesa, a demissão de alguns membros do governo e a adoção temporária da Constituição espanhola de 1812, até a elaboração da nova Carta pelas cortes de Lisboa. Comparecendo ao Rossio, a praça central da cidade, em nome do pai, o príncipe d. Pedro soube agir com habilidade, acatando parte das exigências, mas evitando tanto a implantação da Constituição espanhola, quanto a formação de uma junta governativa de nomeação popular, que representasse a partilha da soberania entre o poder legislativo e o rei.

Em meio a esse agitado clima político, a publicação de inúmeros folhetos, panfletos e jornais, para não falar dos pasquins manuscritos, inaugurou um inédito debate de ideias. Essa literatura de circunstância, que chegava de Lisboa ou que se imprimia no Rio de Janeiro ou na Bahia, colocava notícias e informações à disposição de uma plateia mais ampla, e que passavam a ser encaradas como pertencentes a um domínio público, até então inexistente. Ainda que sua dinâmica tenha acompanhado o ritmo de um processo histórico mais amplo, o ano de 1821 converteu-se, dessa forma, nos dois lados do Atlântico, naquele da pregação liberal e do constitucionalismo, dando origem a uma nova cultura política, cujas discussões foram viabilizadas pelo decreto do governo de 2 de março de 1821, abolindo, *aparentemente*, de acordo com as novas ideias e a noção de civilização, a censura prévia dos escritos, para restringi-la às provas tipográficas.

Essa nova cultura política instaurou, de início, uma crítica transatlântica quase unânime aos "corcundas", os partidários do Antigo Regime, sem que ainda se questionasse, naquele momento, a unidade do Império luso-brasileiro. Folhetos e panfletos políticos, de caráter didático e polêmico, escritos sob a forma de comentários aos fatos recentes ou de discussões sobre as grandes questões da época, procuravam traduzir em uma linguagem acessível os temas fundamentais do constitucionalismo monárquico. Por sua vez, os periódicos não deixavam de constituir o reflexo de uma inédita preocupação coletiva em relação ao campo político, com seus artigos sendo discutidos tanto nas ruas e praças das cidades, quanto nos novos espaços de sociabilidades que tendiam a surgir, como livrarias, cafés, academias e, sobretudo, as sociedades secretas do tipo da maçonaria.

Mais do que restaurar a antiga ordem de coisas, tais escritos continham a defesa dos novos valores políticos e pretendiam *regenerar* a nação. Para tanto, tornava-se necessária a transformação das estruturas jurídico-institucionais. Nesse sentido, um panfleto de 1821, *Das sociedades e das convenções ou constituições*, afirmava que "o método antigo de convocar cortes", ainda que fosse legal, não era mais "próprio para a época", uma vez que todos os indivíduos tinham passado a se ver "igualmente livres", possuindo "iguais direitos". Afinal, "as leis são como tudo o mais que, com o tempo, envelhece", do que se seguia que, pretendendo "regular os costumes", se nestes ocorria alguma mudança, "devem as leis também mudar". Apesar disso, a permanente defesa por todos da monarquia, da religião e da dinastia dos Bragança sugeria o quanto a aceitação das práticas constitucionais ainda se mantinha distante dos comportamentos adotados em outras regiões desde a Revolução Francesa.

Tais ideias espraiavam-se além da elite que dominava o escrito e atingiam, pelo falar "de boca", os indivíduos situados nas fímbrias dos grupos privilegiados, difundindo os principais valores dessa nova cultura política do mundo luso-brasileiro. No fundo, tratava-se de uma monarquia constitucional, que tinha na Igreja uma aliada inteiramente a seu serviço, na medida em que, à falta de uma ideologia da nação, a doutrina cristã continuava a assegurar a coesão do corpo social, sob a forma de uma ordem transcendente, ainda que sobressaíssem os homens ilustrados, a quem cabia orientar a opinião pública em direção a uma liberdade e igualdade limitadas, restritas ao plano da lei.

Anônimo

Entrada triunfante de Sua Majestade o senhor d. João VI e de seu Augusto filho na capital, s.d.

LITOGRAFIA, 38,2 × 44 CM

MUSEU DA CIDADE, CÂMARA MUNICIPAL DE LISBOA, PORTUGAL

Sem dúvida, em algumas ocasiões, a linguagem dos panfletos tornava-se mais violenta e radical, especialmente quando se tratavam de pasquins manuscritos, afixados em vários pontos da cidade, como aquele encontrado nas ruas de Salvador, na Bahia: "Heróis baianos! Às Armas! A glória vos chama! Vossos ilustres ascendentes do Douro e do Tejo deram-vos o exemplo e por vós esperam. Gritai audazes: Viva a Constituição do Brasil e o Rei que não a recusará!". O texto, feito para ser lido (e ainda o pode ser no Arquivo Histórico do Itamaraty, no Rio de Janeiro, lata 195, maço 1, pasta 7), apresentava grande argúcia e recorria à retórica como arte do convencimento. A linguagem constitucional já se fazia presente, embora ficasse bastante claro que não havia qualquer intenção de separação entre Brasil e Portugal.

No rastro desse debate político, opiniões e interesses se forjaram, suscitando posturas diversas entre os segmentos das elites dos dois lados do Atlântico. O retorno de d. João VI a Portugal, em abril de 1821, deixando como regente o príncipe d. Pedro, iniciou o processo que levou à emancipação do Brasil, cujos motivos, porém, não decorriam das ideias abstratas de liberalismo ou de consciência nacional.

Ao permanecer como regente após a partida de seu pai, d. Pedro passou a deter amplos poderes. Cabia-lhe a administração da Justiça e da Fazenda; a resolução de consultas relativas à administração pública; o provimento dos lugares de letras, dos ofícios de Justiça e Fazenda, dos empregos civis e militares e das dignidades eclesiásticas, à exceção dos bispos. Era-lhe igualmente atribuído o direito de comutar ou perdoar a pena de morte aos réus, e de conferir graças honoríficas. Competia-lhe, por fim, fazer guerra, ofensiva ou defensiva, contra qualquer inimigo que ameaçasse o Brasil, no caso de impossibilidade de esperar as ordens do rei. Tais poderes seriam exercidos por d. Pedro com o apoio de um conselho. Assegurava-se, dessa forma, em tese, a permanência de uma autoridade central, com sede no Rio de Janeiro, encarregada de articular as demais províncias.

O início da Regência transcorreu em meio aos preparativos para as eleições dos deputados às cortes de Lisboa. Era uma situação inédita e extraordinária, que despertou enorme interesse. Embora utilizassem um método indireto, as eleições não estabeleciam censo algum, podendo votar todo cidadão com mais de 25 anos. Envolviam, no entanto, um mecanismo bastante complexo, com vários níveis sucessivos de seleção. Excluídos ficavam as mulheres; os menores de 25 anos, a menos que fossem casados; os oficiais militares da mesma faixa de idade; os clérigos regulares; os "filhos-família" que vivessem com os pais; os criados de servir, com exceção dos feitores com casa separada de seus amos; os vadios, os ociosos e os escravos. Para eleger-se deputado exigia-se ter mais de 25 anos, não pertencer às ordens regulares e ser natural da província há mais de sete anos. Nessas condições, o voto, direito de cada cidadão, media-se por suas luzes e adquiria uma importância fundamental. Segundo o bacharel Basílio Ferreira Goulart, ao descrever as eleições realizadas em abril de 1821, "não temos outra arma, senão o nosso voto: isto é, com que defenderemos nossos direitos, nossos foros pelos nossos representantes" (Goulart, 1821:2).

Em termos políticos e financeiros, os primeiros tempos da Regência foram bastante difíceis. Os cofres públicos estavam desfalcados do numerário levado para Lisboa, enquanto as receitas previstas cessaram com a partida do rei. As províncias do Norte manifestaram sua clara adesão às cortes e recusaram qualquer subordinação, tanto política quanto econômica, ao Rio de Janeiro. Já as províncias do Sul, embora prestassem lealdade ao príncipe regente, recusaram-se igualmente a apoiá-lo em termos financeiros. Em 5 de junho, d. Pedro teve de enfrentar uma bernarda, isto é, "novidades e mudanças", que se faziam no Rossio, "juntando-se tropas e povo" — como se escreve no *Diálogo político e instrutivo entre dois homens da roça, André Rapozo e seu compadre Bolonio Simplicio, à cerca da bernarda do Rio de Janeiro*, publicado em 1821 —, quando se viu obrigado a jurar as bases da Constituição portuguesa, chegadas de Lisboa em fins de maio, e a demitir os ministros nomeados por seu pai.

Ao longo de 1821, as outras províncias brasileiras formaram governos provisórios ou juntas governativas, eleitas e reconhecidas pelas cortes de Lisboa, reforçando seu próprio poder, em oposição ao controle central do Rio de Janeiro. Transformavam-se, assim, segundo alguns jornais, como o *Revérbero Constitucional Fluminense* (1821–1822), de Joaquim Gonçalves Ledo e Januário da Cunha Barbosa, no alicerce do Brasil constitucional: "A instalação dos governos provisórios, autorizados pelas cortes [...] era depois de jurada a Constituição e suas bases, um ato necessário, como de adesão e de identificação às ideias gerais e à reforma constitucional do governo da nação" (n. 7, 15 dez. 1821). Essas juntas governativas foram confirmadas por um novo decreto das cortes de 29 de setembro do mesmo ano, mas subordinando-as exclusivamente a Lisboa. Compostas pelas elites locais, organizaram-se com ampla autonomia nos negócios internos e transformaram-se, em expressão já citada de Roderick Barman, no governo de "pequenas pátrias", em que residiu a origem da influência local na administração e nos assuntos fiscais das províncias, que viria a caracterizar a estrutura política do Brasil no Império.

Diante de tais dificuldades, o príncipe regente aproximou-se da facção mais conservadora e experiente da elite brasileira, aquela formada por indivíduos que tinham, majoritariamente, frequentado a Universidade de Coimbra e exercido funções na administração, partilhando a ideia de um império luso-brasileiro — a elite "coimbrã". Ao longo do segundo semestre de 1821, porém, as notícias que chegavam das discussões nas cortes de Lisboa tornavam cada vez mais claros os objetivos primordiais do movimento: submeter o rei ao controle do congresso e restabelecer a supremacia europeia sobre o restante do Império. Ao contrário do que, em geral, sustenta a historiografia, as cortes não foram instaladas com o objetivo específico de recolonizar o Brasil. De início, eram a preservação e a recuperação de Portugal, abandonado pela Coroa em 1807, os focos prioritários da atenção dos revolucionários portugueses.

Ao longo dos debates e dos desencontros entre os dois lados do Atlântico, outra perspectiva ganhou corpo nas cortes de Lisboa. Era a ideia de uma política integradora, em que o "Reino Unido" deixasse de significar a união de dois reinos distintos para compreender uma única entidade política, da qual o Congresso, ao substituir a figura do rei, tornava-se o símbolo. Fernandes Tomás, um dos líderes do vintismo português, afirmava: "Não há distinção entre o Brasil e Portugal [...]. A soberania é igual para todos, e para todos são iguais os benefícios: pensar de outro modo até é indecoroso" — conforme consta da sessão de 14 de junho de 1822 do *Diário das Cortes*.

Após setembro de 1821, no entanto, essa proposta integradora conduziu à adoção de algumas medidas que despertaram a insatisfação dos deputados do Brasil, em particular da bancada paulista, que dispunha de uma espécie de programa nas *Lembranças e apontamentos* redigidos por José Bonifácio antes de sua partida. Embora insistissem na indissolubilidade do Reino luso-brasileiro, não abriam mão de conservar na América um governo central, personificado pelo príncipe d. Pedro, no que foram apoiados por alguns deputados da Bahia, Pernambuco e Rio de Janeiro, em oposição às atitudes cada vez mais intransigentes dos deputados lusos, que pretendiam assegurar para Portugal a hegemonia no interior do Império.

Foi no início de dezembro que chegaram ao Rio de Janeiro os decretos de 29 de setembro, que não só referendavam que as juntas provinciais deveriam se subordinar diretamente a Lisboa, como também exigiam a volta imediata do príncipe regente a Portugal. Em resposta, d. Pedro decidiu não se submeter a um poder legislativo que se colocava acima da Coroa, optando por construir no Brasil uma monarquia mais próxima de suas concepções, em sintonia com o modelo proposto pela elite coimbrã. Como resultado, em 9 de janeiro de 1822, o célebre Dia do Fico, proclamou a intenção de permanecer no Brasil. Tratava-se de uma desobediência às cortes e a seu pai, mas, até então, não significava um comprometimento do príncipe com a independência do Brasil. As tropas portuguesas ainda pretenderam obrigá-lo a embarcar para Lisboa, sendo contidas por uma movimentação do povo e de soldados brasileiros. Desse momento em diante, contraposta à lentidão das comunicações através do oceano, a velocidade das decisões tomadas de um lado e de outro do Atlântico só fez aprofundar o crescente mal-entendido entre as duas partes do reino.

ELABORANDO A EMANCIPAÇÃO POLÍTICA

Ao longo do primeiro semestre de 1822, as medidas arbitrárias aprovadas pelos deputados nas cortes de Lisboa acabaram por promover a união das elites no Brasil e acirrar o clima de animosidade contra os portugueses, pois tais decisões feriam os interesses dos habitantes da parte americana do Reino Unido. Essa oposição foi explicitada tanto por meio de escritos, como de atos oficiais. Iniciou-se, assim, uma guerra de palavras travada entre escritores brasileiros e portugueses d'além-mar. Tal polêmica, no entanto, não chegou a apontar a separação política imediatamente como solução, embora as cartas e artigos lusitanos exaltassem a superioridade de Portugal sobre a antiga colônia. Vislumbrava-se também, a partir de então, por meio de folhetos políticos e da imprensa, as diferentes versões que cada lado possuía sobre a ideia de união no interior do universo luso-brasileiro. Para os portugueses, o Brasil constituía parte integrante de um poderoso império, agora sob a tutela de um governo liberal e justo. Para os brasileiros, a união significava a formação de um império indissolúvel, composto, porém, de dois reinos distintos, que teriam direitos e deveres recíprocos.

Anunciava-se outra conjuntura. Ainda sem saber da decisão de Lisboa de abolir os tribunais estabelecidos no Brasil, já em 16 de janeiro d. Pedro organizou um novo ministério, dirigido por José Bonifácio de Andrada e Silva, o mais destacado elemento do grupo coimbrão. Um mês depois, convocou um Conselho de Procuradores, com o objetivo de estreitar os laços das províncias com o governo do Rio de Janeiro. Em 30 de abril, denunciando a incapacidade das cortes para o diálogo, Gonçalves Ledo, líder dos "brasilienses" — a outra facção das elites, mais liberal e radical —, levantou em seu jornal, o *Revérbero Constitucional Fluminense*, a proposta da emancipação política do Brasil e, em 23 de maio, o português José Clemente Pereira, presidente do Senado da Câmara, entregou ao príncipe regente uma representação solicitando a convocação de uma assembleia brasílica, decidida em 3 de junho. Essa assembleia, contudo, apresentava-se como instrumento que visava, antes de qualquer coisa, a evitar o esfacelamento do Brasil, assegurando um centro comum de poder que conservasse os laços de união e fraternidade entre os irmãos da nação portuguesa. No entanto, essa não foi a visão adotada a partir de Portugal. A notícia repercutiu profundamente junto ao Congresso e à imprensa portuguesa, que a tomou como o selo final da separação de sua antiga colônia. Igualmente, os jornais baianos, favoráveis às cortes, identificaram naquele decreto apenas "a anarquia e a separação". Em agosto, a *Gazeta de Portugal* já mostrava o Brasil a caminhar para a independência, enquanto Portugal dormia.

Por essa época, a ideia de separatismo se manifestava em algumas obras de circunstância. Apesar disso, quando, por decreto de 1º de agosto, d. Pedro declarou inimigas todas as tropas portuguesas que desembarcassem sem seu consentimento, não deixou de precisar que tomava a independência no sentido exclusivo de autonomia política, sem implicar um rompimento formal. Na mesma data, contudo, o *Manifesto aos Povos do Brasil*, de autoria de Gonçalves Ledo, e, em 6 de agosto, o *Manifesto do Príncipe Regente aos Governos e às Nações Amigas*, redigido por José Bonifácio, passaram a assumir a separação como um fato consumado. E embora ambos culpassem o despotismo das cortes pelo rumo dos acontecimentos, o segundo hesitava em descartar completamente a proposta de um Império luso-brasileiro. Segundo um periódico (*O Volantim*, n. 8, 10 set. 1822), "a nossa independência de Portugal não é mais do que aquela de um filho que se emancipa". Não simbolizava, portanto, ingratidão em relação à mãe pátria; apenas o direito de o Brasil fazer seu código de leis e promover sua felicidade, como também fizera Portugal com o movimento de 1820. Aprofundava-se, desse modo, a incompreensão recíproca. A possibilidade de manter-se a união entre Portugal e o Brasil tornava-se cada vez mais distante para ambos os lados.

Ainda nas tensas semanas de agosto, um novo fato irrompeu no cenário brasileiro alarmando o governo do Rio de Janeiro: revolta em São Paulo, "pátria" de José Bonifácio e peça fundamental no processo de consolidação da independência do Brasil. Urgia a presença de d. Pedro, que, após deixar a regência entregue a sua esposa, d. Leopoldina, em conjunto com o ministério, partiu para São Paulo, com o objetivo de pacificar a região e impor sua autoridade. Paralelamente, chegavam ao Rio de Janeiro, proveniente de Portugal, novas notícias das cortes em relação ao Brasil. Relacionavam-se às discussões iniciadas no mês de julho, sobre as atitudes de rebeldia de São Paulo e de José Bonifácio e a insubordinação do príncipe às cortes e ao pai. As novidades foram enviadas a d. Pedro, com cartas de d. Leopoldina e do ministério. Segundo certos autores, haveria também uma correspondência de José Bonifácio, na qual comentava os últimos acontecimentos: "Senhor, o dado está lançado: de Portugal não temos a esperar senão escravidão e horrores" (apud Rodrigues, 1975:283).

O resultado, em 7 de setembro, foi o conhecido brado de "independência ou morte", isto é, o grito do Ipiranga, que hoje é celebrado como a declaração de independência do Brasil. Entretanto, para os contemporâneos, este fato não teve significado especial, sendo noticiado apenas sob a forma de um breve comentário no jornal fluminense *O Espelho*, com data de 20 de setembro. Para a maioria dos atores principais, a separação, embora parcial, já estava consumada. Ainda que originalmente não tivesse tal intenção, foi o 3 de junho, por exemplo, que passou a ser comemorado como a data em que o Brasil despedaçou "as cadeias da escravidão". O jornal *Macaco Brasileiro* (n. 2, 1822) julgava aquele o "maior dia para o Brasil", devendo tornar-se o seu "magno aniversário, o dia natalício da sua regeneração política", pois "foi quando estalou o elo da corrente da dependência servil e colonial; foi quando o cancro se desarraigou do corpo gigante". Tornava-se necessário, somente, oficializar a separação, o que veio a ocorrer com a aclamação de d. Pedro como imperador constitucional do Brasil em 12 de outubro, seguida pela coroação de 10 de dezembro. Tais eventos estabeleceram, em sentidos diferentes, os fundamentos do novo Império.

A festividade do 12 de outubro, dia de aniversário do soberano, foi, sobretudo, uma festa sob as aparências de uma grande comemoração cívica, que buscava mostrar-se diferente das solenidades essencialmente religiosas do Antigo Regime, embora ainda não se possa afirmar que essas ocasiões tivessem perdido de todo o caráter sacro. Discursos e recitações de poesia constitucionais foram introduzidos. Contou, ainda, especialmente, com intensa participação da população, que ocupou as ruas engalanadas pelas quais passou o cortejo e se entusiasmou com os discursos e os "vivas" à religião, ao imperador, à imperatriz e à dinastia de Bragança, à Independência, à Assembleia e ao povo constitucional do Brasil.

Apesar da primazia concedida ao Trono e ao Altar nos "vivas", o discurso do presidente do Senado da Câmara, José Clemente Pereira, e os comentários que surgiram na imprensa desagradaram ao imperador. Um e outro procuravam demonstrar a origem popular do título, chegando a *Gazeta do Rio*, de 15 de outubro, a afirmar que o defensor perpétuo do Brasil preenchia o "sublimado emprego de imperador constitucional". Os coimbrãos reagiram com um decreto definindo o título do soberano como "d. Pedro, *pela graça de Deus* e unânime aclamação dos povos, imperador constitucional e defensor perpétuo do Brasil" (grifo meu), o que representava certo retorno aos antigos usos, em que o monarca retirava seu poder, primeiro, de Deus, e, em segundo

D. Pedro I, rei de Portugal e dos Algarves

GRAVURA PONTILHADA POR GREGÓRIO FRANCISCO DE QUEIROZ,
SEGUNDO DESENHO DE DOMENICO ESQUIOPPETTA, S.D.
NO LIVRO: *CARTA CONSTITUCIONAL DA MONARQUIA PORTUGUESA*
DADA EM 29 DE ABRIL DE 1826
36 × 26,8 CM
IBRAM, MINISTÉRIO DA CULTURA, MUSEU IMPERIAL, PETRÓPOLIS, RJ

lugar, dos homens. Em decorrência do episódio, após deixar-se cortejar pelos brasilienses, Pedro I voltou a aproximar-se dos coimbrãos e emprestou autoridade a José Bonifácio para, alegando a presença de perturbadores da tranquilidade e da ordem pública, abrir uma devassa, que desarticulou o grupo mais radical (ou menos conservador), com prisões e deportações, sob a acusação de demagogos, anarquistas e republicanos.

Foi então que se concebeu uma segunda cerimônia inaugural para o Império nascente. Em 10 de dezembro de 1822, a coroação solene do imperador transcorreu em moldes quase privados, seguindo a tradição e a pompa do Antigo Regime, conservando-se a população como mera espectadora, do lado de fora do templo em que transcorreu. A ocasião transformou-se em "um espetáculo estranho nos fastos lusitanos e assombroso para a América", na opinião do jornal *O Espelho* (n. 109, 3 dez.).

Naquele mesmo dia, com a naturalidade de um soberano que sabia usar da autoridade em sua plenitude, d. Pedro criou a Ordem do Cruzeiro, graça honorífica equivalente às que conhecia o Portugal do Antigo Regime, como explicitamente declarava o preâmbulo do decreto. Não será certamente coincidência que o ato aproximava-se daquele de Napoleão Bonaparte ao estabelecer a Legião de Honra (1802). Também a coroação de 10 de dezembro tivera como modelo, em grande medida por intermédio da competência de Jean-Baptiste Debret, a cerimônia de sagração do imperador francês. No entanto, se a Legião de Honra tornava-se condecoração nacional, a Ordem do Cruzeiro não passava de um instrumento de concessão de privilégios, tanto sociais quanto legais, refazendo assim o estatuto de uma nobreza, ainda que de funções, ligada a cargos públicos. O Império do Brasil nascia mais próximo ao ideário do Antigo Regime do que daquele das novas práticas liberais.

CONSTRUINDO O IMPÉRIO BRASÍLICO

Com a aclamação e a posterior coroação do príncipe regente d. Pedro como imperador do Brasil, iniciou-se, no imaginário político de povos outrora irmãos, a construção da ideia de um império autônomo em terras americanas. A *Gazeta do Rio de Janeiro*, em 21 de dezembro de 1822, proclamava: "O Brasil [...] era um Reino dependente de Portugal; hoje é um vasto Império, que fecha o círculo dos povos livres da América; era colônia dos portugueses, hoje é Nação". Logo, a partir do final de 1822, a palavra nação começava a despertar um sentimento de separação, de distinção de um povo em relação ao outro, despontando a noção de nacional como oposto de estrangeiro.

Igualmente, o jornal português *Trombeta Lusitana* (n. 31, dez. 1822) afirmava que a aclamação de d. Pedro era um acontecimento que esclarecia, sem dúvida, "as ideias que os políticos haviam desde algum tempo formado a respeito do novo Estado brasílico", pois com "este passo o Brasil chegou ao ponto preciso da sua independência".

No entanto, como escrevia em ofício a seu governo, em meados de dezembro de 1822, o agente diplomático da Áustria na Legação do Brasil, o barão de Mareschal, tudo estava por fazer. "Não há constituição, códigos legais, sistema de educação; nada existe exceto uma soberania reconhecida e coroada" (apud Mello, 1916:139–140). Dois pontos relacionados à construção do novo império, em particular, exigiam medidas imediatas: a manutenção da unidade territorial em torno do governo do Rio de Janeiro e a obtenção do reconhecimento internacional do país.

A primeira questão decorria de uma preocupação assimilada pelas elites ilustradas que conduziram a independência: a concepção de um *Império luso-brasileiro*, desenvolvida na última década do século XVIII, e que se traduzia, após a constatação da incompatibilidade com a política das cortes, na ideia de *Império* do Brasil. Apesar de concretizada em poucos anos, ela só foi alcançada por meio de conflitos militares relativamente graves.

Ao final de 1822, Minas Gerais e as províncias do Sul já se tinham manifestado favoráveis à independência do Brasil, através de ofícios e proclamações enviados pelas Câmaras Municipais, quando da consulta sobre a aclamação de d. Pedro como imperador do Brasil pelo povo do Rio de Janeiro. Em dezembro de 1822, Pernambuco jurou solenemente adesão e obediência ao imperador. Em virtude da dificuldade das comunicações, Goiás e Mato Grosso pronunciaram-se somente em janeiro de 1823. Em seguida, foi a vez do Rio Grande do Norte, Alagoas e Sergipe. As quatro províncias do Norte — Pará, Maranhão, Piauí e Ceará — juntamente com a Cisplatina e parte da Bahia, no entanto, permaneciam fiéis às cortes de Lisboa. Assim, a unidade em torno do Rio de Janeiro acabou tendo de se impor por meio de guerras — as guerras de independência e uma guerra civil entre portugueses, partidários ou não das cortes, na definição da época — e com efusão de sangue, contrariando a "lenda rosada", gestada naquele momento e mantida por muitas décadas pela historiografia do século XIX e mesmo do XX, de que a separação do Brasil de Portugal fora um episódio a que o mundo poucas vezes assistira, pois representara "um povo que reassume os direitos inalienáveis da sua independência, quebra os vergonhosos ferros de seu vitupério e entra, sem ter passado pelos horrores da guerra civil e da anarquia, no círculo das nações livres do universo" (como se lê no *Diário do Governo*, em fevereiro de 1823).

Enquanto os horrores da guerra esboçavam a unidade territorial do Brasil, o rompimento total e definitivo mantinha-se, apesar de tudo, *sub judice*. De um lado, o imperador, que, afinal, era português e sucessor do trono dos Bragança, portanto capaz de reunir novamente, após a morte do pai, os dois territórios que o Atlântico e desinteligências separavam. De outro, no plano externo, faltava o reconhecimento internacional do novo país, a ser alcançado por meio de negociações diplomáticas com as potências europeias. A questão primordial era enfrentar a possibilidade de uma guerra externa com Portugal e o consequente retorno à antiga condição de colônia. Ameaça imaginária ou real? Sem dúvida, escritos dos dois adversários aventavam essa possibilidade. No Brasil, as notícias sobre o envio de tropas lusitanas para cá despertavam imagens de um mar coalhado de corsários armados pela antiga metrópole. Avistado um navio no horizonte, aí vinha "contra nós o Anticristo com a besta de sete portas"; ou, então, tudo estava perdido, pois uma esquadra com milhares de homens estava pronta para saltar "às escondidas em diversos pontos", como afirmava o *Spectador Brasileiro*, de 20 de julho de 1824. Já em Portugal, por sua vez, *O Campeão Portuguez em Lisboa*, de 11 de maio de 1822, não se conformava em abandonar a ideia de que o Brasil pertencia "aos portugueses como uma herança de seus pais", que o conquistaram, justificando, assim, o uso da força para reverter o curso dos acontecimentos. Somente em 1825, depois de demoradas negociações e mediante indenizações, d. João VI reconheceu a independência do Brasil. O gesto, entretanto, veio sob a forma de uma concessão, que cedia e transferia a soberania sobre o território americano, que só ele detinha, para o reino do Brasil, sob a autoridade de seu filho. Além disso, reservava para si o título de imperador do novo país, que passou a constar dos documentos que assinou até sua morte, em 1826.

A essa altura, apesar de certa aparente solidez do Império brasílico, continuava indecisa a questão fundamental da distribuição de poder entre a autoridade nacional no Rio de Janeiro e os governos provinciais. Em função do clima gerado pelas ideias liberais, a opção escolhida não podia deixar de ser a de uma monarquia constitucional. Nessa lógica, a redação de uma Carta Magna era um instrumento essencial para o recém-criado Império. Para sua confecção, convocada em 3 de junho de 1822, a Assembleia Geral Constituinte e Legislativa instaurou-se em 3 de maio de 1823. Ao abri-la, d. Pedro, entretanto, logo se posicionou acima dos representantes da nação, ao repetir o que proclamara em sua coroação: juraria, sim, a "liberal Constituição", se digna do Brasil e de seu imortal defensor; ou seja, dele próprio. Sinal dos tempos da Restauração. Imitava-se a fórmula francesa de 1814, quando Luís XVIII, após a derrota de Napoleão, ao reconhecer o anseio dos súditos por uma Constituição, concedera e outorgara "pelo livre exercício" da autoridade real a Carta constitucional, mas tomando todas as precauções para que ela "fosse digna de nós e do povo".

Entre os deputados, não havia partidos estruturados. Constituíam correntes de opinião, que se agrupavam ou dividiam no desenrolar dos debates, de acordo com categorias que os historiadores têm por hábito rotular de conservadores, moderados, democratas e exaltados, embora se regessem às vezes pelos interesses das regiões de onde provinham e, mais frequentemente, por posições e interesses individuais, ou do círculo social imediato a que pertenciam, na opinião de José Honório Rodrigues. Desde o início, a maior polêmica prendeu-se à concepção de "soberania", fundamental para definir as atribuições dos poderes Executivo e Legislativo, ressaltando, uma vez mais, as diferenças entre coimbrãos e brasilienses. Estes últimos, ainda que desarticulados pela devassa de outubro de 1822, tinham sido, entrementes, inocentados e eleitos em número significativo. Defendiam que a soberania residia na nação, representada por seus deputados, e negavam ao imperador não só o poder de veto absoluto, como também o direito de dissolver a futura Câmara. Para os coimbrãos, a soberania devia ser partilhada entre o imperador e a Assembleia, com um Executivo forte, nas mãos de d. Pedro, a fim de afastar possíveis tendências democráticas, vistas como desagregadoras.

Igualmente polêmica era a relação entre a autoridade do Rio de Janeiro e os governos provinciais. Ao abolir as antigas Juntas, localmente eleitas, foi proposto substituí-las por um presidente, nomeado pelo imperador e removível quando este o julgasse conveniente. A medida desagradou profundamente aos deputados do Nordeste e àqueles provenientes de São Paulo e Minas Gerais — rotulados na época, por essa atitude, de "democratas". Em verdade, a lealdade dos descontentes voltava-se prioritariamente para sua "pequena pátria" local, considerada, no essencial, quase como autossuficiente. Por conseguinte, para eles, ao insistir na centralização do poder, o governo do Rio de Janeiro manifestava um caráter despótico, que decorria da herança portuguesa do imperador e de seu círculo de áulicos.

Tais descontentamentos converteram-se, mais tarde, em justificativas para as rebeliões do período regencial (1831–1840), após o desfecho dramático com que se encerrou o Primeiro Reinado (1822–1831), por meio da abdicação de Pedro I, em 7 de abril de 1831. Como uma espécie de prenúncio desse acontecimento, em 1823, o imperador tendeu a cercar-se de amigos pessoais, cortesãos, naturais de Portugal como ele, que defendiam concepções mais autoritárias de governo. Em decorrência, incompatibilizou-se também com José Bonifácio, afastado do ministério em julho. A essa altura, renasceu o clima febril do ano anterior, com a multiplicação dos jornais que se posicionavam em relação aos debates na Assembleia.

De um lado, José Bonifácio e seus irmãos fundaram *O Tamoio*, erguendo a bandeira da oposição não só contra os democratas, mas também contra aqueles que se mostravam favoráveis a um poder autoritário (corcundas), aí incluindo, em particular, os portugueses (pés de chumbo), que tinham passado a rodear o imperador. De outro lado, *O Tamoio* era criticado pelo *Correio do Rio de Janeiro*, o *Espelho* e o *Diário do Governo*, que o acusavam de intrigarem brasileiros com portugueses, defendendo o pleno poder de d. Pedro. Dessa maneira, a disputa entre uma proposta de governo mais liberal, em que a soberania residisse nos representantes da nação, e a de um governo mais centralizador, com resquícios do Antigo Regime, ou, pelo menos, modelada nas monarquias conservadoras da Europa de então, convertia-se, assim, numa rivalidade entre brasileiros e portugueses. No Nordeste, outra voz se levantava: a de Cipriano Barata de Almeida, que lançava o *Sentinela da Liberdade na Guarita de Pernambuco*, em abril de 1823, e que, em seu número 47, de 13 de setembro, procurou alertar as províncias para as atitudes que deveriam tomar, no caso de os batalhões do Rio de Janeiro, "insubordinados, ignorantes, escravos sem amor à pátria", dissolverem o Congresso, ou procurarem suplantá-lo para que aquele, "aterrado e sem liberdade, não se oponha a nada e tudo vá por água abaixo e a Constituição se reduza a água de bacalhau", com os soldados aclamando o governo absoluto e dando "as leis que o imperador quiser, à sua única vontade". Apesar da visão profética, o redator foi preso logo após a dissolução da Assembleia, acusado de querer implantar a anarquia, permanecendo detido até 1830.

Nesse ambiente, o curso dos acontecimentos em Portugal, com o movimento da chamada Vilafrancada, que fechou as cortes pelas armas em 3 de junho de 1823 e pôs fim à primeira experiência liberal portuguesa, restabelecendo o poder absoluto de d. João VI, serviu de estímulo para que d. Pedro revelasse a faceta mais autoritária de seu caráter. Na manhã de 12 de novembro, a tropa marchou para a cidade e cercou o prédio da Assembleia Constituinte, que se encontrava em sessão permanente há dois dias. Após a leitura do decreto que dissolvia a Assembleia, alguns deputados, como os irmãos Andrada, foram presos, partindo, logo depois, para longo exílio.

Pedro I, por sua vez, justificou a atitude arbitrária por meio de uma proclamação aos brasileiros, conclamando todos a conservarem a adesão à causa da independência, pois crescia o "espírito da desunião", com o surgimento de *partidos* que visavam à implantação da desordem e da "anarquia" no país. Argumentava ainda que a facção dominante na Assembleia, numa alusão ao grupo dos Andrada, se servira da situação para provocar o desequilíbrio entre os poderes, convidando "pessoas do povo", "armadas de punhais e pistolas", "incutindo o terror", para amedrontar os deputados fiéis ao juramento de lealdade ao imperador. Sob a promessa de uma Carta "duplicadamente mais liberal", concluía que a medida visava superar a lentidão com que se preparava a Constituição, conter os sustos e temores de todos os cidadãos pacíficos e preservar a pátria em perigo, afastando o medo da ruína e da subversão do Estado.

A atitude do imperador trouxe, contudo, várias reações. Em Pernambuco, que já se agitara quando da revolta de 1817, frei Joaquim do Amor Divino Caneca iniciou a publicação do periódico *Typhis Pernambucano*, em dezembro de 1823. No primeiro número, denunciava-se o 12 de novembro — ou seja, o fechamento da Assembleia — como um dia "lutuoso", "nefasto para a liberdade do Brasil", comparável à "cena do 18 Brumário", em que "o déspota da Europa [Napoleão Bonaparte] dissolveu a representação nacional da França". Isto porque, no Rio de Janeiro, acrescentava, "o partido dos chumbeiros" tinha posto em prática as tramoias do ministério composto de portugueses, conseguindo iludir "a cândida sinceridade" do imperador.

A nova Carta foi outorgada em 25 de março de 1824, e embora não diferisse muito da proposta que os deputados tinham discutido antes da dissolução da Assembleia Constituinte, trazia uma diferença fundamental: não emanava da representação da nação, mas era concedida pela magnanimidade do soberano, tendo sido elaborada por um Conselho de Estado, instituído pelo imperador. A forma de governo definia-se como uma monarquia hereditária e constitucional e saía reforçado o caráter unitário do Império, por meio de um executivo forte e centralizado, com a soberania residindo no imperador e na nação, como sempre pretendera d. Pedro. Por outro lado, ainda que não tivesse sido submetida à aprovação de uma assembleia, foi em seguida enviada às Câmaras Municipais para ser jurada, como efetivamente foi. Tal atitude, porém, não impediu manifestações nas províncias que se opunham ao centralismo do Rio de Janeiro.

Assim, as províncias do Nordeste, há muito insatisfeitas com a política da corte, e agitadas com essa "guerra de palavras", manifestaram-se em uma nova explosão revolucionária. A nomeação por Pedro I de um presidente indesejado para a província de Pernambuco forneceu o pretexto para a revolta. Conclamava o *Typhis Pernambucano*:

> *Eia, pernambucanos! A nau da pátria está em perigo, cada um a seu posto, unamo-nos com as províncias limítrofes. Escolhamos um piloto, que mareie a nau ameaçada de iminente e desfechada tempestade; elejamos um governo supremo, que nos conduza à salvação e a glória* (*Typhis Pernambucano*, n. 25, 8 jul. 1824).

O resultado foi a Confederação do Equador, proclamada em 2 de julho de 1824, que pretendia reunir, sob a forma de um governo federativo e republicano, além de Pernambuco, as províncias do Ceará, da Paraíba, do Rio Grande do Norte e, possivelmente, do Piauí e do Pará. Contando com a participação dos elementos urbanos das camadas populares, manifestou um acirrado sentimento antilusitano e autonomista. Segundo Maria Graham, viajante inglesa que visitou o Recife na época, mencionava-se, nos círculos que frequentou, o "espírito republicano", que diariamente adquiria força, e o sentimento federalista. Este brotava da queixa de a província "ter-se esforçado e sofrido muito pela causa da independência", mas continuando todos os seus rendimentos a serem "sugados" pela capital, "ficando desprezados seus próprios trabalhos públicos", e ignorando-se "as promessas de reforma em todos os departamentos". Não resistiu, porém, a Confederação do Equador à violenta repressão das tropas do governo. Após a derrota, em novembro de 1824, inúmeros participantes foram executados, inclusive o próprio frei Caneca.

Apesar dessa reação, a Constituição de 1824 não deixava de representar um avanço. Estabelecia a divisão de poderes, repartia atribuições, em oposição à desordem administrativa anterior, e garantia direitos individuais para o cidadão. Contudo, ao definir um censo para os votantes, afastava da vida política inúmeros indivíduos situados nas camadas mais pobres da sociedade — ainda que a desvalorização da moeda, nas décadas seguintes, viesse a anular, em grande parte, esse aspecto. Mais importante, reconhecia implicitamente a manutenção da ordem escravista — pois nem chegava a mencionar os cativos — e nada propunha para alterá-la. Se todos os poderes constituíam delegações da nação, na prática, era o imperador quem detinha a autoridade última, em virtude do uso do poder moderador, *chave de toda a organização política*. Filha do pragmatismo das Luzes ibéricas, corporificava as convicções da diminuta elite ilustrada, à qual estavam associados diversos setores influentes, que identificavam em certo liberalismo o regime adequado tanto para servir de terreno em que pudessem acomodar seus interesses privados, quanto para ostentar seus talentos e buscar as remunerações que julgavam merecer por eles. Comprometido pela insidiosa persistência das tradições do Antigo Regime, estava inviabilizado o pleno desdobramento da lógica liberal, como logo evidenciou o funcionamento do sistema sob a forma de nação independente.

Na realidade, embora a Constituição de 1824 dividisse aparentemente a autoridade entre a Assembleia e o imperador, cabia a este o direito de sancionar os decretos e resoluções daquela, antes de adquirirem força de lei. Da mesma forma, ele podia prorrogar ou adiar a Assembleia Geral e também dissolvê-la, nos casos em que a salvação do Estado o exigisse, mas era obrigado a convocar imediatamente outra, que a substituísse. Dessa maneira, em todos os debates da Assembleia, duas concepções de nação continuaram a se enfrentar. De um lado, aquela baseada na política tradicional de uma autoridade herdada por via dinástica; de outro, a visão liberal, que, estabelecida a igualdade entre nação e povo, derivava sua autoridade da vontade nacional. Elemento de tensão entre o imperador e a Assembleia, tal conflito atravessou os anos seguintes, até a abdicação de 1831.

Em 6 de maio de 1826, ao abrir a primeira Assembleia Geral do Brasil, as atitudes e o discurso que proferiu não deixaram margem de dúvida quanto à suprema autoridade do poder de Pedro I. Ao contrário do que ocorrera na abertura da Constituinte, ele obteve a regalia de conservar a coroa na cabeça durante toda a cerimônia. Na *Fala do Trono*, escrita em grande parte por ele próprio, expunha os motivos da dissolução da Assembleia: "Dissolvi a Assembleia Constituinte, bem a meu pesar, e por motivos, que vos não são desconhecidos." Apesar disso, havia prometido uma Constituição, em função da qual, uma vez dada, aceita e jurada, aquela Assembleia estava ali reunida. Assim, a "harmonia, que se pode desejar entre os poderes políticos, transluz nesta Constituição do melhor modo possível". Ainda mais significativa era a parte do texto que dizia respeito ao que ele esperava dos representantes:

> *Todo o Império está tranquilo, exceto a província da Cisplatina. A continuação deste sossego, a necessidade do sistema constitucional e o empenho que eu tenho que o Império seja regido por ele, instam a que haja tal harmonia entre o senado e a câmara dos deputados, entre esta e aquele, e entre o governo e ambas as câmaras, que faça com que todos se capacitem que as revoluções não provêm do sistema, mas sim daqueles que à sombra dele buscam pôr em prática os seus fins particulares* (*Falas do Trono*, [1889]:123–130).

Tais palavras enfatizavam a distância que separava o imperador, sentado em seu trono, revestido de todos os símbolos de seu poder, e os cinquenta senadores e 102 deputados que constituíam a Assembleia Geral brasileira.

Não obstante, a nova legislatura marcou o início do reinado de d. Pedro nos quadros de um sistema constitucional e introduziu uma nova dimensão política na vida da corte. A Constituição garantia que os membros de cada uma das Câmaras fossem "invioláveis pelas opiniões" que proferissem no exercício de suas funções, e determinava que nenhum senador ou deputado, durante o mandato, "podia ser preso por autoridade alguma, salvo por ordem de sua respectiva Câmara". Aliada ao fato de as sessões serem públicas, essa liberdade de falar, de que os representantes gozavam, convertia a Assembleia Geral em um lugar de discussão, em que as vozes da oposição se podiam fazer ouvir, até sem a mediação do escrito, configurando-se dessa maneira um novo espaço para o jogo político.

Segundo a Constituição, a escolha dos senadores cabia a d. Pedro, com base em uma lista de até 150 nomes, indicados pelas províncias. Contudo, em função do número limitado de homens com talento e experiência administrativa, assim como dos interesses das "pátrias locais", apenas 112 indivíduos diferentes foram selecionados, sendo 42 deles também eleitos deputados. Ao compor então o Senado com aqueles de sua maior confiança, procurando formar um círculo privado de poder, distinguido pelos títulos nobiliárquicos e capaz de sustentar a política aristocrática que almejava, o imperador reduziu consideravelmente o número dos políticos que lhe podiam dar apoio na câmara baixa, como acentua Roderick Barman. Desta, ainda faziam parte membros de uma nova geração de formados em Coimbra, após 1816, e, por isso, ressentidos com a discriminação que tinham sofrido em Portugal durante o processo de independência. Para eles, ao contrário dos outros membros do grupo coimbrão, a herança cultural portuguesa devia ser inteiramente rejeitada, o que os aproximava dos elementos mais radicais. Destarte, iniciados os trabalhos da primeira legislatura, em 1826, e amplificadas suas atividades pelas notícias na imprensa, a Câmara, constituída em sua maioria de herdeiros do grupo brasiliense e, em regra, pouco experientes, passou a medir forças com o Executivo.

Tal situação refletiu-se diretamente nas discussões que realizaram e nas medidas que propuseram. Julgando-se os guardiões da Carta de 1824, os deputados preocupavam-se em lutar contra o absolutismo e a opressão. Uma das tarefas centrais era despertar os brasileiros do torpor colonial e fazê-los conscientes de seus deveres e direitos. Para tanto, a Assembleia aprovou uma série de medidas que extinguiam órgãos característicos da época colonial, tais como a Mesa do Desembargo do Paço e da Consciência e Ordens e a Intendência Geral da Polícia. Ainda em relação à Justiça, debateu a criação de um Supremo Tribunal e ordenou a elaboração de um Código Criminal, concluído em 1830. Ainda neste ano, em 20 de setembro, a Assembleia estabeleceu o dispositivo que regulamentava a liberdade de imprensa, no qual se dava total imunidade aos autores de obras políticas.

Tais medidas apontavam para a formação de um Império liberal, submetido ao controle dos cidadãos, que se afastava da herança colonial absolutista.

No entanto, o resultado traduziu-se em confronto da Câmara com o Executivo. Algumas vezes, essa tensão aflorava nos artigos da imprensa, já que o processo de politização possibilitado pela nova legislatura de 1826 revigorou os jornais, entre os quais se destacaram, no Rio de Janeiro, por seu papel de oposição, ainda que em tom moderado, o *Astreia* (1826), o *Aurora Fluminense* (1827) e *A Malagueta*, ressurgido em 1828. Paralelamente, o governo passou a subsidiar uma folha — a *Gazeta do Brasil* — a partir de 1827. Na visão de Octávio Tarquínio de Sousa, tratava-se do primeiro "pasquim subvencionado" na história da imprensa do Brasil. O próprio Pedro I utilizou-se desse periódico em diversas ocasiões para divulgar as cartas em que criticava deputados oposicionistas. Algumas delas, existentes no Arquivo da Família Imperial, nem chegaram a ser publicadas, talvez pelo tom virulento que, sem dúvida, acabaria por acirrar ainda mais os ânimos da opinião pública. Assim, por exemplo, em uma delas (o documento 429 do maço 8 do Arquivo Histórico do Museu de Petrópolis) reafirmava o poder do imperador como superior às Câmaras e fazia decorrer de "uma ordem do imperador, assinada por um ou por todos os seus ministros d'Estado ou pelo secretário de seu Imperial Gabinete" a dissolução da Câmara dos Deputados. Ao mesmo tempo, denominava "primeiro-ministro" ou "presidente do Conselho" o fiel secretário de gabinete, o detestado Chalaça, conselheiro Francisco Gomes da Silva. Dessa maneira, por suas atitudes e práticas políticas, o imperador acentuava o conflito entre os dois poderes, limitava as oportunidades de cooperação e contribuía para o clima de recíprocas prevenções.

Na realidade, a essa altura, após a morte de d. João em 1826, suas prioridades voltavam-se para a política externa, em função do imbróglio gerado pela questão sucessória em Portugal, as dificuldades para sustentar a guerra na Cisplatina e a renovação dos tratados com a Inglaterra, o que acabava por influir decisivamente na condução dos negócios internos. Ao mesmo tempo, a insistência em manter um círculo privado na corte, formado essencialmente de portugueses, associava-se às práticas cortesãs do Antigo Regime e acendia o temor de adesão a ideias de um governo mais centralizado e absolutista. No voto de ação de graças de 1828, a Assembleia Legislativa demonstrava sua preocupação com essa facção conservadora que cercava o soberano, tendendo a identificar a presença de elementos portugueses à volta do despotismo:

> *A Câmara dos Deputados, porque é sagrado o dever seu, e até porque está convencida de que tais são os desejos de Vossa Majestade Imperial, não cessará de vigiar para*

que a hidra do despotismo não torne a erguer o colo e não devore os germes preciosos da nossa prosperidade e da nossa glória e os encarregados do poder não abusem da Imperial confiança, [...] e não façam voltar os passados dias de triste recordação (*Anais do Parlamento Brasileiro*, sessão de 10 de maio de 1828, p. 43).

Ao clima de animosidade somavam-se ainda as dificuldades econômicas e financeiras por que passava o Império, servindo de motivos e pretextos para ampliar a oposição não só ao imperador, mas também aos portugueses, que dominavam em grande medida o comércio a varejo.

O ano de 1829 mostrou-se particularmente difícil. Acirrados os ânimos entre o imperador e a Assembleia, crescia a impopularidade de Pedro I. Este, para recuperar o prestígio, procurou transferir a culpa da ruína financeira à inatividade da Assembleia. Em discurso de 2 de abril de 1829, o imperador expôs os motivos da convocação extraordinária da Assembleia: primeiro, em virtude da notícia inesperada de que "tropas estrangeiras de emigrados portugueses chegariam a fim de pedir asilo naquele Império", por causa da guerra civil em Portugal; segundo, em função da delicada situação financeira da Fazenda, em especial do Banco do Brasil, uma vez que a Assembleia não havia proposto "medidas eficazes e salutares". E, ao apontar "o estado miserável ao qual se achava reduzido o tesouro público", acrescentava que se a Assembleia, apesar de todas as suas recomendações, não tomasse providências, o futuro revelar-se-ia desastroso.

Seguiram-se intensos debates, tanto na Assembleia quanto na imprensa periódica. Esta se transformava no mais importante canal de veiculação das ideias políticas, tornando-se ainda um instrumento essencial de consolidação da opinião pública. Segundo *O Censor Brasileiro* (n. 1, de 1828), afinado com as práticas do liberalismo, os indivíduos ilustrados tinham de dirigir a opinião pública ou de erigir-se em seu porta-voz, destacando o papel exercido pela educação e pelos periódicos na constituição dessa opinião. Com o acirramento das tensões e das discussões, outra concepção de opinião pública começou a ser esboçada. Um jornal mais radical como o *Nova Luz Brasileira* afirmava em seu número 21, de fevereiro de 1830: "Opinião pública é o modo de pensar expresso e uniforme de mais da metade de um povo sobre qualquer objeto: daqui vem a influência, poder e direção que dá a todos os negócios; sua vitória é sempre certa: desgraçado daquele que lhe faz oposição". Surgiam as primeiras referências ao *Tribunal da Opinião Pública*, que parecem dispensar a interferência dos membros da República das Letras para legitimar o conceito, aproximando-se da perspectiva dos jacobinos franceses e daqueles que pregavam a ideia de uma soberania popular, como destaca Marco Morel.

 Diante desse tribunal, crescia o rigor com que se julgava o imperador, em função dos atos arbitrários nos quais ele insistia.

Apesar da crescente oposição, uma imprensa áulica procurava apoiar Pedro I. Uma anedota em *O Analista*, por exemplo, veiculada no número 114, de 9 de setembro de 1829, logo após o imperador ter encerrado no dia 3 as sessões da primeira legislatura, convertia-se em autêntica alegoria política para justificar as práticas políticas do governante.

> *Uma pessoa ilustre e de muita representação propôs-se a dar um baile. Os seus amigos desejosos de comprazer-lhe preparam-se para comparecerem. Alguns parasitos, lembrados que nestas festas sempre há ceia, refrescos etc., procuraram meios de introduzir-se. As pessoas sensatas e práticas nesta espécie de divertimento executaram somente as danças, que a seriedade do ato permite; porém, alguns dos parasitos interromperam a gravidade da assembleia, pondo-se a dar saltos mortais, ressaltados, escaxatas e pernadas; e outros a bailar o lundum das embigadas e outras danças baixas e chulas, porque viram que alguns dos espectadores riam-se e aplaudiam com preferência destas folias, à dança séria e grave, só própria de um baile de etiqueta.* [...] [Então,] *apresentando-se-lhes o dono da casa lhes disse: "Meus senhores, está acabada a função". Os parasitas e foliões saíram de orelha murcha, outros bramando raivosos e escandalizados; porém, toda a mais companhia bem disse a determinação do dono da casa.*

A alegoria era clara: o dono da casa era o imperador; o baile ou a função, as reuniões da Assembleia dos deputados: os parasitas foliões, os liberais; os amigos sérios e graves, os deputados que apoiavam o governo; os espectadores, os assistentes das galerias para quem os liberais falavam. Embora houvesse manifestações para que fosse prolongada a legislatura, Pedro I encerrou-a na data prevista pela Constituição. A batalha decisiva ficou para a nova Câmara, que assumiria em 1830.

Ainda em fins de 1829, para tentar reverter a situação desfavorável, Pedro I substituiu o ministério, acusado de trabalhar para restabelecer o absolutismo, por outro, de grande prestígio, que conseguiu afastar do convívio do imperador o português Chalaça, sob o pretexto de enviá-lo à Europa. Além disso, para que se efetuasse o casamento do imperador viúvo com a princesa Amélia, exigiu-se o banimento da corte de sua amante, Domitila de Castro, a marquesa de Santos, e família. Ambas as novidades deram origem, aparentemente, a um relativo clima de serenidade política no ano de 1830.

No entanto, a tranquilidade não durou. As eleições para a nova legislatura acrescentaram à Câmara um número ainda maior de deputados oposicionistas. Eram indivíduos mais radicais, amplamente favoráveis ao federalismo e, em alguns casos, até ao republicanismo. Por exercerem suas atividades através de jornais de curta duração, que forneciam opiniões mais do que notícias, e por meio de reuniões secretas em clubes, tenderam a deslocar o espaço da discussão política para fora da Câmara e da esfera pública de poder, transferindo-o para a esfera privada. Os conflitos recrudesceram, alcançando o ápice nas últimas sessões de 1830. Para tanto, ainda contribuíram as notícias da Revolução de Julho na França.

Provocado por uma tentativa de golpe do rei Carlos X, que quis dissolver a Câmara e limitar a liberdade de imprensa, o movimento acabou por instalar uma nova monarquia, na qual foi entronizado Luís Filipe, duque de Orleans, o "rei-cidadão". Para os oposicionistas, não era possível ignorar a semelhança entre a situação francesa e a brasileira. Quando d. Pedro demitiu mais um gabinete, a comparação parecia confirmar-se, estimulando a circulação de panfletos que falavam de um "gabinete secreto", cuja principal figura era o valido Chalaça. Pairavam no ar suspeitas de que o brutal ato do imperador em novembro de 1823 viesse a ser reencenado.

Nos primeiros meses de 1831, outros incidentes marcaram o final do Primeiro Reinado, como os tumultos ocorridos nas ruas do Rio de Janeiro entre portugueses e brasileiros, chamado de Noite das Garrafadas. Em 5 de abril, a tensão aumentou com a brusca mudança do ministério, que voltava a ser composto pelos auxiliares mais próximos e fiéis ao imperador, todos dotados de títulos de nobreza. Os boatos de um golpe de Estado ganharam força e a população, juntamente com o Exército, exigiram a volta do ministério deposto.

Sem contar com o apoio militar que tivera em novembro de 1823, Pedro I respondeu à crise com a abdicação ao trono brasileiro. Recorrendo aos direitos que lhe conferiam a Constituição, fazia-o em favor de seu filho e encerrava sua carreira política no Brasil com fama de soberano intransigente, autoritário e absolutista. Apesar disso, seguindo para Portugal, lutou contra as tropas do irmão absolutista, recolocou a filha Maria da Glória no trono, restaurou a Carta liberal de 1826, que ele próprio tinha outorgado, e criou as condições, assim, para a segunda experiência liberal portuguesa. Na América, findara-se o Primeiro Reinado. Para muitos, em especial os exaltados, acabara "a farsa da independência Ipiranga". O novo país — constituído, mas longe de consolidado — ingressava no período tumultuado das regências (1831–1840) ainda em busca de uma organização própria do poder, embora continuasse a ser governado pela dinastia dos Bragança, tendo no trono um soberano nascido e educado no Brasil, o futuro Pedro II.

 FONTES E BIBLIOGRAFIA

A regeneração constitucional ou a guerra entre os corcundas e os constitucionais. Rio de Janeiro: Imprensa Régia, 1821.

ALEXANDRE, Valentim. *Os sentidos do Império*: a questão nacional e a questão colonial na crise do Antigo Regime português. Porto: Afrontamento, 1993.

BARMAN, Roderick J. *The forging of a nation, 1798–1852*. Stanford: Stanford University Press, 1988.

BERBEL, Marcia Regina. A retórica da recolonização. In: JANCSÓ, István (Org.). *Independência*: história e historiografia. São Paulo: Fapesp/Hucitec, 2005. p. 791–808.

BRASIL. *Anais do Parlamento Brasileiro*. Rio de Janeiro: Typographia Parlamentar, 1876. [1828]

COUTINHO, Rodrigo de Souza. Memória sobre o melhoramento dos domínios de Sua Majestade na América. In: SILVA, Andrée Mansuy Diniz (Dir.). *D. Rodrigo de Souza Coutinho*: textos políticos, econômicos e financeiros (1783–1811). Lisboa: Banco de Portugal, 1993.

DEVASSA de 1817. In: *Documentos históricos* – Revolução de 1817. Rio de Janeiro: Biblioteca Nacional, 1955. v. 109.

DIAS, Maria Odília da Silva. A interiorização da metrópole. In: MOTA, Carlos Guilherme (Org.). *1822*: dimensões. São Paulo: Perspectiva, 1972. p. 160–184.

Falas do trono. Rio de Janeiro: [s.e.], [1889].

GOULART, Basílio Ferreira. *Discurso sobre o dia 8 de abril de 1821, composto pelo bacharel...* Rio de Janeiro: Impressão Régia, 1821.

LIMA, Manuel de Oliveira. *D. João VI no Brasil*. Rio de Janeiro: Topbooks, 1996. [1908]

LISBOA, José da Silva. *Memória dos benefícios políticos do governo de el-rei nosso senhor d. João VI. Por ordem de Sua Majestade*. Publicada em conjunto a sinopse da legislação principal do senhor d. João VI pela ordem dos ramos da economia do Estado. Rio de Janeiro: Impressão Régia, 1818.

LUXEMBURGO, duque de. Relation del'Ambassade du Duc de Luxembourg (1816). In: PINS, Jean de (Org.). *Sentiment et diplomatie d'après des correspondances franco-portugaises*: contribution à l'histoire des mentalités au début du XIXe siècle. Paris: Fundation Calouste Gulbenkian, 1984. p. 527–540.

MARROCOS, Luís Joaquim dos Santos. *Cartas do Rio de Janeiro, 1811–1821*. Lisboa: Biblioteca Nacional, 2008. [Rio de Janeiro, 1934]

MELLO, Evaldo Cabral de. *A outra independência*: o federalismo pernambucano de 1817 a 1824. São Paulo: Editora 34, 2004.

MELLO, Jeronymo de A. Figueira de (Org.). A correspondência do barão de Wenzel de Mareschal. *Revista do Instituto Histórico e Geográfico Brasileiro*, Rio de Janeiro, n. 80, 1916.

MOREL, Marco. *As transformações dos espaços públicos*: imprensa, atores políticos e sociabilidades na cidade imperial (1820–1840). São Paulo: Hucitec, 2005.

NEVES, Guilherme Pereira das. Do Império luso-brasileiro ao Império do Brasil (1789–1822). *Ler História*, Lisboa, n. 27–28, p. 75–102, 1995.

NEVES, J. Acúrsio das. *História geral da invasão dos franceses em Portugal e da restauração deste reino*. Porto: Edições Afrontamento, [s.d.]. t. 1.

NEVES, Lúcia Bastos Pereira das. *Corcundas e constitucionais*: a cultura política da Independência (1820–1822). Rio de Janeiro: Revan/Faperj, 2003.

_____. Os panfletos políticos e a cultura política da Independência do Brasil. In: JANCSÓ, István (Org.). *Independência*: história e historiografia. São Paulo: Fapesp/Hucitec, 2005. p. 637–676.

_____; NEVES, Guilherme Pereira das. Constitución. In: FERNÁNDEZ SEBASTIAN, Javier (Dir.). *Diccionario político y social del mondo iberoamericano*. Madrid: Fundación Carolina, Sociedad Estatal de Conmemoraciones Culturales, Centro de Estudios Políticos, 2009. p. 337–351.

RODRIGUES, José Honório. *A Assembleia Constituinte de 1823*. Petrópolis: Vozes, 1974.

_____. *Independência*: revolução e contrarrevolução. Rio de Janeiro: Francisco Alves, 1975. v. 5: A política internacional.

SANTOS, Luiz Gonçalves dos. *Memórias para servir à história do reino do Brasil*. Belo Horizonte: Itatiaia; São Paulo: Edusp, 1981. v. 1. [1825]

SCHULTZ, Kirsten. *Versalhes tropical*: império, monarquia e a corte real portuguesa no Rio de Janeiro, 1808–1821. Rio de Janeiro: Civilização Brasileira, 2008.

SCHWARCZ, Lilia Moritz. *O sol do Brasil*: Nicolas-Antoine Taunay e as desventuras dos artistas franceses na corte de d. João (1816–1821). São Paulo: Companhia das Letras, 2008.

SIERRA Y MARISCAL, Francisco de. Ideias gerais sobre a Revolução do Brasil e suas consequências. *Anais da Biblioteca Nacional*, Rio de Janeiro, n. 43–44, 1920–1921.

SILVA, Maria Beatriz Nizza da. *Movimento constitucional e separatismo no Brasil*: 1821–1823. Lisboa: Livros Horizonte, 1988.

SOUSA, Octávio Tarquínio de. *Fatos e personagens em torno de um regime*. Belo Horizonte: Itatiaia; São Paulo: Edusp, 1988.

VASCONCELLOS, Antonio Luiz de Brito Aragão e. Memórias sobre o estabelecimento do Império do Brasil, ou novo Império lusitano. *Anais da Biblioteca Nacional*, Rio de Janeiro, n. 43–44, 1920–1921.

DETALHE DA IMAGEM DA PÁGINA 117

PARTE **3**

RUBENS RICUPERO
O BRASIL NO MUNDO

OS FATORES EXTERNOS DA INDEPENDÊNCIA

A metamorfose de colônia a Brasil independente se completou em 23 anos, duração de uma geração humana que viveu a mesma experiência de ruptura em quase toda a América Latina. Para a história do relacionamento com o resto do mundo, é óbvio que nenhum outro momento foi mais decisivo ou importante do que o período em que esses países começaram a existir como sujeitos autônomos do sistema internacional. No caso brasileiro, duas datas de alto significado efetivo e simbólico servem de baliza a essa evolução: a abertura dos portos, em 28 de janeiro de 1808, e a abdicação de d. Pedro I, em 7 de abril de 1831.

A abertura dos portos liquidou de um golpe o regime colonial de comércio dominado com exclusividade pela metrópole, gerando interesses e condições materiais que tornariam inviável o retorno ao estatuto de colônia. Simboliza o ponto de partida do percurso rumo à independência.

A abdicação fechou a caminhada, ao eliminar a possibilidade de um retrocesso, mediante a reconstituição da unidade entre o Brasil e Portugal por meio da reunião das duas coroas num só soberano. Por esse motivo, o Sete de Abril seria considerado por alguns brasileiros do século XIX como a verdadeira data da independência, ou, ao menos, de sua definitiva consolidação.

Essa é uma daquelas fases históricas nas quais os fatores externos exercem sobre os internos influência preponderante e muitas vezes os condicionam e determinam. Os motivos de queixa contra o estatuto colonial já existiam nas colônias ibéricas previamente a 1808. Se a independência ocorreu precisamente a partir desse instante, não antes nem depois, a razão deve ser buscada não tanto na mudança das condições internas, mas nos acontecimentos internacionais que se desenrolavam em outras partes do planeta.

A independência do Brasil e da América Latina insere-se, com efeito, no gigantesco vendaval histórico desencadeado pela tríplice revolução atlântica — a industrial, a norte-americana e a francesa — que destruiria o Antigo Regime e seus componentes, entre os quais o sistema colonial mercantilista implantado em terras americanas desde as viagens do descobrimento.

Embora a ruptura do pacto colonial na América portuguesa e nas possessões espanholas apresente razões e desenlaces idênticos, desde o início chamou a atenção o contraste entre a evolução gradual e relativamente pacífica, no primeiro caso, e a longa e implacável guerra, no segundo. Muito do que depois tomaria a forma do "excepcionalismo brasileiro" — a monarquia, a unidade, a centralização, a relativa estabilidade — brota de raízes dessa época.

A principal razão que explica o afastamento desses caminhos não está propriamente nas particularidades que sempre caracterizaram os dois sistemas coloniais. Ela decorre, acima de tudo, do dramático contraste das respostas dadas à agressão de Napoleão por Lisboa e Madri em função da diferença do modo pelo qual cada uma dessas monarquias se integrava no sistema europeu de poder do início do século XIX.

O EIXO ASSIMÉTRICO DE PODER

A situação de Portugal como aliado e protegido da Inglaterra é que tornou possível e quase imperativa a causa decisiva da singularidade do processo brasileiro de independência: a transferência da corte ao Brasil sob a proteção da esquadra inglesa, viabilizando um futuro e eventual processo controlado de transição à independência. No caso da Espanha, deve-se à aliança desigual e subordinada com a França a responsabilidade pela usurpação do trono e o vácuo de legitimidade que fariam das guerras de independência quase uma fórmula inevitável para a emancipação na América espanhola.

Os constrangimentos oriundos das maneiras pelas quais se situavam em esquemas de poder antagônicos deixavam a espanhóis e portugueses pouca latitude para adotar, ao menos naquela hora crítica, comportamento diverso do que assumiram. Passado o perigo iminente, reapareceriam, com graus distintos de sucesso, intentos de recuperar a independência

D. Juan de la Cruz Cano e Olmedilla

Mapa geográfico da América meridional, 1775

DESENHADO E GRAVADO A BURIL

UM MAPA EM DUAS SEÇÕES, CADA SEÇÃO COM 110 × 172 CM

SEÇÃO DE CARTOGRAFIA DA FUNDAÇÃO BIBLIOTECA NACIONAL, RIO DE JANEIRO da capacidade decisória, como sucederia com a corte portuguesa no Rio de Janeiro entre 1815 e 1821.

A dissolução do Antigo Regime surpreendeu as decadentes metrópoles ibéricas como atores secundários e vulneráveis do sistema europeu de alianças. Sobretudo como defesa contra a Espanha após o término da União Ibérica, em 1640, Portugal havia edificado com a Inglaterra uma relação assimétrica de dependência em matéria de segurança, comércio e economia amparada nos tratados complementares de 1642, 1654 e 1661 (a Espanha só reconheceria a independência portuguesa em 1668).

A situação de indiscutível predomínio britânico nos negócios portugueses foi ampliada e consolidada pelo Tratado de Methuen, de 1703, que conferiu ao intercâmbio comercial bilateral uma perdurável base de desigualdade. Em decorrência desses acordos cumulativos, já em meados do século XVII, o Reino português se havia convertido praticamente num vassalo comercial da Inglaterra (Manchester, 1933), apesar das tentativas posteriores de reação, em especial sob a direção do marquês de Pombal.

É fácil compreender, portanto, a posição frágil e delicada em que se vai encontrar Portugal quando, reiniciada em 1803 a guerra entre Grã-Bretanha e França, o conflito adquire cada vez mais o caráter de guerra comercial após os decretos napoleônicos de Berlim (1806) e Milão (1807), que proclamam o bloqueio continental contra as Ilhas Britânicas.

A tentativa de forçar-lhe o cumprimento levaria o imperador a anexar a maior parte do litoral europeu e finalmente a intervir na península ibérica, a fim de cerrar os portos da costa portuguesa, a brecha mais notável na muralha atlântica. Iniciada pela invasão de Portugal (novembro de 1807), a intervenção se estenderia à Espanha, após o levante de Madri, reação à usurpação do trono espanhol de Fernando VII em favor de José Bonaparte, na entrevista de Bayonne (junho de 1808), episódio que o próprio Napoleão classificaria em Santa Helena como vil, imoral e cínico.

Na época, embriagado pelo sucesso, pensava que a aventura não lhe custaria mais que 12 mil homens, "uma brincadeira de criança". Na verdade, a Espanha devorou mais de 300 mil das melhores tropas francesas, que fizeram falta na crise decisiva de 1813. Primeira das causas desencadeadoras da ruína final do imperador, a guerra na Península pôs em marcha a sequência fatídica de eventos que conduziriam oportunamente à destruição dos impérios ibéricos nas Américas e à independência da América Latina. Justifica, assim, a tirada retórica do patriota mexicano Carlos María de Bustamante: "Napoleão Bonaparte [...]. Vossa espada desferiu o primeiro golpe na corrente que ligava os dois mundos" (apud Bethell, 2009:233).

A frase de Bustamante se referia exclusivamente à independência das colônias espanholas. É contra Portugal, no entanto, que se dirige o golpe inicial, com a cumplicidade da Espanha, que, em agosto de 1807, assina com a França nota conjunta fixando um ultimato para que Lisboa declarasse guerra à Grã-Bretanha e lhe fechasse os portos.

Fracassadas as desesperadoras manobras para aplacar ou enganar Napoleão, inclusive a inacreditável proposta aos ingleses de uma guerra simulada, os governantes portugueses são obrigados a enfrentar dilacerante dilema: escolher entre a invasão do território ou a perda das colônias. No final, o príncipe regente d. João não teve outro recurso para salvar a Coroa e as colônias do que partir para o exílio, sob pena da perda temporária do velho Reino.

É essa dura imposição das realidades econômicas e de segurança que explica a força e a durabilidade da aliança anglo-portuguesa. A vulnerabilidade das linhas de comunicação e comércio transoceânico tornava Portugal completamente dependente do poder naval britânico, que era, em última análise, a única garantia também de restauração do próprio território metropolitano, caso fosse invadido. A isso se somavam comércio e finanças igualmente voltados para Londres.

Em grau menor, é claro, os ingleses viam em Portugal um parceiro econômico que sempre lhes proporcionou ganhos não desprezíveis. Ademais, necessitavam dos portos lusitanos, estrategicamente situados na fachada ocidental atlântica, e contavam com o Reino como uma das possíveis plataformas terrestres de onde poderiam, um dia, empreender o retorno ao continente europeu do qual haviam sido expulsos pelas vitórias napoleônicas.

Possuíam, assim, conteúdo real e interesse recíproco as razões sobre as quais se edificava a aliança anglo-lusitana. Entretanto, o diferencial de poder entre os dois polos era tão desmesurado que a relação se notabilizava por uma desigualdade mais característica do protetorado ou da vassalagem do que de uma autêntica aliança livre. A Inglaterra, no que tange a Espanha, jamais desfrutaria, mesmo no momento da luta comum contra Bonaparte, de diferencial de poder comparável que lhe permitisse extrair, como sempre fez relativamente a Portugal, as concessões que encarava como o preço razoável de sua proteção.

A dependência atinge seu ponto máximo na hora extrema da invasão napoleônica e da transferência da corte, ativamente promovida pela Grã-Bretanha, que se comprometera a fornecer a indispensável escolta naval na convenção secreta assinada em Londres, em 22 de outubro. Assimilado às

Luís Antônio Xavier

Despedida do príncipe regente, 1807

GRAVURA, 49 × 60 CM

MUSEU DA CIDADE, CÂMARA MUNICIPAL DE LISBOA, PORTUGAL

vezes ao refúgio temporário do rei do Piemonte na sua possessão próxima da Sardenha e do rei das Duas Sicílias em Palermo, o episódio não teve, a rigor, precedentes de dimensões e consequências comparáveis. Tampouco haveria de se repetir no futuro, pois os sucessos históricos que mais se pareceriam com ele — os governos de países invadidos por Hitler exilados em Londres — apresentariam envergadura muito inferior e seriam de natureza distinta.

Trata-se, sem exagero, de acontecimento excepcional e único. Em primeiro lugar, pela audácia e amplitude — o abandono do familiar território europeu, berço da nacionalidade e situado no continente-sede do poder internacional da época, em favor de uma periférica colônia tropical, semiafricana, do outro lado do Atlântico, por parte de milhares de pessoas que representavam a quase totalidade das instituições do governo, da cultura, da nobreza. Além disso, porque, independentemente da pressão inglesa e da invasão napoleônica, a ideia da transferência já possuía raízes nacionais em projetos antigos. Finalmente, pela longa duração — mais de 12 anos — do que não deveria ter passado de um expediente ditado pelas circunstâncias e acabou se prolongando muito além da cessação das causas originárias da decisão.

A presença de tantos fatores específicos imprime ao acontecimento seu caráter de absoluta originalidade, convertendo-o na explicação principal do que viria depois. A abertura dos portos, o fim do pacto colonial, a expansão na região platina, e, em seu tempo devido, a independência, poderiam ter ocorrido mesmo sem a vinda da corte, mas teriam, com toda a probabilidade, assumido formatos muito diversos.

Não deve surpreender que decisão de tamanha excepcionalidade tenha se revestido de extraordinária dificuldade. Entre os muitos motivos que explicam a relutância do príncipe d. João em partir estava a consciência de que o gesto extremo para salvar a monarquia de tão implacável conquistador justamente a entregava inerme nas mãos de uma potência da qual teria de mendigar tudo: a esquadra protetora para a travessia e as futuras comunicações entre o Reino e o Império, os subsídios iniciais para sobreviver, os soldados para resistir ao invasor e reconquistar o velho país. Tudo isso, evidentemente, haveria de ter um preço, e não dos menores.

De modo explícito e desabusado, era o que dizia o visconde de Strangford, ministro da Inglaterra em Lisboa e protagonista central do episódio. Ao atribuir-se no relatório ao secretário de Negócios Estrangeiros, George Canning, o mérito de ter persuadido o príncipe regente, declarava-se convencido de que, ao fazê-lo, dera "à Inglaterra o direito de estabelecer com os Brasis a relação de soberana e vassalo e de exigir obediência como preço da proteção" (apud Manchester, 1933:67).

A ABERTURA DOS PORTOS

Ao contrário da percepção popular que se generalizou em razão de erros de interpretação histórica, a abertura dos portos para todas as nações não foi ditada pelos ingleses como parte do preço pela proteção. O que desejavam os britânicos constava em artigo adicional, rejeitado por d. João, da convenção secreta de 22 de outubro. Tratava-se de coisa muito distinta: um porto na costa de Santa Catarina ou em outro local, de uso exclusivo e privilegiado pela Inglaterra. Em outros termos, uma abertura limitada apenas à Grã-Bretanha e discriminatória em relação a terceiros.

A recusa do artigo é indício de que a abertura, tal como se fez inicialmente, pertence à categoria de motivação diversa. Expressa, de parte dos dirigentes portugueses, a tendência herdada do marquês de Pombal, e nunca desaparecida de todo, de tentar criar contrapesos para a dominação inglesa por meio da igualdade de condições de concorrência para outros parceiros. É o que corrobora o *Memorial de conselhos ao regente*, sem data, provavelmente escrito durante a viagem pelo marquês de Belas, um dos auxiliares diretos que acompanhavam o príncipe na mesma nave e que recomendava: "Fechados os portos do continente pelos franceses por dentro e pelos ingleses da parte de fora, segue-se abrir os do Brasil a todas as nações, sem exclusiva, para não dar um privilégio a uma só particular, o que seria uma espécie de escravidão" (apud Pereira, 1953).

O autor suscitava numerosas dúvidas quanto ao tratamento a dar à importação, aos portos a serem abertos, à situação de outras dependências lusitanas, e confessava ser preciso buscar orientação junto a peritos. Ora, o perito cujos conselhos eram reclamados estaria convenientemente à espera da comitiva real em Salvador da Bahia, onde aportou a nau *Príncipe Real*, em razão da dispersão da frota por uma tormenta na altura da ilha da Madeira.

Era ele José da Silva Lisboa, baiano formado em Coimbra, principal divulgador das ideias liberais de Adam Smith no mundo luso-brasileiro e autor de *Princípios de economia política* (Lisboa, 1804), primeiro livro em português sobre a nova ciência. Hostil a monopólios como o do comércio colonial, o futuro visconde de Cairu ocupava o mais graduado cargo público de supervisão do comércio e da lavoura na Bahia e refletia naturalmente esses interesses. Justamente na ocasião encontravam-se os armazéns do porto abarrotados de fumo e do açúcar da última safra, impedidos de escoamento via Portugal pela invasão francesa.

Em nome do comércio e da agricultura, o governador, conde da Ponte, descreveu a difícil situação ao soberano em representação na qual implorava:

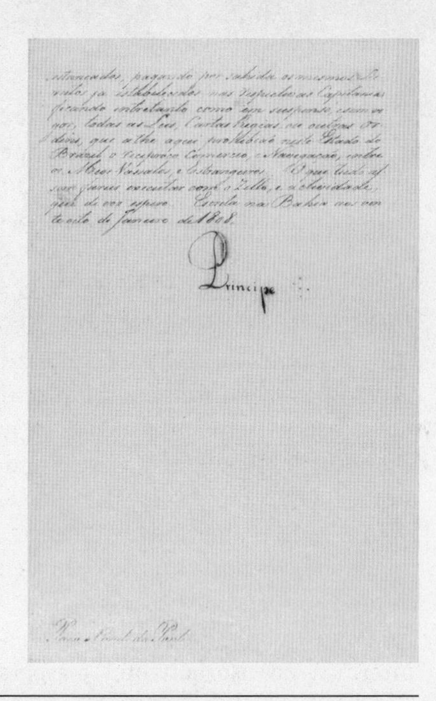

estrangeiros, pagando por sahida os mesmos Direitos ja estabelecidos nas respectivas Capitanias, ficando entretanto como em suspenso, e sem vigor, todas as Leis, Cartas Regias, ou outras Ordens, que athe aqui prohibião neste Estado do Brazil o reciproco Commercio, e Navegação, entre os Meus Vassalos, e Estrangeiros. O que tudo assim fareis executar com o zello, e actividade, que de vós espero. Escrita na Bahia aos vinte oito de Janeiro de 1808.

Principe

Para o Conde da Ponte.

D. João, príncipe regente

Carta ao conde da Ponte, admitindo nas alfândegas do Brasil toda e qualquer mercadoria estrangeira, ao mesmo tempo que permitia a exportação de produtos da terra, à exceção do pau-brasil, para os países que se conservam em paz com a Coroa portuguesa (carta de Abertura dos Portos). Bahia, 28 jan. 1808.

MANUSCRITO ORIGINAL

SEÇÃO DE MANUSCRITOS DA FUNDAÇÃO BIBLIOTECA NACIONAL, RIO DE JANEIRO

"Que se levante o embargo sobre a saída livre dos navios [...] para portos que [...] lhes indicarem mais vantajosas suas especulações" (apud Aguiar, 1960:107–108). Tendo chegado a Salvador em 22 de janeiro e desembarcado no dia 24, d. João recebeu a representação em 27 e, no dia seguinte, 28 de janeiro de 1808, assinou a carta régia pela qual se abriram todos os portos brasileiros, sem exceção, à exportação e importação de mercadorias em navios de países amigos.

Como terá sido possível a um príncipe que não se distinguia pela capacidade decisória liquidar, na ausência de seus principais ministros, um sistema colonial existente há três séculos por meio de medida adotada apenas em quatro dias? A celeridade com que se agiu, em contraste com a exasperante demora da partida de Lisboa, teve muito a ver, sem dúvida, com a imposição dos fatos. Essa inevitabilidade obrigaria a algum tipo de ação, mas não necessariamente a que se efetivou da forma mais liberal, menos discriminatória e mais independente possível. A rapidez da decisão e a semelhança com algumas das ideias do memorando de Belas sugerem que a longa travessia tinha ajudado a preparar a iniciativa. O caráter não discriminativo é sintoma da ausência de pressão direta inglesa, pois Strangford encontrava-se temporariamente em Londres.

Explica-se o restante por um conjunto feliz de circunstâncias de lugar e pessoas: o desembarque acidental num porto de exportação ansioso pela liberação como a Bahia, a pressão dos interesses comerciais e agrícolas locais e a esclarecida assessoria de Silva Lisboa, a quem se deve creditar a amplitude e liberalidade da carta régia, especialmente a abertura da totalidade dos portos tanto para a exportação quanto para a importação de todos os países.

O preâmbulo do decreto afirmava que a medida havia sido adotada "interina e provisoriamente", à espera de "sistema geral que efetivamente regule tais matérias". A cautela não enganou os interesses contrariados, cuja resistência foi vigorosa e voltaria a se manifestar 12 anos mais tarde no desastroso intento das cortes liberais de fazer o país retroceder ao antigo regime, uma das causas imediatas da independência.

Longe de haver sido ditada pelos ingleses, a abertura foi por eles recebida com qualificações, uma vez que era meramente temporária a vantagem da inexistência prática de concorrência (a não ser norte-americana) enquanto durasse a guerra e o bloqueio dos portos europeus. Tendo d. João chegado ao Rio de Janeiro, indagou do encarregado de negócios britânico Hill se a Grã-Bretanha estava satisfeita com a carta régia. Recebeu a resposta de que a medida

> *não podia deixar de causar bom efeito na Inglaterra, mas necessariamente produziria satisfação ainda maior se tivesse sido autorizada a admissão de navios e manufaturas britânicas em condições mais vantajosas que as concedidas aos navios e mercadorias de outras nações* (apud Manchester, 1933:71).

Sem nenhuma discriminação nem favorecimento, o decreto taxava igualmente em 24% as mercadorias secas transportadas em navios estrangeiros ou nacionais, dobrando-se os valores sobre bebidas alcoólicas. Em

11 de junho, uma medida adicional reduziria para 16% a taxa dos produtos chegados em navios nacionais. Indignada pelo tratamento menos favorável que o concedido à metrópole, a Inglaterra protestou e exigiu a imediata revogação do decreto. Repreendido por não ter obtido a anulação do documento logo depois de retornar ao Rio de Janeiro, em 22 de julho, Strangford passou a empenhar-se com energia para obter situação preferencial que colocasse seu país ao abrigo da concorrência quando o fim do bloqueio normalizasse as condições do comércio marítimo.

OS TRATADOS DESIGUAIS

E não demorou a neutralizar a desvantagem, arrancando da corte concessões muito superiores às de suas instruções nos três tratados e artigos secretos de fevereiro de 1810, passados à história sob o nome de "tratados desiguais", por evocarem, sobretudo o primeiro deles, o tipo de capitulações impostas pelos europeus a nações semicoloniais do Oriente.

Merece plenamente tal epíteto o Tratado de Comércio e Navegação, pelo qual se modificava radicalmente a essência do conteúdo não discriminatório da abertura dos portos. O instrumento concedia, com efeito, aos produtos transportados em naves inglesas tarifa preferencial de 15%, inacreditavelmente inferior à paga pelos chegados em barcos luso-brasileiros! Nove meses se escoaram até que um decreto corrigisse a inexplicável anomalia, igualando os direitos para os nacionais.

Não houve qualquer reciprocidade a tanto favorecimento, pois era proibida a exportação à Inglaterra do açúcar, café e produtos similares aos das colônias britânicas, permitindo-se apenas o lucrativo comércio de reexportação, em mãos inglesas. Com o fim de simular o que Oliveira Lima chamaria de "reciprocidade cômica", permitia-se o ilusório direito de impor tarifas proibitivas aos produtos das Antilhas, cuja importação pelo Brasil era de uma improbabilidade notória e evidente (Lima, 1996).

De maior gravidade foi o caráter ilimitado das obrigações previstas, apenas atenuado pela cláusula prevendo a revisão do tratado depois de 15 anos. O próprio Foreign Office em Londres havia apenas cogitado um arranjo provisório, reconhecendo a precariedade das condições do governo recém-instalado no Rio de Janeiro. Seu agente, contudo, argumentou que o momento se mostrava favorável demais para deixar escapar a oportunidade. Nesse desígnio, viu-se ajudado pelo chefe da facção pró-britânica da corte, d. Rodrigo de Souza Coutinho, futuro conde de Linhares, que substituíra Antônio de Araújo de Azevedo (mais tarde conde da Barca) como ministro da Guerra e Estrangeiros após o fiasco do apaziguamento de Napoleão. Na primeira entrevista que manteve com o novo ministro, o representante britânico teve, sem precisar perguntar, a agradável surpresa de ouvir que o chefe da diplomacia portuguesa preferia negociar um tratado permanente!

Linhares asseveraria em nota a Strangford que as duas nações aliadas não tinham "outras vistas que a de adiantar a sua recíproca felicidade e grandeza" e que seus interesses "inseparáveis" não poderiam "jamais achar-se em contradição" (apud Oliveira e Ricupero, 2007:113–114). Com tais disposições, não admira que os britânicos tenham conseguido inclusive a transferência ao Brasil da jurisdição especial consubstanciada no Juiz Conservador da Nação Inglesa, acrescida de cláusula de involuntário sarcasmo para os humilhados lusitanos.

Pelo artigo X do tratado, consagra-se aos ingleses o privilégio de "terem magistrados especiais, para obrarem em seu favor". Diante da impossibilidade de sequer imaginar, por reciprocidade, um juiz especial no Reino Unido para julgar os súditos portugueses de acordo com as leis lusitanas,

> *Sua Majestade Britânica se obriga a fazer guardar a mais estrita e escrupulosa observância àquelas leis, pelas quais as pessoas e a propriedade dos vassalos portugueses [...] são asseguradas e protegidas;* e das quais eles (em comum com todos os outros estrangeiros) gozam do benefício pela reconhecida equidade da jurisprudência britânica, e pela singular excelência de sua Constituição. [grifos meus]

Os historiadores brasileiros são unânimes em condenar os tratados, retomando os argumentos de um observador contemporâneo privilegiado, o jornalista Hipólito José da Costa, que acompanhou passo a passo a negociação nas colunas de seu *Correio Braziliense*, editado em Londres. A análise partia de uma verdade incontestável: não tinha sentido transplantar ao Brasil estipulações decorrentes da peculiar situação de Portugal em relação à Inglaterra pela evidente diferença das condições vigentes na colônia.

Os interesses de sobrevivência da dinastia lusitana e de defesa naval na Europa e no Império não se estendiam ao Brasil, cuja situação geográfica o dispensava de proteção especial. Tampouco existia no mesmo grau complementaridade comercial com a Inglaterra, cujas colônias concorriam com a produção brasileira. Diante da incerteza de que no futuro o comércio com os Estados Unidos viesse a oferecer vantagens superiores, era imprudente amarrar dessa maneira as perspectivas de desenvolvimento mercantil ao favorecimento da Grã-Bretanha.

Reconhecendo a inferioridade da posição das autoridades portuguesas, o jornalista julgava que, em vez de invocar uma mentirosa reciprocidade, teria sido mais honesto admitir que Portugal pagaria com privilégios comerciais (de caráter temporário) as tropas, navios, armas, empréstimos, sem os quais a sobrevivência da monarquia corria perigo.

Pensando já como brasileiro, concluía que por incompetência, ignorância das condições da colônia e ambições de manter o príncipe e a si próprios no poder, os ministros haviam traído a nação. Não é diferente a opinião do historiador português Oliveira Martins: "Uma vez mais, a dinastia vendeu o reino como Esaú [...] uma vez mais, a Casa de Bragança, para preservar seu trono, sacrificou a nação" (Martins, 1927:248).

Esses interesses dinásticos encontrariam guarida no segundo acordo, de natureza política, o Tratado de Amizade e Aliança, pelo qual a Grã-Bretanha se comprometia a jamais reconhecer qualquer príncipe que não fosse o legítimo herdeiro da Casa de Bragança como soberano de Portugal. Uma das concessões mais onerosas desse ajuste, que vigoraria até o Congresso de Viena de 1815, foi o primeiro compromisso formal assumido pelos portugueses para acabar com o tráfico, como se verá adiante.

O terceiro tratado não passaria, na realidade, da convenção sobre o estabelecimento de linha regular de paquetes entre o Reino Unido e o Brasil, tendo sido igualmente adotados dois artigos secretos sobre temas políticos.

O julgamento de Alan K. Manchester, severo, mas equilibrado e imparcial, merece ser transcrito por extenso:

> *Ao negociar os tratados, a corte portuguesa tinha em mente, quase exclusivamente, as necessidades do próprio Portugal. Nenhum brasileiro fazia parte do ministério ou do conselho do príncipe regente para lutar pelo bem-estar da colônia e assinalar as estipulações que lhe seriam prejudiciais aos interesses. O ministro português (Souza Coutinho), de simpatias pró-inglesas, ignorante das condições no Brasil e precipitado na sua maneira de conduzir os negócios públicos, guiou-se pela preocupação com a situação de Portugal, ao passo que a atenção da Inglaterra estava direcionada principalmente ao Brasil. Embora concluídos no Rio de Janeiro, os tratados foram negociados por uma corte portuguesa na base das relações anglo-lusitanas do passado, com a situação europeia predominante nas mentes da pequena clique que controlava a política exterior portuguesa* (Manchester, 1933:91–92).

Com certo exagero retórico, o historiador português João Lúcio de Azevedo sentenciaria: "Ficava na prática derrogada a abertura dos portos a todas as nações e o Brasil pertencia de fato aos ingleses, como sempre tinham ambicionado" (apud Oliveira e Ricupero, 2007:38).

Com efeito, a entrada em vigor do Tratado de Comércio daria fim ao liberal regime de igualdade para todos, sem discriminação, instituído pela carta régia de 1808. Durara apenas dois anos esse regime, que se antecipou ao que hoje vigora na Organização Mundial de Comércio (OMC), logo substituído pelo sistema de comércio de tratamento preferencial à Inglaterra, de natureza, portanto, discriminatória em relação a terceiros. A fatura da proteção começava a ser paga e a Grã-Bretanha transferia para o Brasil o sistema de predomínio que há séculos exercia no território metropolitano.

DA CONQUISTA DE CAIENA À OCUPAÇÃO DA BANDA ORIENTAL (1808-1820)

Da mesma forma que na negociação dos tratados desiguais, a política externa conduzida a partir do Rio de Janeiro nunca deixará de ser uma diplomacia formulada e executada por ministros portugueses com vistas aos interesses lusitanos e da dinastia de Bragança. As iniciativas tomadas nesses anos representam a continuação do conflito europeu transplantado para novo cenário. Aplica-se, por isso, a advertência formulada por Paulo Roberto de Almeida: a política externa da fase de pré-independência deve ser vista como expressão das relações internacionais *no* Brasil e não *do* Brasil (Almeida, 2001).

Nem por isso deixou de produzir graves e às vezes duradouras consequências para o futuro país independente. É o que se verá, sobretudo, em decorrência da linha de ação seguida no extremo sul, em relação aos territórios coloniais espanhóis que se converteriam oportunamente nas modernas repúblicas da Argentina e do Uruguai. O ativismo externo da corte asilada se desdobraria ao longo de dois eixos principais contra a França e a Espanha, inimigos que não podendo enfrentar na Europa aproveitava para ferir na América.

A primeira operação, a do ataque contra a Guiana francesa, contou com o beneplácito da Inglaterra, que emprestou sua força naval. Um de seus objetivos explícitos era recuperar o território da chamada "Guiana brasileira", correspondente ao norte do rio Araguari até o Oiapoque, que Portugal fora obrigado a ceder aos franceses, após a curta guerra peninsular de 1801. Após rápida conquista, Caiena seria governada por administrações militares e civis lusitanas durante quase nove anos (janeiro de 1809 a novembro de 1817), até a restituição decidida no Congresso de Viena (1815).

A crônica do envolvimento luso-brasileiro segue no rio da Prata caminho incomparavelmente mais tortuoso, enfrentando com frequência a decidida oposição da Grã-Bretanha.

Pouco antes da transferência da corte, Buenos Aires e Montevidéu tinham sido o cenário (1806 e 1807) de duas expedições britânicas inseridas ainda no contexto das hostilidades contra a Espanha. A derrota infligida a ambas pela milícia local, que chegou a mobilizar 30% da população masculina de Buenos Aires, serviu para reforçar o espírito de autonomia dos portenhos e agravar o desprestígio das autoridades espanholas. Ajudou também a depurar as intenções do governo inglês que, desde então, passou a concentrar seus objetivos em assegurar o comércio livre na região, o que lhe garantiria a supremacia mercantil sem o ônus e a incerteza da conquista.

Não era o comércio, mas o território, o que interessava aos portugueses, para os quais o controle da margem direita e da boca do Prata aparecia como corolário natural do domínio que exerciam sobre os três formadores do grande rio: o Paraná, o Paraguai e o Uruguai. Para isso, foram os primeiros a se estabelecer na área com a fundação da Colônia do Sacramento (1580), objeto de contínuos conflitos com os espanhóis, cedida à Espanha pelo Tratado de Madri (1750), em troca dos Sete Povos das Missões.

Anulado esse tratado e reiniciada a guerra, a maior expedição militar castelhana enviada à região (1777), composta de 11 mil homens e 116 navios comandados pelo primeiro vice-rei do rio da Prata, Pedro de Ceballos, assinala o ponto mais alto que o poder da Espanha atingiria na zona em disputa. Coincidiu a luta com a morte do rei d. José, a queda do marquês de Pombal e a chamada "viradeira", consequente à subida ao trono de d. Maria I, momento crítico do enfraquecimento português. A combinação desses fatores explica a imposição do Tratado de San Ildefonso (1777), que asseguraria aos espanhóis a posse tanto da Colônia de Sacramento quanto dos Sete Povos, rompendo o relativo equilíbrio do Tratado de Madri.

O padrão que se discerne nesses episódios é sempre de uma mudança, fugaz ou mais duradoura, na correlação de poder, que vai encontrar expressão numa construção jurídica que legitime a alteração. O interesse óbvio da Espanha e de seus herdeiros era que se consolidasse como definitivo o ajuste de San Ildefonso, uma vez que ele traduzia em termos legais a superioridade militar e a mais favorável situação de fato que, antes ou depois, haviam conseguido na América do Sul. É lógico e natural, portanto, que, um século depois da assinatura desse tratado, diplomatas e publicistas hispano-americanos continuassem a defendê-lo como a base da definição das fronteiras.

Já, ao contrário, para os luso-brasileiros, San Ildefonso se afigurava anomalia temporária devida às circunstâncias da hora, a ser corrigida, primeiro no terreno dos fatos, depois no do direito. A oportunidade de começar a retificar a percebida injustiça se apresentou no desfecho da Guerra Peninsular (1801), que deixou nas mãos dos luso-brasileiros os Sete Povos das Missões.

Em linha de continuidade com os portugueses, os estadistas brasileiros do futuro, sobretudo o visconde do Rio Branco e seu filho, barão do mesmo título, edificarão doutrina histórico-jurídica que passará a inspirar a política territorial do Brasil praticamente de forma perene. Baseia-se tal doutrina em três argumentos: (1) a fim de que o tratado de 1777 continuasse em vigor, seria preciso que ele tivesse sido expressamente revalidado na paz estabelecida após a Guerra Peninsular de 1801, o que não ocorreu no Tratado de Badajoz, em contraste com a praxe de todos os tratados anteriores entre as duas coroas depois da restauração de Portugal; (2) omitida essa cláusula, a prova de que não se tratou de mero esquecimento se encontra no fato de que a Espanha conservou a praça de Olivença, capturada na Península, e Portugal ficou com as Missões, não tendo assim havido regresso ao *status quo* territorial anterior aos combates; (3) ademais, não se havendo completado a demarcação no terreno, o Tratado de San Ildefonso não pode ser aceito como base principal, mas apenas como elemento subsidiário para a definição dos limites nos locais onde não existe ocupação de fato (Rio Branco, 1945).

Tendo presente essa percepção portuguesa da existência de um estado de guerra com a Espanha em 1807/1808, de forte anseio de revanche e de um relativo vácuo jurídico acerca da fronteira definitiva, compreende-se a verdadeira obsessão da corte lusitana em aproveitar a oportunidade favorável para reverter a situação na Banda Oriental. Cinco dias apenas após a chegada de d. João ao Rio de Janeiro, seu novo ministro, d. Rodrigo de Souza Coutinho, confrontou o Cabildo de Buenos Aires com uma oferta de proteção acompanhada de ameaças, rejeitada pelo Cabildo e pelo vice-rei Santiago Liniers, com razão suspeitosos da protetora solicitude de seus atávicos inimigos.

A situação se complica quando o levante contra a usurpação do trono espanhol transformou a Espanha em aliada. Dona Carlota Joaquina, esposa de d. João, era princesa espanhola, filha do rei anterior, Carlos IV e irmã de Fernando VII, o monarca da Espanha afastado e feito prisioneiro pelos franceses. Nessa qualidade, teve a pretensão de assumir a regência das possessões castelhanas das Américas durante o impedimento do soberano legítimo, contando com o apoio de seu amante, o comandante da frota inglesa no Rio de Janeiro, almirante Sidney Smith, enredado, conforme lamentou Strangford na correspondência a Canning, em "*circumstances of a new and romantic Nature*" (apud Manchester, 1933:123).

Em paralelo às intrigas que fervilhavam na corte lusa, o processo se precipitou quando em Buenos Aires o Cabildo Abierto se reuniu e depôs o vice-rei, instituindo em 25 de maio de 1810 uma junta teoricamente submetida à autoridade do rei prisioneiro. Três das regiões dependentes do porto — o Alto Peru (atual Bolívia), o Paraguai e a Banda Oriental — rejeitaram a junta, decidindo as duas primeiras seguir caminho próprio.

Em Montevidéu, o governador espanhol, Elío, promovido a vice-rei, se mantém leal e recebe instruções para submeter Buenos Aires, com autorização para solicitar o auxílio de tropas portuguesas. Ameaçado pelas forças do chefe oriental José Gervásio Artigas e sitiado em Montevidéu por soldados da junta portenha, Elío foi socorrido pela intervenção lusitana, que contribuiu para a suspensão do sítio. O apressado armistício de maio de 1812, imposto por Strangford, precipitou a retirada relutante dos portugueses.

Sem a presença lusa, as hostilidades se renovaram no território oriental até a capitulação, em junho de 1814, dos espanhóis de Montevidéu, privando a Espanha da última base no rio da Prata que lhe possibilitaria uma cabeça de ponte para eventual reconquista. Eliminados os espanhóis, acentua-se a guerra civil entre os unitários portenhos, que pretendiam reincorporar a Banda Oriental a um país mais centralizado, e Artigas, favorável a uma confederação frouxa que ameaçava atrair até províncias platinas muito além da zona do litoral do Uruguai.

O prócer uruguaio liderou um movimento de cunho popular e de inspiração relativamente igualitária. Obrigou os unitários a se retirarem para a outra margem e entrou em Montevidéu, onde proclamou a independência do Estado Oriental. Decretou a abolição da escravidão e concebeu um plano de confisco das terras dos proprietários emigrados durante as turbulências e sua redistribuição de preferência aos negros livres, aos *zambos,* índios e crioulos pobres. Proclamado Protetor dos Povos Livres do Litoral, sua influência se estendia, em 1815, às províncias de Santa Fé, Entre Rios, Corrientes, as quais, juntamente com a mais distante Córdoba, formavam uma Liga Federal sob sua liderança.

Suas ideias e ações constituem uma das raras notas de radicalismo social e popular na história da independência latino-americana, que, fora casos isolados como esse, foi em geral dominada por linha de básica continuidade em relação à estrutura social e econômica do regime anterior. Esse aspecto contribuiu para aumentar as preocupações não somente dos portugueses de uma corte absolutista, mas dos elementos conservadores ou moderados das duas margens do Prata, enfraquecendo a resistência contra os desígnios lusos.

No mesmo ano da ascensão de Artigas, duas mudanças cruciais lhe prepararam a ruína. O final da longa guerra contra Napoleão tornou disponíveis as tropas que faltavam ao príncipe regente para retomar a campanha no sul. A paz europeia marcou igualmente o alívio da dependência extrema de Portugal relativamente à Inglaterra.

Após o desaparecimento da ameaça napoleônica, a decisão de d. João de ficar no Brasil seis anos mais, contrariando o desejo dos ingleses e o da população da metrópole, constitui o aspecto de maior originalidade, até de absoluta excepcionalidade, da história do traslado da corte, episódio cuja natureza se altera em sua própria essência. A evolução já não pode ser explicada por pressões britânicas, agora exercidas em sentido contrário. Strangford se desgastou em atritos com os ministros do príncipe e foi finalmente forçado a deixar o Brasil em abril de 1815. Não deixa de ser sugestivo que, além da divergência acerca do retorno imediato a Lisboa, o tráfico de escravos e a política no Prata se destacassem entre as causas da desgraça do representante inglês. Tanto ele quanto seus adversários lusitanos perceberam com clareza que a permanência da corte no Rio de Janeiro facilitava o enfraquecimento da influência de Londres e a recuperação parcial de alguma margem de manobra na condução da política portuguesa.

Em 9 de julho de 1816, a proclamação da independência das Províncias Unidas do Prata no Congresso de Tucumã afastou a inibição adicional à intervenção lusitana: a ficção de que a junta de Buenos Aires dependesse da soberania nominal do rei da Espanha.

A segunda intervenção portuguesa, desta vez decisiva, se deveu não só à tradicional aspiração da expansão até o Prata, mas aos medos reais inspirados por Artigas: de reconquista uruguaia dos Sete Povos das Missões (o irredentismo oriental acerca das Missões voltaria a se manifestar meio século depois, nas incursões e combates durante a grave crise brasileiro-uruguaia de 1864), dos eventuais embaraços ao livre acesso a Mato Grosso pelos rios platinos, do efeito sobre os escravos brasileiros de sua "democracia bárbara". O instrumento do ataque foi a divisão de veteranos comandados pelo tenente-general Carlos Frederico Lecor. Os primeiros combates se registraram em terras brasileiras, seguindo-se a invasão do território oriental e a ocupação de Montevidéu em janeiro de 1817. A luta continuou por três anos até a derrota final de Artigas em 1820 e seu exílio no Paraguai, onde morreu em 1850, sem voltar ao Uruguai.

Portugal insistia em seu papel de pacificador temporário e não de conquistador. As circunstâncias, entretanto, favoreciam a permanência lusa. Buenos Aires protestou, mas os apelos de socorro de Artigas encontraram escassa simpatia num governo platino formado por seus adversários, absorvido, por outro lado, na luta contra os federalistas do litoral e empenhado na épica expedição de San Martin ao Chile através dos Andes (1817). A Espanha também reclamou e recorreu às potências do Concerto Europeu. Estas, depois de intrincada mediação, chegaram a um acordo com os portugueses para a devolução da Banda Oriental mediante várias condições, uma das quais o pagamento de indenização de 7,5 milhões de francos. Os espanhóis retardaram de todas as maneiras o cumprimento do estipulado, enquanto esperavam organizar uma expedição militar que partiria de Cádiz. Completados os preparativos, o levante, na revolução liberal espanhola de 1820, das tropas que deveriam empreender a reconquista adiou de vez o assunto.

As táticas dilatórias já tinham caracterizado o tratamento do tema no Congresso de Viena de 1815. Na ocasião, a Espanha não cedera à exigência portuguesa de devolução de Olivença, perdida na Guerra Peninsular de 1801. Tampouco tiveram êxito os plenipotenciários lusitanos no congresso em obter da França o reconhecimento expresso da fronteira pelo Oiapoque antes da restituição da Guiana. Do ponto de vista brasileiro, o mais notável resultado do congresso acabou sendo a elevação do Brasil a Reino Unido a Portugal e Algarves. É curioso que a iniciativa nascesse de sugestão do representante da potência derrotada, Talleyrand, a fim de que "se estreitasse por todos os meios possíveis o nexo entre Portugal e o Brasil, devendo este país, para lisonjear os seus povos, para destruir a ideia de colônia, que tanto lhes desagrada, receber o título de Reino" (apud Vianna, 1958:90).

A MODERNIZAÇÃO DO MEIO DE INSERÇÃO

O comércio é a força preponderante que orienta a ação da Grã-Bretanha na América Latina desses anos. Nisso se faz já sentir o efeito da Revolução Industrial, visível na constante pressão de industriais e comerciantes em favor da abertura de mercados. Canning, por exemplo, reconheceria que o caráter "odioso e impolítico" do tratado de 1810 se deveu às exigências da Junta de Comércio.

Do lado dos latino-americanos, o processo da independência foi, entre outras coisas, a modernização da maneira pela qual se inseriam no contexto mundial. O secular declínio das monarquias ibéricas transformou os ibero-americanos em colônias de duas virtuais colônias. A independência substituiu as decadentes metrópoles do passado pela poderosa potência hegemônica do futuro. Um dos aspectos do anacronismo do colonialismo ibérico era o comércio exclusivo, o monopólio em benefício das metrópoles. Relíquia do mercantilismo, o regime se mostrava claramente incompatível com o capitalismo industrial. A questão do comércio livre ocupava por esse motivo posição central em todo o processo.

A modernização do modo de inserção estendeu-se também aos investimentos, aos empréstimos, à tecnologia, que nas décadas seguintes fariam sentir seus efeitos transformadores na construção de ferrovias e portos, nos serviços urbanos, no desenvolvimento da produção primária em minas, silos, matadouros, e, posteriormente, em frigoríficos, curtumes, usinas açucareiras.

Não houve, é verdade, ruptura profunda com as estruturas econômicas e sociais da colônia: a produção de bens primários da mineração, da agricultura e da pecuária para os mercados externos. O sistema pré-salarial e a força de trabalho em grande parte escrava ou semiescrava constituíam, da mesma forma que o monopólio, um anacronismo na economia mundial que se industrializava, impossibilitando o aparecimento de mercados internos dinâmicos. Foi mais fácil, contudo, liquidar o monopólio comercial do que gerar, por meio do trabalho livre e assalariado, as condições para uma demanda interna sustentável. Desse agudo contraste com as transformações socioeconômicas então em curso na Europa e na América do Norte nasceria o problema das "ideias fora de lugar", isto é, a difícil adaptabilidade nas arcaicas condições locais das instituições e normas importadas do liberalismo econômico e político dos centros europeus que já viviam tempo histórico mais avançado.

A modernização da inserção estaria longe, com efeito, de se restringir ao econômico. O processo da independência foi uma abertura totalizadora: ideias, modas, filosofias, sistemas políticos, crítica religiosa, ensino superior, tudo deixou de passar pelo filtro das inquisições ibéricas. No Brasil, em especial, juntamente com o príncipe regente e sua corte chegaram sábios, naturalistas, pintores, desenhistas, músicos, escritores, viajantes curiosos. Foi a época de ouro de uma nova descoberta, da revelação de terras e costumes exóticos ao público leitor que começava a se formar na Europa.

Joaquim Gregório da Silva Rato
Batalha das Guerras Peninsulares, 1821
ÓLEO SOBRE TELA, 102 × 158 CM
PALÁCIO NACIONAL DE MAFRA,
INSTITUTO DOS MUSEUS E DA CONSERVAÇÃO, PORTUGAL

Coincidiu também com as primeiras experiências de imigração dirigida e colonização com trabalhadores suíços e alemães, pioneiros dos milhões de imigrantes que se seguiriam na América Latina e no Caribe, não só europeus, mas *coolies* chineses, indianos, javaneses. Não é exagero, assim, sustentar que a fase dos primeiros trinta anos do século XIX marcou os primórdios da primeira globalização da América Latina.

A EXTINÇÃO DO MONOPÓLIO NO BRASIL E NAS COLÔNIAS HISPÂNICAS

A transição do monopólio para o comércio livre no Brasil e nas colônias espanholas é a imagem fiel da diferença das experiências históricas das respectivas metrópoles nessa turbulenta era. A abolição do exclusivo precedeu no Brasil a independência e sinalizou seu começo. Na América espanhola, a liberalização comercial em geral acompanhou ou seguiu a conquista da independência.

O processo na América portuguesa foi de caráter regular, refletindo a dependência de Portugal nesses anos de exílio em relação à proteção da Inglaterra. A corte do Rio de Janeiro asseguraria que essa evolução se fizesse de modo centralizado, controlado e uniforme em todo o território da colônia. Tudo se processou de maneira altamente formalizada, expressando-se em documentos escritos como a carta régia de 1808, os decretos que a modificaram, os tratados de 1810.

Na América espanhola, as transformações se operaram de forma fragmentária e irregular, como efeito dos sucessos da guerra de independência e das vicissitudes da Espanha, que passou de aliada a vítima da França, coligada da Inglaterra na luta contra Napoleão até retornar, depois da paz, à reaproximação com os franceses. Nem sempre esse processo se manifestou por meio de documentos formais de certa durabilidade. O contrabando, os arranjos *ad hoc*, a flexibilização concedida na prática ora por autoridades peninsulares, ora por líderes revolucionários, se alternavam continuamente com retrocessos quanto às regras de comércio e aos intentos de reafirmação monopolista.

A IMPORTÂNCIA DO COMÉRCIO INGLÊS COM A AMÉRICA LATINA E O BRASIL

Na fase mais árdua dos conflitos napoleônicos, entre 1809 e 1811, quando os mercados europeus estavam fechados pelo bloqueio continental, as exportações para a América Latina chegaram a 35% do total das vendas externas da Inglaterra. Depois da paz a porcentagem declinaria, mas as exportações continuariam expressivas: média anual de 5 milhões de libras esterlinas entre 1820 e 1850 (metade para a América espanhola e metade para o Brasil). Em comparação com a segunda metade do século XVIII, as médias haviam dobrado em valor e se multiplicado várias vezes em volume (Bethell, 2001:cap. 6).

Em 1812, o ano fatídico da invasão da Rússia, o Brasil importou da Grã-Bretanha 25% a mais do que a Ásia inteira, metade da soma das importações dos Estados Unidos e das Índias Ocidentais e mais de quatro quintos do total das vendas à América do Sul (deve-se lembrar que parte dos produtos enviados ao Brasil era reexportada a Buenos Aires). A redução da dimensão relativa do mercado brasileiro após a paz de 1815 não impediu que ele absorvesse dois terços das vendas às colônias estrangeiras na América Latina. Reconquistando parcialmente a posição anterior, o Brasil adquiriu em 1820 metade do conjunto da Ásia ou das

Índias Ocidentais, cerca de dois terços das importações norte-americanas e três quartos das exportações destinadas às colônias espanholas e portuguesas nas Américas.

Mais de três quartos das exportações britânicas ao Brasil era constituído de produtos de algodão, seguidos de longe pelas lãs. O desequilíbrio vai ser a marca constante desse intercâmbio. Em 1812, por exemplo, a Inglaterra exportou ao Brasil mais de 2 milhões de libras e importou menos de 700 mil. Em 1820, as importações provenientes do Brasil aumentaram cerca de 1,3 milhão de libras, das quais o algodão representava mais de 900 mil. Manchester, fonte da maioria desses dados, comenta:

> *Assim, logo após a abertura dos portos [...] já se havia definido uma importante característica das relações comerciais anglo-brasileiras. A partir de então, o Brasil seria um importante mercado para as manufaturas inglesas, mas uma fonte secundária de importações britânicas* (Manchester, 1933:98).

O comércio britânico com o Brasil cedo se estruturou por meio da iniciativa de 113 comerciantes de Londres, que em junho de 1808 estabeleceram a Sociedade dos Negociantes Ingleses que Traficam para o Brasil, dirigida por comitê permanente de 16 integrantes, dois dos quais membros do Parlamento. Em 1811 existiam já 75 estabelecimentos comerciais britânicos no Rio de Janeiro. Ultrapassada a fase inicial de confusão e desconhecimento das condições locais, a sólida organização e qualidade do comércio inglês firmaram gradualmente no mercado brasileiro uma superioridade destinada a longa vida. Num dos despachos a Londres, nos quais explicava a crescente hostilidade no Brasil contra os britânicos, Strangford não esqueceria de mencionar que a concorrência inglesa havia reduzido os negócios dos antigos donos do comércio brasileiro "à mais completa decadência".

O COMÉRCIO E A CONSUMAÇÃO DA INDEPENDÊNCIA

O ressentimento econômico pela perda das vantagens concretas derivadas do monopólio desempenhou papel expressivo na sistemática política de recolonização adotada pelo regime da Revolução Constitucionalista de agosto de 1820 em Portugal. Essas perdas atingiram proporções impressionantes. De acordo com dados de Viana Pedreira e Magalhães Godinho, por mais de dois séculos e meio, *o Estado português obtinha a maior parte dos seus proventos das tarifas aduaneiras e dos monopólios comerciais, que em geral eram estabelecidos sobre os produtos ultramarinos. Calcula-se que, nos tempos de Pombal, o comércio com o Brasil providenciava, de uma ou outra forma, quase 40% das receitas públicas* (apud Almeida, 2005).

Ao passo que mais de 90% das manufaturas portuguesas encontravam mercado cativo no Brasil, os produtos brasileiros eram responsáveis, através da reexportação, por aproximadamente dois terços das exportações lusitanas. Entre 1796 e 1804, portanto na fase imediatamente anterior às perturbações ocasionadas pelos bloqueios, a balança comercial de Portugal foi constantemente superavitária tanto com o Brasil quanto com o exterior. Nessa mesma época e estendendo-se até 1807, o ano da transferência da corte, a reexportação majoritariamente por Lisboa (90%) correspondia a quase 65% das vendas ao estrangeiro, limitando-se a 29% os "produtos do reino".

Valentim Alexandre, que recolheu e analisou esses números, conclui:

Portugal perdia uma importante fonte de acumulação de capital, com reflexos também nas finanças públicas, que há longo tempo dependiam das taxas alfandegárias. Ademais, a atividade industrial portuguesa — de caráter artesanal ou manufatureiro — foi igualmente afetada, sofrendo a concorrência britânica no Brasil, seu único mercado externo (apud Oliveira e Ricupero, 2007:120–121).

O mesmo autor demonstrou que esse efeito não se produziu de imediato, ocorrendo uma recuperação parcial do papel do entreposto lisboeta entre 1814 e 1818, em razão da destruição das frotas europeias de longo curso, o que dificultava o acesso direto ao Brasil. A partir de 1819, entretanto, a reorganização dos circuitos transatlânticos provocaria drástica queda da exportação portuguesa de artigos coloniais, até atingir anos mais tarde um colapso de 90%.

A queda coincidiu, como se vê, com a véspera da revolução constitucionalista e gerou a pressão para que o regime politicamente liberal instalado em Lisboa restabelecesse o monopólio do Antigo Regime, uma das frequentes contradições e incoerências ibéricas. A adoção da chamada "conformação" — regulamentação restritiva do comércio pela qual os bens estrangeiros ingressados no Brasil pagariam direitos de 55%, enquanto as exportações diretas brasileiras a terceiros seriam oneradas com taxa de

12%, aprovada depois da separação —, acabaria sendo "a última resolução de caráter econômico tomada pela antiga metrópole em relação ao Brasil colonial" (Almeida, 2001:101).

A INDEPENDÊNCIA E SEUS PROBLEMAS

Assim como o processo interno da independência, os problemas internacionais que suscitava apresentam no Brasil mais pontos de diferença do que semelhança com o restante da América Latina. A natureza da independência brasileira foi mais de evolução gradual do que de revolução e ruptura súbita; comparada às campanhas militares prolongadas, marcadas por atrocidades recíprocas e significativas perdas de população como na Venezuela, a luta se limitou aqui a poucos lugares, durando breve tempo. Tudo isso deveria normalmente ter conduzido a uma aceitação externa mais fácil. Teria sido igualmente natural esperar menor dificuldade de recepção a uma independência que, afinal, seria a única a manter a forma monárquica de governo e ter à sua frente não só um príncipe de sangue, mas o herdeiro legítimo do trono da metrópole.

Esses fatores estiveram realmente presentes e exerceram alguma influência favorável no espírito dos que tiveram de julgar os acontecimentos no Brasil da perspectiva da comunidade internacional. Não foram, todavia, suficientes, do ponto de vista estritamente formal, para superar aspecto que de novo manifestou sua centralidade determinante: a singularidade de uma independência como a brasileira, que consistia em ruptura e guerra com Portugal, país capaz, teoricamente, de reclamar direitos de proteção oriundos da aliança com a Grã-Bretanha, situação inexistente para os hispano-americanos.

Um século antes da Sociedade das Nações, primeira tentativa de conferir institucionalidade formal ao sistema internacional, a aceitação de um ator recém-independente no cenário mundial dependia, em última instância, do reconhecimento da legitimidade do novo participante pelas grandes potências. No contexto da época, era mais ou menos irrelevante a postura isolada dos Estados Unidos, país que se mantinha à parte do jogo de poder e estava longe ainda de projetar sua ação além das áreas circunvizinhas.

O que contava na matéria era a posição, por ordem decrescente de influência, da Inglaterra, França, Áustria e Rússia. Para países transatlânticos, dependentes do comércio marítimo, o decisivo era, no fundo, a decisão da potência naval e mercantil por excelência, a Grã-Bretanha. Esta, por sua vez, condicionava seu julgamento final a algumas questões centrais, duas das quais irrenunciáveis: a celebração de acordos que lhe garantissem liberdade de comércio e a abolição do tráfico de escravos.

Dessas duas questões, a primeira se encontrava resolvida para o Brasil desde a abertura dos portos e do tratado de 1810, restando apenas acertar sua prorrogação. A segunda se mostraria infinitamente mais espinhosa, talvez não tanto na hora do reconhecimento, mas com força cada vez maior à medida que se esgotava o prazo para dar cumprimento efetivo à promessa que nessa hora se fez de pôr fim ao tráfico.

Existia, contudo, no caso brasileiro, uma dificuldade adicional específica, ausente nas demais situações das repúblicas hispânicas: os deveres e as inibições derivados da aliança anglo-lusitana. Essa particularidade terminaria por retardar o reconhecimento em comparação a alguns outros latino-americanos e imporia um caminho *sui generis* que não se repetiria em nenhum outro exemplo: o de um processo tripartite, pelo qual a negociação se efetivou não diretamente entre metrópole e ex-colônia, mas passando pela mediação da Inglaterra.

AS FASES DO RECONHECIMENTO

O esforço para obter o reconhecimento se desenrola ao longo de duas fases distintas. A primeira, inconclusiva, de agosto de 1822 a julho de 1823, se situa dentro dos 18 meses em que José Bonifácio de Andrada e Silva foi o poderoso ministro da Guerra e dos Estrangeiros e, mais do que isso, o virtual primeiro-ministro e chefe do governo. Estende-se a segunda etapa da queda do Patriarca da Independência até a assinatura do tratado do reconhecimento com Portugal (29 de agosto de 1825), seguindo-se, em rápida sucessão, os reconhecimentos da Grã-Bretanha e demais potências durante o ano de 1826. Os retardatários seriam a Rússia (1827) e a Espanha (1834).

A fase preparatória do reconhecimento se inaugura com o *Manifesto aos Governos e Nações Amigas*, de 6 de agosto de 1822, um mês, portanto, antes do Sete de Setembro. Nele, o príncipe d. Pedro anuncia já a "vontade geral do Brasil que proclama à face do universo a sua independência política". Denuncia a intenção das cortes de querer restabelecer "astutamente" o sistema colonial, contrariando a vontade do que chama ainda de a "porção maior e mais rica da nação portuguesa" (Anjos, 2008:94), isto é, o Brasil.

Essa ambiguidade é inseparável do momento de transição e incerteza que atravessa o país. A validade do conceito da coroa bifronte continua a fundamentar a ação do Brasil, descrita não como insubordinação, mas legítima defesa do estatuto de Reino Unido, livremente outorgado por d. João. José Bonifácio será o primeiro a perder as ilusões, passando a trabalhar em favor de uma separação definitiva e irreversível.

Vale a pena assinalar que o conceito de Reino Unido, apesar da irritação que provocava no espírito dos metropolitanos, jamais representou, na prática, que os interesses específicos do Brasil predominassem nas decisões ou que pessoas nascidas na colônia fossem elevadas a dignidades de governo. Sabia bem disso o Patriarca, que em carta de 1820 ao ministro Vilanova Portugal gabava-se dos serviços que poderia prestar como capitão-geral à sua capitania natal "[...] se eu fora fidalgo de polpa ou europeu..." (Anjos, 2008:315–316).

Caso único entre os fundadores da independência latino-americana, não era nem militar, nem jurista, mas homem de ciência. Concebeu o primeiro projeto coerente de modernização do país, infelizmente cedo abandonado pela elite imperial. A ele se deve em boa medida a imposição da fórmula com a qual o Brasil acede à vida independente: monarquia constitucional, liberalismo moderado, centrista, a igual distância do absolutismo e do jacobinismo, unidade centralizadora instituída a partir do apoio do triângulo Rio de Janeiro-São Paulo-Minas Gerais.

José Bonifácio não teve tempo para completar o reconhecimento, mas deixou na condução das tratativas indícios suficientes para que se imagine como provavelmente teria sido diferente o processo caso tivesse permanecido sob seu comando. Ao enviar, por exemplo, Antonio Manuel Corrêa da Câmara como representante do Reino do Brasil a Buenos Aires (maio de 1822), recomendava-lhe convencer os dirigentes locais das "utilidades incalculáveis que podem resultar de fazerem uma Confederação ou Tratado ofensivo e defensivo com o Brasil, para se oporem com os outros governos da América espanhola aos cerebrinos manejos da política europeia" (Anjos, 2008:106–107). João Alfredo dos Anjos realça, com razão, que o documento antecipava de um ano e meio o discurso de Monroe e delineava a possibilidade de uma ação conjunta na América do Sul (Anjos, 2008:109).

O voluntarismo que distinguia a forte personalidade do Patriarca fez dele um dos raros que abordam nessa época as negociações com os ingleses sem insegurança, nem sentimento de inferioridade. Nas instruções ao primeiro encarregado de negócios em Londres, Felisberto Caldeira Brant Pontes, afirmava que o Brasil não temia as potências europeias e não precisava da Europa, pois tínhamos "tudo o que é preciso, importando somente das nações estrangeiras objetos pela maior parte de luxo". O comércio inglês "de certo padeceria se duvidasse reconhecer a Independência do Brasil", já que o governo fecharia os portos a quem se negasse a admitir "o mesmo direito que têm todos os povos de se constituírem em um Estado independente" (Anjos, 2008:142).

Na mesma linha de firmeza e exploração realista da reciprocidade de interesses, lembrava que a vigência das estipulações comerciais de 1810 dependia apenas da livre vontade do governo brasileiro, que continuava a observar "um Tratado que qualquer outro governo acharia razões para considerar como caduco, depois da dissolução do pacto social e político que fazia do Brasil uma parte integrante da monarquia portuguesa" (Arquivo diplomático..., v. 1, p. 5–14).

Finalmente, em abril de 1823, tomava nota das manobras dilatórias britânicas e ordenava a Brant retirar-se de Londres, pois compreendia perfeitamente (como, aliás, o próprio Canning diria ao seu representante no Rio de Janeiro) que o reconhecimento era somente questão de tempo. Não estava, assim, disposto a pagar um preço exorbitante que pusesse em risco a dignidade e a segurança do Império. Nesse sentido, apesar de ser pessoalmente contrário à escravidão, tinha recusado os acenos ingleses de apressar o reconhecimento em troca da imediata abolição do tráfico de escravos, já que não existiam condições políticas e econômicas para dar realidade a essa intenção.

Pouco depois, a saída de Bonifácio do ministério, seguida pelo golpe do imperador contra a Assembleia Constituinte, a prisão e o longo exílio do Patriarca entregariam a direção do processo negociador ao grupo identificado com os interesses dinásticos e pessoais de d. Pedro I. Não se pode afirmar em que medida o grande Andrada teria conseguido manter sua posição negociadora, nem é possível adivinhar até que limites seria obrigado a transigir diante das realidades do poder, o interno, emanado da vontade imperial, e o externo, derivado do jogo das potências. O que fica, contudo, é o exemplo inspirador de uma orientação que inaugurou a diplomacia brasileira numa linha de firmeza e fidelidade aos interesses do Estado, nem sempre coincidentes com os dos governantes e das facções.

O DESENLACE DO PROCESSO

A ratificação do tratado sobre o reconhecimento por d. João VI, em novembro de 1825, pode ser considerada, sentenciou o embaixador inglês em Lisboa, como o "selo final da emancipação total da América". O que deveria ter sido o primeiro terminava tornando-se o último capítulo de uma das mais complicadas negociações diplomáticas da época.

Na magistral introdução a *Britain and the Independence of Latin America, 1812–1830*, C.K. Webster sintetiza em meia dúzia de frases o sentido geral dos acontecimentos melhor do que os minuciosos relatos dedicados ao tema. Justifica-se reproduzir o texto completo:

> [Após a demissão de José Bonifácio], *ministros mais fracos o sucederam e Pedro tomou largamente a negociação em suas próprias mãos. Com astúcia, charlatanismo e coragem característicos lidou com os conselhos da Grã-Bretanha, os ciúmes de seu régio pai, as intrigas da França e os complicados partidos do seu próprio Império.* Seu objetivo era preservar a posição da Casa de Bragança em ambos os hemisférios e sua própria predominância nas decisões régias. Seu reconhecimento por Portugal lhe era, por conseguinte, essencial, e isso ele somente poderia obter por meio da influência britânica. Ele tinha, portanto, que aceitar a interferência da Grã-Bretanha e, em última instância, um tratado comercial de acordo com as estipulações britânicas (Webster, 1938:58–59. Grifos meus).

Está tudo nessas poucas linhas e o que não se explicita, facilmente se subentende. A partir de então, o que passou a predominar já não era, como no tempo do Patriarca, a perspectiva do Brasil independente, mas o interesse dinástico pessoal do seu monarca, objetivos que seguramente se confundiam no espírito de um príncipe descrito como liberal de convicção, mas absolutista de temperamento. Daí a necessidade de afastamento dos Andradas, além dos motivos internos que para isso também contribuíram. Só o poder pessoal do imperador lograria impor solução altamente impopular, que tornava inevitável o divórcio em relação à maioria da opinião pública e grande parte das facções políticas afinadas com o espírito da independência, contribuindo eventualmente para a abdicação.

Não trouxe maiores consequências em 1824 o reconhecimento pelos Estados Unidos (que já tinham tomado a mesma iniciativa em relação às colônias espanholas em 1822). Esvaiu-se o ano em tentativas infrutíferas em Londres, comentando Webster que o próprio Canning se alarmou com a fraqueza (leia-se mediocridade) dos ministros que sucederam a José Bonifácio. Contava o ministro inglês com a coadjuvação da Áustria, onde o imperador não se desinteressava da sorte do genro Pedro. O chanceler Metternich julgava possível, no caso brasileiro, conciliar legitimidade com reconhecimento, uma vez que Pedro seria apenas culpado de uma antecipação da herança (o reacionário czar Alexandre entendia que o primeiro imperador não passava de "rebelde e parricida"!).

O reconhecimento inglês das Províncias Unidas do Rio da Prata e da Grã-Colômbia (o do México viu-se adiado devido a desacordos temporários) se havia precipitado naquele ano devido ao temor de que a Espanha, sob crescente influência francesa, se aventurasse a uma reconquista. É quando Canning faz na Câmara dos Comuns a célebre declaração: "Eu decidi que, se a França tivesse a Espanha, não seria a Espanha com as Índias. Eu dei vida ao Novo Mundo para restabelecer o equilíbrio do Velho" (apud Bethell, 2009:253).

A Inglaterra não tinha razões para respeitar as suscetibilidades da Espanha, mas estava obrigada a honrar o compromisso de proteção a Portugal por tratado que Canning interpretava, segundo as conveniências, em uma de suas duas pontas. Ora fazia ver que, em estado de guerra e sem o reconhecimento da mãe-pátria, o Brasil teria contra si a frota inglesa; ora instava Portugal a reconhecer o Brasil como país estrangeiro como condição para poder proteger o reino lusitano contra os brasileiros...

A santidade da aliança se relativizava, no entanto, à medida que a proximidade, em meados de 1825, da revisão do tratado de 1810 fazia temer que o Brasil imitasse as cortes lisboetas, que tinham elevado para 30% os direitos sobre as lãs inglesas. O impasse será rompido pela missão de *sir* Charles Stuart, que atuará como plenipotenciário de Portugal na mediação conclusiva, antes de assumir a representação dos interesses britânicos.

As negociações do tratado de reconhecimento se concentrarão em três dificuldades principais. A primeira, relativa aos direitos de sucessão ao trono português, que afinal não constará do instrumento, reservando, desse modo, a futura posição de d. Pedro. Vem em segundo lugar a questão da aceitação pelo Brasil de parte da dívida contraída por Portugal em Londres justamente para combater a secessão brasileira. A última e mais espinhosa tinha a ver com a "vaidade senil" de d. João, nas palavras de Oliveira Lima, de assumir o título de imperador do Brasil e, em seguida, transmiti-lo de livre vontade ao filho.

Todas elas provocaram críticas e desconfianças que concorreram para o desgaste progressivo da posição do imperador. A ausência de renúncia expressa ao trono de Lisboa alimentaria o temor de uma futura reunificação das duas antigas metades do Reino Unido de 1815. Efetivamente, não tardou para que a morte de d. João (1826) precipitasse a sucessão, conforme se mencionará no momento adequado.

A assunção pelo Brasil de dívida de 2 milhões de libras esterlinas (em realidade, a quantia desembolsada foi menor em razão de acertos de contas) constaria de convenção destinada a ser divulgada apenas no momento de reabertura da Assembleia do Império. A desaprovação foi veemente e duradoura. Oliveira Lima lhe reserva o mais severo de seus juízos condenatórios: "A compra da independência por 2 milhões esterlinos, depois de ela ser um fato consumado e irrevogável, foi um estigma de que a monarquia justa ou injustamente nunca pôde livrar-se no Brasil e cuja recordação pairou sobre o trono até os seus últimos dia" (Lima, 1901:254–255).

Prossegue o diplomata e historiador pernambucano: "Essa indignação aparece diminuta comparada com a que irrompeu quando se divulgou a notícia acerca da Carta Régia, na qual o rei de Portugal fazia preceder o seu título [...] do título popular e exclusivamente nacional de imperador". Comenta o autor de *O reconhecimento do Império* que a publicação colocava em perigo o soberano e o gabinete. Lembrava que o próprio Canning, ao congratular-se por haver reconciliado o Brasil com Portugal, acrescentava em tom profético: "O futuro que o imperador se está preparando para si mesmo é outra história" (Lima, 1901:255).

O PREÇO DO RECONHECIMENTO

A solicitude britânica com a sorte de d. Pedro não chegou ao ponto de poupá-lo do grave desprestígio adicional oriundo do preço cobrado por Londres como recompensa por sua mediação: a transferência integral para o país independente de todos os privilégios e concessões acumulados pelos ingleses na Colônia e Reino Unido desde a vinda da corte, acrescidos do pesadíssimo ônus da abolição do tráfico.

O esmagador diferencial de poder em favor da Grã-Bretanha e a absoluta dependência de Portugal da proteção britânica explicam em boa parte, embora não tudo, a enormidade das concessões que haviam sido feitas aos ingleses em 1810. Desde então, a situação tinha se alterado por completo. Em 1825, o Brasil não se encontrava ameaçado por ataque estrangeiro, já havia expulsado as tropas portuguesas de seu território, não era um aliado subalterno da Grã-Bretanha. Tampouco valiam para a maioria das exportações brasileiras as razões de complementaridade comercial consagradas desde o Tratado de Methuen no intercâmbio de vinhos por lãs, exemplo clássico utilizado por David Ricardo até para ilustrar sua teoria das vantagens comparativas.

Não precisando da proteção da esquadra inglesa, nem gozando de vantagens especiais no mercado britânico, por que necessitaria o Brasil renovar e ampliar as concessões anteriores se não fossem os interesses pessoais e dinásticos do seu imperador lembrados por Webster? O reconhecimento viria de qualquer forma como fruto natural da normalização que se processava entre a Europa e os hispano-americanos e em decorrência do interesse britânico na continuidade das relações comerciais com o Brasil. O preço pago pelo reconhecimento é, por assim dizer, o lado negativo das vantagens derivadas da proclamação da independência por um príncipe que era o legítimo herdeiro do trono: a unificação do território, o caráter mais ou menos pacífico do processo e sua legitimidade.

Canning admitira na época ao representante diplomático português Palmela que os comerciantes ingleses consideravam o tratado com o Brasil "um objeto de muito maior importância, muito superior, sem comparação, aos tratados com Portugal". Em fevereiro de 1825, informara Brant que a Inglaterra tinha advertido Portugal de que não esperaria além de meados do ano para negociar diretamente com o Brasil, o que redundaria no reconhecimento da outra parte. Apenas, em tal caso, Portugal e os interesses dinásticos ficariam de fora. Foi por esse tipo específico de reconhecimento, de interesse do monarca, não por outra modalidade possível de reconhecimento que satisfizesse aos interesses nacionais, que se pagou preço excessivo.

A fatura não demorou a ser apresentada pelo próprio Stuart. O embaixador, segundo Webster, sofria de uma perpétua "coceira" (*itch*) para ir além das instruções, que lhe recomendavam somente prolongar o *status quo* por dois anos. Não se resignando a isso, o negociador do reconhecimento insistiu em arrancar a assinatura e ratificação de dois tratados permanentes, um de comércio e outro sobre o tráfico. O ministro dos Estrangeiros, Carvalho e Melo, queixou-se da desigualdade de tratamento em comparação com as repúblicas espanholas, mas admitiu que o governo não podia recusar o preço, em razão do papel da Inglaterra no reconhecimento (Manchester, 1933).

Mesmo do ponto de vista da prevalência dos interesses dinásticos, a justificativa era falsa, pois Stuart, da mesma forma que Strangford, 17 anos antes, tinha obtido muito mais do que pediam suas instruções, prova indiscutível da falta de firmeza e da incompetência dos negociadores brasileiros.

Ambos os tratados seriam rejeitados por Canning por razões que tinham, sobretudo, a ver com o abandono do direito de visita e busca em tempo de guerra e a renúncia ao Juiz Conservador. O sucessor de

Stuart, Robert Gordon, irmão de lorde Aberdeen, de futura notoriedade na questão do tráfico, não teve maiores dificuldades em corrigir tais vícios. O tratado comercial que assinou teria validade por 15 anos, como o anterior, expirando dois anos após a notificação da eventual revogação.

A Inglaterra preservava todos os direitos, menos o tratamento preferencial tornado desnecessário pela absoluta supremacia comercial consolidada e substituído pela cláusula de nação mais favorecida. Por decreto de setembro de 1828, passou-se a aplicar a todos os países a tarifa de 15%, limitando-se, assim, a possibilidade de aumentar a receita do Tesouro, dependente em boa parte dos impostos de importação. Essa seria, na primeira metade do século, a raiz das dificuldades fiscais crônicas do Brasil, obrigado em 1836 a impor uma taxa de 8% sobre as exportações.

Não eram de pouca monta as vantagens concedidas à Grã-Bretanha. Em 1825, as exportações inglesas ao Brasil correspondiam à metade das vendas aos Estados Unidos, quase ao total exportado às Antilhas britânicas e à metade de todos os bens importados pelo conjunto da América do Sul e do México, somados. Em compensação, exceto o algodão em rama, o mercado inglês importava muito pouco do Império (Manchester, 1933).

Apesar dessa desproporção de ganhos comerciais e interesses concretos, a Inglaterra conseguiu adicionalmente manter a jurisdição especial do Juiz Conservador, privilégio odioso e escandalosa exceção em toda a América independente. À luz de tamanha assimetria, o julgamento de Manchester parece irrecusável: tinha-se completado a transferência ao Brasil independente dos privilégios especiais de que a Inglaterra desfrutava por séculos em Portugal e um fio de continuidade amarrava nitidamente os anos de transição de 1810 a 1827 aos antecedentes anglo-lusitanos dos séculos XVII e XVIII (Manchester, 1933).

A QUESTÃO DO TRÁFICO

Se no comércio a situação permanecia mais ou menos inalterada, o mesmo não se pode dizer do tráfico, onde Londres extraiu muito mais do que fora possível em décadas: o compromisso, ao menos no papel, de pôr fim à nefanda prática em três anos. Avançou-se de maneira notável, pois, conforme sublinha Webster, o tráfico constituía, em termos específicos do Brasil, o problema mais complicado suscitado pela independência, uma vez que os novos estados hispânicos o tinham suprimido ao se separarem da Espanha (Webster, 1938).

A luta pela abolição do comércio de africanos simboliza talvez a primeira irrupção da modernidade nas relações internacionais, no sentido de que pela primeira vez uma questão moral, hoje se diria de direitos humanos, rivalizava com interesses políticos e econômicos na determinação da diplomacia entre os países. É significativo que o papel propulsor tenha cabido não aos ideais da Revolução Francesa, mas à ação da Grã-Bretanha já transformada pelo capitalismo da Revolução Industrial.

Na origem do movimento, confundem-se os progressos iluministas da consciência humana e a inspiração religiosa de abolicionistas como Wilberforce com os prosaicos interesses exportadores de negociantes e o temor que a concorrência escrava no Brasil e Cuba alimentava nos plantadores de açúcar semiarruinados das Antilhas.

Seja qual for a dosagem que se admita entre o peso de motivos de ordem moral e a incompatibilidade profunda do capitalismo industrial com o trabalho escravo, a verdade é que esses diversos impulsos convergiram na formação de influente grupo de pressão ao qual tinham de responder governantes ingleses dependentes do Parlamento e da opinião pública. Estadistas como Castlereagh e Canning poderiam compreender que tais motivações não operavam no mundo luso-brasileiro e que seria melhor avançar de forma gradual e progressiva, mas a pressão interna não lhes deixava grande margem de manobra.

Ironicamente, o obstáculo maior com que se defrontaram foi sempre seu velho aliado, mas recalcitrante subordinado, Portugal, cuja responsabilidade global como agente na história do tráfico (quase 46% do total transportado) supera de longe a de qualquer outro país (Pétré-Grenouilleau, 2004). A maciça presença portuguesa e brasileira no tráfico através do Atlântico tem sido obscurecida na percepção popular pela alta proporção de negros na moderna população norte-americana, induzindo ao erro de crer que o atual território dos Estados Unidos tenha sido o principal destino dos negreiros. Segundo bem notou James A. Rawley, a confusão desses dois fenômenos distintos fez esquecer que a América do Norte recebeu porcentagem de apenas 7% do total de africanos importados (500 mil), mais ou menos semelhante à da América do Sul espanhola (Rawley, 1981).

Em contraste, o destino por excelência foi o Brasil, que, com mais de 4 milhões de escravos, largamente ultrapassou todos os outros mercados. Dois de cada cinco escravos (pouco mais até) desembarcados nas Américas se incorporaram à força de trabalho brasileira (Rawley, 1981). Reflexo do caráter "orgânico" da escravidão no Brasil, a importância do tráfico parecia indissociável da sorte de uma instituição que necessitava se realimentar incessantemente de africanos, em razão do baixo índice de reprodução em cativeiro e da alta mortalidade.

Os meios dirigentes portugueses e brasileiros se insurgiram por vezes contra as imposições britânicas em matéria de privilégios comerciais ou de jurisdição especial, mas nada disso colocava realmente em questão a própria estrutura econômica e a sobrevivência da classe dominante como ocorria no caso da supressão do tráfico. José Bonifácio, raríssimo espírito de exceção, seria capaz de escrever que construía a própria residência "com gente livre e alugada, sem precisar da escravatura, que detesto, e querendo dar a esta gente exemplo do que devem fazer para se pouparem para o futuro as grandes infelicidades que ameaçam aos vindouros no Brasil" (Anjos, 2008:27).

O Patriarca não passava, no entanto, de um intelectual que vivera 35 anos afastado de sua terra e não possuía vínculos diretos de dependência com a economia escravocrata. Não era sem motivo que Joaquim Nabuco se perguntava, em *O Abolicionismo*, se a oposição à escravidão não teria sido a razão decisiva do precoce encerramento da carreira política do fundador da independência. Muito mais representativo do sentimento dos que governariam o país nos anos seguintes é Bernardo Pereira de Vasconcelos, fundador do Partido Conservador, que exclamaria em 1843 num debate no Senado: "É uma verdade: a África tem civilizado a América!" (apud Sousa, 1957:247). A surpreendente apologia do papel civilizatório africano não deve enganar: seu contexto era a defesa da escravidão, base do que então se chamava de civilização material.

Esses antecedentes podem ajudar a compreender por que a luta contra o tráfico seria tão encarniçada e se prolongaria por quase meio século. Logo se converteria no mais grave problema internacional do jovem país devido à seriedade dos choques provocados com a Inglaterra e a seus sérios desdobramentos internos. Datando do princípio do período que nos ocupa, a questão se estenderia pelo menos por duas décadas mais além de seu término. Dentro dos limites temporais deste estudo, pode ela ser dividida em três fases.

A primeira se destaca pelas ambíguas estipulações do artigo X do Tratado de Amizade e Aliança de 1810, arrancadas contra a obstinada resistência de d. João. Pelo artigo, prometia o príncipe regente cooperar para a gradual abolição do tráfico em seus domínios. Comprometia-se, desde logo, a não permiti-lo na costa da África não pertencente a Portugal, mas não abria mão dos territórios de Cabinda e Molembo, disputados com a França, nem invalidava os direitos pretendidos pelos lusitanos ao tráfico com Ajudá, no então Daomé, bem como em outras áreas da Costa da Mina ao norte do Equador.

A errônea interpretação de que o artigo proibia o tráfico ao norte do Equador provocou a captura de navios pertencentes a notórios traficantes da Bahia e Pernambuco, os quais, por outro lado, não deixaram de traficar mesmo com zonas da Costa da Guiné claramente interditadas, como sempre haviam feito no passado. Strangford chegou a temer uma rebelião na Bahia e afirmou num despacho que "o clamor universal e o descontentamento" (apud Manchester, 1933:169), resultantes das capturas, eram a única questão na qual tinha visto sentimento tão unânime e generalizado entre portugueses e brasileiros.

Abre-se a segunda etapa com a assinatura, durante o Congresso de Viena de 1815, de duas convenções: a primeira sobre o pagamento (que demorou a ser efetivado) de indenização inglesa pelas capturas irregulares, e a segunda proibindo o tráfico ao norte do Equador e prometendo fixar data no futuro para sua completa extinção. Em 1817, Castlereagh obteve convenção adicional e artigo separado posterior, consistindo este último no golpe principal da repressão ao fornecer o instrumento chave para a execução do estipulado: a aceitação, em tempos de paz, do direito de visita a navios mercantes suspeitos e de sua detenção e adjudicação perante tribunais mistos.

Após intermináveis e amargos desentendimentos sobre as apreensões e adjudicações, a terceira e conclusiva etapa teria de aguardar o processo do reconhecimento. Já no Tratado de Paz e Aliança (nome do instrumento do reconhecimento) se estabelecia no artigo III: "Sua Majestade Imperial promete não aceitar as proposições de quaisquer colônias portuguesas para se reunirem ao Império do Brasil" (Lima, 1901:354). A recusa de adesão à independência visava na realidade a Angola, cujos interesses mercantis estavam na época muito mais intimamente vinculados ao Brasil que a Portugal. Claro indício em tal sentido fora a opção pelo Brasil de dois dos três deputados angolenses, como se dizia então, enviados às cortes lisboetas. Um deles, o desembargador Eusébio de Queirós, era o pai do político brasileiro do mesmo nome, também nascido em Luanda e destinado a ser o ministro do Império que aboliria em definitivo o tráfico em 1850.

No entanto, a parcela mais pesada do preço cobrado pelos britânicos seria o tratado determinando a proibição definitiva e completa do tráfico decorridos três anos da ratificação em Londres (13 de março de 1827). Escoados dois anos, o governo imperial tentaria conseguir uma prorrogação, terminantemente recusada pela Inglaterra. Não restou, assim, remédio ao governo senão o de considerar ilegal o tráfico de qualquer parte da África para o Brasil a partir de 13 de março de 1830.

Um dos mais impopulares e detestados atos da monarquia, o tratado sobre o tráfico despertou na Assembleia Geral tempestuosa reação de revolta e indignação que durou dias, mas se exauriu em debates estéreis, uma vez que a Constituição de 1824 reservava ao imperador o exclusivo direito de celebrar tratados.

D. Pedro I pagou integralmente o preço que Portugal e a Grã-Bretanha lhe cobraram por um reconhecimento que preservava o essencial de suas aspirações dinásticas. Teve de fazê-lo violentando frontalmente os interesses e sentimentos das facções políticas majoritárias no Império e dos setores sociais dominantes que as apoiavam. Politicamente, a inelutável consequência da situação consistiu na crescente deriva do monarca em direção a posições autoritárias, isoladas e de arbítrio. Outras razões terão também pesado nessa tendência, mas é inegável que somente um regime autocrático daria ao governo condições políticas para ceder como fez no reconhecimento, em particular no referente à abolição do tráfico.

Eventualmente, as intrigas em relação ao trono de Portugal e o fiasco na Banda Oriental reforçariam o desgaste do reconhecimento a fim de criar o clima conducente à Abdicação. Tem razão, portanto, Manchester ao afirmar que: "O preço da Inglaterra pelo seu reconhecimento da independência do Império constituiu um sério fator responsável pela queda do fundador da nação brasileira" (Manchester, 1933:219).

Apesar do seu altíssimo custo, o tratado não se mostrou capaz de produzir os efeitos esperados. Gordon, seu negociador, foi clarividente ao anunciar que a intensidade do tráfico aumentaria dez vezes nos três anos seguintes e a conivência oficial lhe garantiria mais tarde a continuação sob a forma de contrabando. De fato, meio milhão de escravos e possivelmente mais seriam introduzidos ilegalmente no Brasil após 1830. É provável que, de 1800 a 1830, eles não tivessem sido menos que 750 mil. Por conseguinte, durante os cinquenta primeiros anos do século, ingressariam no país mais de um milhão de escravos, metade ao menos de forma ilegal, em comparação aos 3 milhões ao longo dos trezentos anos precedentes (Bethell, 1970).

A GUERRA DA CISPLATINA

Entre a chegada da família real e a abdicação do Imperador, quase todos os problemas internacionais brasileiros giraram em torno do eixo assimétrico das relações exteriores, isto é, foram questões onde o diferencial de poder assegurava ou favorecia o predomínio dos interesses da Grã-Bretanha. A desigualdade de poder, fortalecida pelo quadro estratégico da época, possibilitou a que nesses anos atingisse o apogeu no Brasil a preponderância inglesa, que começa a declinar após 1827 como efeito do conflito cada vez mais intratável em torno do tráfico.

Nesse período de incipiente formação das nacionalidades recém-emancipadas apresentam ainda pouca densidade as relações simétricas com os países vizinhos, pertencentes a uma categoria de poder militar e desenvolvimento econômico comparável ao brasileiro. Mesmo decorrido quase um século dessa fase inicial, o barão do Rio Branco ainda declarava que brasileiros e hispano-americanos continuavam vizinhos à maneira da América, separados os países por imensos desertos.

A exceção única era a região do rio da Prata, tradicional zona de contato e confronto entre os pontos extremos de expansão atingidos pelo Império português e o espanhol no sul da América, com forte presença e atuação luso-brasileira no comércio desde fins do século XVI. Na antevéspera da fase independente, a importação platina de escravos em troca de charque e couros principiava a animar o comércio com o Brasil, de onde provinham 19 dos trinta navios negreiros entrados no porto de Buenos Aires entre 1797 e 1798 (Rock, 1987). Um quarto de século depois, no ano da independência brasileira, o Brasil se havia transformado no segundo maior exportador de bens ao mercado platino, vindo em seguida à Inglaterra e antes dos Estados Unidos (Manchester, 1933).

O intercâmbio comercial e o estabelecimento de relações políticas mais estreitas poderiam então haver desabrochado em padrão mais construtivo de relacionamento do que o conflituoso herdado do passado. Tropeçou-se, no entanto, em obstáculo insuperável: a incorporação ao Império da Banda Oriental sob o nome de Província Cisplatina. A calmaria aparente dos primeiros quatro anos depois da anexação se devia à temporária paralisia portenha, não à aceitação de fato consumado relativo a território encarado ainda como parte integral do antigo vice-reinado do Prata.

Foi nessa época que Rivadavia lançava os fundamentos do futuro Estado argentino, negociava o reconhecimento com a Inglaterra e gerava as condições para a prosperidade econômica graças ao rápido crescimento do comércio, que atrairia a Buenos Aires uma comunidade de 1.300 ingleses, quase todos comerciantes de importação-exportação. O crescimento econômico forneceu os recursos necessários para criar uma força de combate naval, contratar oficiais e marujos, preparando a reabertura do conflito, que se desencadearia em 1825 com a expedição de Lavalleja, antigo lugar-tenente de Artigas.

Na guerra com as Províncias Unidas do Prata, iniciada pelo desembarque da expedição comandada por Lavalleja, que se tornou conhecida como a dos 33 *Orientales*, o Império do Brasil se verá seriamente prejudicado pela desvantagem logística. Com efeito, a área de combate (o território uruguaio e parte do Rio Grande do Sul) se encontrava muito afastada do Rio de Janeiro, principal base de apoio brasileira. Ao contrário, a proximidade de Buenos Aires favoreceu argentinos e uruguaios.

A guerra correu mal para o Império, cujas forças foram derrotadas na Batalha de Passo do Rosário (nome brasileiro) ou Ituzaingó (denominação argentina).

As operações mais significativas se passaram no mar. As duas marinhas possuíam um forte contingente de oficiais e marinheiros ingleses (só do lado brasileiro eram 1.200), nacionalidade também dos comandantes de cada um dos lados. Embora nunca tivesse sido totalmente efetivo, o bloqueio brasileiro do porto de Buenos Aires ocasionou graves perdas ao comércio de portenhos e britânicos, tendo sido a razão principal da determinação de Canning de liquidar o conflito. Alternaram-se momentos de fugaz supremacia e endurecimento diplomático de um lado e do outro, chegando-se rapidamente a um impasse decorrente do esgotamento econômico e militar dos contendores.

Após a substituição no poder em Buenos Aires de Rivadavia por Dorrego e os esforços de mediação inglesa, nos quais se destacaram as ações diplomáticas de Gordon e Ponsonby, a guerra terminaria em agosto de 1828 com a assinatura da Convenção Preliminar de Paz, pela qual a Banda Oriental se separava do Império e adquiria independência sob o nome de República Oriental do Uruguai. As Províncias Unidas e o Brasil reconheciam a independência do território que haviam disputado e se comprometiam a garantir-lhe a integridade.

Diante do empate paralisador entre os dois adversários, uma questão teoricamente pertencente ao eixo das relações simétricas terminava pela interferência do eixo assimétrico de poder. A solução viria pelas mãos da potência hegemônica na região e no mundo, a Inglaterra, cujo mediador, Ponsonby, assim descreveria o desfecho: “Pusemos um algodão entre dois cristais.”

A obstinação do imperador e de seu governo se soldava com o desastre que Luiz Francisco da Veiga condenava com estas palavras:

> *A revolta da Província Cisplatina contra o jugo prepotente do Brasil, representado na pessoa do primeiro imperador foi não só justa, mas até uma necessidade imperiosa [...]. Foi uma guerra santa, como a brasileira de 1822. A província de Cisplatina era tratada pelo Império como Portugal ou as cortes portuguesas queriam tratar o Brasil em 1821 e 1822. As mesmas causas produziram os mesmos efeitos; mas na questão do Império com a Cisplatina o antagonismo era maior, por causa da diferença de raça, de língua e de tradição, maior era a razão oriental e, portanto, maior a sem razão brasileira, ou antes imperial* (apud Holanda, 1962:17–18).

Pouco resta a dizer sobre o escasso relacionamento com os países andinos e do Pacífico nos tempos de Bolívar, cuja desconfiança inicial do Império como aliado potencial da reconquista castelhana com apoio da Santa Aliança evoluiu aos poucos para postura mais realista. A imprudente aceitação pelas autoridades de Mato Grosso da adesão ao Império da região boliviana de Chiquitos, incidente menor das lutas no alto Peru, chegou a provocar o ultimato de Sucre, logo dissipado com a retirada do punhado de soldados brasileiros e a posterior desaprovação da corte do Rio de Janeiro.

Pouco depois, a Guerra da Cisplatina inspirou a tentativa de Buenos Aires para formar uma coligação geral hispano-americana contra o Império. Na ocasião, Bolívar solicitou a Santander que consultasse os ingleses sobre uma eventual guerra “no caso em que o imperador do Brasil nos incomode, pois é jovem, aturdido, legítimo e Bourbon...”. Santander aconselhou prudência, atitude que prevaleceu tão logo se recebeu o pedido de Canning para que se mantivesse “continuada abstenção de toda intervenção” na contenda. De igual maneira que no Prata, a posição da Grã-Bretanha foi mais uma vez decisiva, motivando Bolívar a recomendar a Sucre que agisse “com muita prudência e delicadeza, a fim de não [...] desgostarmos a nossa amiga”. Santander já havia escrito no mesmo sentido ao impetuoso Sucre, opinando que “uma guerra com o Brasil provocada por nós, sem precedentes faltas graves irremediáveis da parte do imperador é sem dúvida muito funesta à causa americana” (Santos, 2002:30).

Convidado a participar do Congresso Anfictiônico do Panamá (1826), o Império nomeou representante que jamais chegou ao destino. É curioso que, durante a crise da Cisplatina, Canning tivesse sugerido que o contencioso fosse submetido ao julgamento do Congresso, a exemplo do que ocorria com os congressos do Concerto Europeu, ideia igualmente não seguida de qualquer intento de execução.

O contundente fracasso da Guerra da Cisplatina tornara evidente que o Império não passava de colosso de extrema fragilidade e baixa capacidade de mobilizar recursos em momentos decisivos. Essa realidade e o temor de que uma derrota humilhante concorresse para a desintegração da única monarquia do continente pesaram de modo considerável nos esforços de Canning para se interpor entre os exauridos adversários, impondo-lhes a terceira via como solução do impasse.

Além do fiasco bélico, as despesas militares provocaram impacto ruinoso em economia vulnerável e endividada. Num encadeamento de mal a pior, as dificuldades de pagamento explodiriam nos graves motins de mercenários que ensanguentaram o Rio de Janeiro em 1828, desgastando adicionalmente a popularidade de um monarca de crescentes tendências autoritárias e cercado de áulicos portugueses voltados para as peripécias de além-mar.

A precipitação da difícil sucessão portuguesa pelo falecimento de d. João VI (1826) surpreendeu o legítimo herdeiro, Pedro, num estado de incerteza e dúvida interior. Sem muita vontade, nem convicção, teve de abrir mão do antigo trono em favor da filha menina, d. Maria II, condenada ao casamento com o rival e filho predileto de Carlota Joaquina, o absolutista "mano Miguel", como o chamava Pedro. Dois anos depois, o golpe da aclamação de d. Miguel e a volta da filha ao Brasil firmaram no espírito do imperador a ideia fixa de restabelecer os direitos usurpados. Nessa empreitada, serviu-se dos recursos financeiros devidos a Portugal pelo Tratado do Reconhecimento para sustentar os exilados portugueses e preparar a desforra.

A Revolução de Julho de 1830 contra Carlos X alcançou profunda repercussão no Brasil, onde foi interpretada à luz da situação nacional de um regime dominado por interesses lusitanos, assimilado à monarquia autocrática que acabara de ser derrubada na França. Entra na fase agônica terminal a crise que se vinha gestando há anos e que desemboca no Sete de Abril (1831), com a abdicação em favor do filho e a partida de Pedro ao encontro do desafio de restaurar o constitucionalismo no velho reino.

Um capítulo do drama europeu da desintegração do Antigo Regime — a invasão de Portugal — fora responsável pela vinda ao Brasil do príncipe herdeiro de 9 anos. O capítulo final desse mesmo drama — a fracassada tentativa miguelista de voltar ao passado absolutista — o levava de volta já próximo do fim da existência. Há uma nota pungente no destino do homem sem o qual não teria existido a independência, ao menos como se fez, mas que tinha de se sacrificar pessoalmente para que ela se consolidasse.

A propósito do reinado de Pedro I, Armitage havia opinado que o Império progredira mais em nove anos do que a colônia em trezentos. Julgando exagerado tal juízo, Sérgio Buarque de Holanda concluiu: "Entre 1822 e 1831, ou melhor, de 1808 a 1831 [...] é que se assinala uma fecunda transação — não se queira muito mais — entre o nosso passado colonial e as nossas instituições nacionais" (Holanda, 1962:39).

Em outras palavras, é nesse período que a descolonização do país começa e acaba; nele é que se inicia a lenta construção das instituições e estruturas que caracterizariam o Brasil independente: a monarquia constitucional; a centralização administrativa; o espírito moderadamente liberal do regime, apesar dos desvios autoritários; a relativa estabilidade do jogo político, que se firmaria na segunda metade do século XIX; a básica continuidade da estrutura socioeconômica de produção de bens primários para os mercados externos edificada sobre o trabalho servil. No caso da unidade nacional, as ameaças desagregadoras mais graves agora é que começariam a pô-la à prova durante os turbulentos dias da Regência. Contudo, as bases fundamentais e as condições de possibilidade para que ela se consolidasse depois de 1848 datam já essencialmente dessa época.

O espírito de *transação* entre colônia e nação, identificado por Sérgio Buarque de Holanda como marca definidora dos anos que conduzem da chegada da corte à definitiva partida do primeiro imperador, coincide com a fase de *transição* das relações internacionais do antigo para o novo regime. Uma tensão permanente entre interesses metropolitanos e locais fornece como que o fio invisível de continuidade da estrutura subjacente a todos os episódios maiores dessa etapa: a abertura dos portos, as excessivas concessões aos ingleses em 1810, a renovação de tais concessões depois da Independência, com o acréscimo do compromisso de liquidar o tráfico.

A emancipação progressiva configura, então, um *work in progress*, uma obra em construção, ou melhor, uma obra, ao mesmo tempo, de demolição e edificação. Predominam nitidamente até o dramático final os interesses e objetivos da situação anterior, vinculados ao processo dinástico de obtenção e preservação do poder político numa monarquia dual e ao natural desejo de impedir, se possível, a fragmentação do império português. O amargo sabor que nos deixam muitas das desiguais negociações do tempo traz à memória a famosa imagem da crise em Antonio Gramsci: a crise é o período em que o velho não acaba de morrer e o novo luta por nascer. Nesse interregno, toda sorte de sintomas mórbidos sobe à superfície.

Para o brasileiro que reflete sobre esse distante tempo de duzentos anos atrás, é difícil evitar uma impressão de anacronismo nas ações de dirigentes e negociadores aparentemente constrangidos a cederem ao superior poder da potência hegemônica. Tal sentimento não consiste no erro conhecido do historiador que julga o passado à luz dos valores do presente. Trata-se, a meu ver, de anacronismo objetivo, presente naquelas próprias situações, sobretudo na confirmação, depois de 1822, de concessões e arranjos que só se explicavam em decorrência de características e circunstâncias já extintas. Era, com efeito, anacrônico aceitar em 1827 imposições que apenas se justificariam se o Brasil continuasse a ser, como Portugal, um virtual protetorado da Inglaterra e um ator secundário e dependente no sistema político europeu de alianças.

Após descrever como a Grã-Bretanha havia logrado transferir ao Brasil de 1825 a 1827 a supremacia de que gozava em Portugal, Manchester faz uma observação pertinente:

> *Aqui, porém, cessa o paralelo: enquanto, no século XVIII, a Inglaterra expandiu essas vantagens até que Portugal se tornou praticamente um vassalo econômico e político, o Brasil do século XIX resistiu aos esforços similares de maneira tão vigorosa que, por volta de 1845, os favores especiais outorgados à Inglaterra haviam sido revogados, o tratado comercial e o relativo ao tráfico de escravos tinham sido declarados nulos e a corte do Rio se encontrava em franca revolta contra a pressão exercida pelo Foreign Office de Londres* (Manchester, 1933:221).

Ficou apenas por explicitar no texto citado que a condição de possibilidade do êxito da reação brasileira se encontrava na própria mudança da realidade: com a independência, a situação estratégica nacional não era mais a de um país dependente da proteção naval inglesa e envolvido nas questões europeias de poder. A antiga colônia, ora independente, deixava de ser um apêndice do sistema europeu e passava a inserir-se no sistema internacional das Américas, então em fase incipiente de formação.

A partir dessa época, o que haverá de determinar a atuação internacional do Brasil serão os objetivos e interesses que seus dirigentes projetarão como sendo os do país, para o bem e para o mal. Para o bem, quando sacudirão a tutela e os privilégios britânicos e se recusarão a assinar tratados comerciais com potências mais poderosas. Para o mal, na obstinada resistência à abolição do tráfico e na parcela de responsabilidade desses dirigentes, juntamente com a dos vizinhos, na emergência no Rio da Prata de um tipo de relacionamento internacional que, infelizmente, reproduziria muitas das rivalidades e conflitos do velho sistema europeu.

Evoluiria continuamente o modo de inserção do Brasil no mundo e, em paralelo a essas mudanças, haveriam de mudar os problemas e respostas diplomáticas, mas numa linha de crescente afirmação de uma independência cuja construção sempre permanecerá uma obra aberta.

BIBLIOGRAFIA

AGUIAR, Pinto de. *A abertura dos portos*: Cairu e os ingleses. Salvador: Progresso, 1960.

ALEXANDRE, Valentim. *Os sentidos do Império*: questão nacional e questão colonial na crise do antigo regime português. Porto: Afrontamento, 1993.

ALMEIDA, Paulo Roberto. *Formação da diplomacia econômica no Brasil*: as relações econômicas internacionais no Império. São Paulo: Senac, 2001.

ANJOS, João Alfredo dos. *José Bonifácio, primeiro chanceler do Brasil.* Brasília: Funag, 2008.

Arquivo diplomático da Independência. Rio de Janeiro: Tipografia Fluminense, 1922–1925. 6 v.

BETHELL, Leslie. *The abolition of the Brazilian slave trade.* Cambridge: Cambridge University Press, 1970.

_____ (Org.). *História da América Latina*: da Independência até 1870. São Paulo: Edusp, 2009. v. III.

BRITO, José Gabriel de Lemos. *Pontos de partida para a história econômica do Brasil.* 3. ed. São Paulo: Companhia Editora Nacional/INL/MEC, 1980.

CARVALHO, Carlos Delgado de. *História diplomática do Brasil.* Brasília: Senado Federal, 1998.

DONGHI, Tulio Halperin. *De la Revolución de Independencia a la Confederación Rosista.* Buenos Aires: Paidós, 2000.

HOLANDA, Sérgio Buarque de (Org.). *História geral da civilização brasileira.* O Brasil monárquico: o processo de emancipação, v. 2. São Paulo: Difusão Europeia do Livro, 1962. t. II.

LIMA, Manuel de Oliveira. *O reconhecimento do Império.* Rio de Janeiro: H. Garnier, 1901.

_____. *D. João VI no Brasil.* Rio de Janeiro: Topbooks, 1996. [1908]

MANCHESTER, Alan K. *British preeminence in Brazil*: Its rise and decline. Chapel Hill: The University of North Carolina Press, 1933.

MARTINS, J.P. Oliveira. *História de Portugal*. 11. ed. Lisboa, 1927.

OLIVEIRA, Luís Valente de; RICUPERO, Rubens (Orgs.). *A abertura dos portos*. São Paulo: Senac, 2007.

PEREIRA, Ângelo. *D. João VI, príncipe e rei*: a Independência do Brasil. Lisboa: Empresa Nacional de Publicidade, 1953. v. III.

PÉTRÉ-GRENOUILLEAU, Olivier. *Les traites negrières*: Essai d'histoire globale. Paris: Gallimard, 2004.

RAWLEY, James A. *The trans-atlantic slave trade*. New York: W.W. Norton & Company, 1981.

RIO BRANCO, José Maria da Silva Paranhos Jr., barão do. *Questões de limites*. República argentina. Rio de Janeiro: [s.n.], 1945.

ROCK, David. *Argentina 1516–1987*: From Spanish colonization to Alfonsín. Berkeley: University of California Press, 1987.

SANTOS, Luís Cláudio Villafañe Gomes. *O Império e as repúblicas do Pacífico*: as relações do Brasil com Chile, Bolívia, Peru, Equador e Colômbia (1822–1889). Curitiba: Editora UFPR, 2002.

SOUSA, Octávio Tarquínio de. *História dos fundadores do Império do Brasil*: Bernardo Pereira de Vasconcelos. 2. ed. Rio de Janeiro: José Olympio, 1957.

VIANNA, Helio. *História diplomática do Brasil*. Rio de Janeiro: Biblioteca do Exército Editora, 1958.

WEBSTER, C.K. *Britain and the Independence of Latin America*. London: Oxford University Press, 1938. v. I.

DETALHE DA IMAGEM DA PÁGINA 166

PARTE 4

JORGE CALDEIRA
O PROCESSO ECONÔMICO

O PRIMEIRO TERÇO DO SÉCULO XIX MARCOU PROFUNDAMENTE A HISTÓRIA econômica do Brasil pela combinação de dois movimentos fundamentais. Um era universal: a implantação mundial do capitalismo como modo de produção. Outro, local: a construção de um Estado nacional em meio a esse processo. Em trinta anos, tudo mudou. No Brasil de 1800, as noções de capitalismo e país independente eram cenários de imaginação, assunto para intelectuais. Em 1830, o país nascente estava estabelecido e já tinha uma posição no mundo econômico francamente capitalista.

A EXPANSÃO DO MERCADO INTERNO

No ponto de partida, havia oportunidades. Mesmo com o estatuto de colônia, no Brasil criou-se um importante mercado interno integrado. Um percurso pelas atividades econômicas na virada do século XIX mostra com clareza essa integração. Começando pela zona meridional, no Rio Grande do Sul a economia girava em torno da produção de gado e muares, trocados principalmente por escravos, farinha e aguardente, num circuito assim definido por Corcino Santos:

> *A exportação anual era de 10 a 12 mil cabeças de gado vacum, 12 a 15 mil muares e 4 a 5 mil cavalos. Por outro lado, a importação de gêneros de consumo daquelas populações se fazia pelos caminhos das tropas. Era assim que os gaúchos recebiam sal, fumo, açúcar, café, arroz, aguardente, vinho, azeite, bacalhau e fazendas* (Santos, 1984:101).

Desde a década de 1770, outro circuito de produção começava a ser instalado. Em vez dos caminhos terrestres, empregava rotas marítimas. Do Rio Grande do Sul passaram a ser exportados o trigo (de uma produção total de 7 mil alqueires, em 1780, somente a exportação para o Rio de Janeiro passou para 213 mil, em 1808), charque (aumento de 26 mil arrobas, em 1791, para 202 mil, em 1808), couros, graxas, navios, sebo e velas. Eram exportações fundamentalmente destinadas ao mercado interno. Em 1810, os principais portos de destino eram Rio de Janeiro (68% do valor total da produção gaúcha exportada por mar) e Salvador (21%), que também passaram a ser os fornecedores dos principais produtos importados na capitania: tecidos e escravos (do Rio de Janeiro, 54%; de Salvador, 32%).

A área dos atuais estados de Santa Catarina e do Paraná vivia algo semelhante. Em Santa Catarina, havia duas regiões econômicas distintas: o planalto fazia parte do circuito tradicional das mulas e do gado gaúcho, ao passo que a região litorânea de Florianópolis conheceu o surgimento, a partir da década de 1780, da produção para o mercado carioca, sendo o óleo de baleia seu produto mais importante. No Paraná também existia certo grau de especialização econômica, assim como uma divisão de áreas semelhante. Os campos de Curitiba eram empregados como criadouros e interligavam-se ao circuito interior do gado e muares. Além disso, havia a produção local de erva-mate, que começou a desenvolver-se no final do século XVIII.

A economia paulista também vivenciava um processo de transformação bastante grande. O centro de gravidade econômica desviou-se para Sorocaba — sede brasileira dos negócios de mula e gado, onde os rebanhos sulinos passavam para as mãos de novos proprietários e as tropas eram montadas. Mas, concomitante ao grande negócio das tropas, havia o crescimento da produção de açúcar, que se fazia em torno de dois eixos: o Oeste e o vale do rio Paraíba do Sul. No primeiro eixo, as cidades de maior produção eram Itu (98 engenhos, em 1805) e Campinas (93). No segundo eixo, o centro era Guaratinguetá, vila voltada, até as três últimas décadas do século XVIII, para uma economia local e que aderiu, a partir de 1776, à lavoura canavieira, o que alterou completamente as condições da região.

As mulas negociadas em Sorocaba eram o meio de transporte pelo qual se fazia a maior parte do comércio interno brasileiro. Os negócios cresceram sem parar ao longo de todo o século XVIII — num indicador seguro de crescimento do mercado interno. Na virada do século XIX, as caravanas de mulas dos tropeiros alcançavam pontos muito distantes. No extremo oeste, chegavam ao atual Mato Grosso.

Dr. Spix v. e Dr. v. Martius

Os escravos na extração de diamantes

IN: *ATLAS ZUR REISE IN BRASILIEN*, 1817. ESTAMPA 11

LITOGRAFIA, 47,5 × 39,5 CM

SEÇÃO DE ICONOGRAFIA DA FUNDAÇÃO BIBLIOTECA NACIONAL, RIO DE JANEIRO

As monções, grandes caravanas fluviais que antes faziam o abastecimento das minas de ouro da região, começaram a desaparecer com a queda de produção do metal a partir da década de 1770. No quarto final do século, no entanto, a economia da região se reciclou e prosperou em torno da pecuária. As crescentes boiadas entraram pelo cerrado, até o ponto onde se fez uma ligação terrestre com Goiás — e assim se abriu o caminho pelo qual os tropeiros dominaram o comércio monçoneiro.

Goiás tornou-se uma fortaleza dos negócios tropeiros. Ali, o ciclo minerador apresentou características diversas das do restante do país, como descritas por Americano do Brazil:

> *Verificou-se uma descentralização quase total, consequência da própria geografia de suas minas. A profunda erosão sofrida pelo Planalto Central e a resultante deslocação dos resíduos auríferos proporcionaram uma riqueza sem par das lavras assim que descobertas, porém de escassa duração, provocando um nomadismo constante em busca de novos depósitos. Essa dispersão manteve um constante* rush, *impedindo em grande parte uma consolidação urbana e a consequente sedimentação administrativa* (Brazil, 1932).

Isso deixou os negócios comerciais para os tropeiros, que tinham facilidade para vender produtos e buscar o ouro onde quer que estivessem os mineradores — em meio às constantes guerras com os índios, perto de quilombos, ou em acampamentos provisórios no meio do sertão. Com a decadência da produção de ouro, a região transformou-se em zona pecuária ligada não apenas ao sul, mas também ao vale amazônico, pelas bacias do Araguaia e do Tocantins.

Na região amazônica havia outro circuito comercial, inteiramente montado sobre as incursões fluviais que negociavam com os índios. As canoas partiam de Belém ou de Manaus e obtinham produtos da região em trocas diretas — era o chamado resgate. Caravanas permanentes corriam todos os afluentes do Amazonas e levavam o resultado até o porto de Belém, centro econômico de toda a região. Nos pontos extremos das viagens para o sul, os regatões tocavam o território das rotas tropeiras; juntos, tropeiros e regatões promoviam a integração de todo o interior oeste do Brasil.

A vasta região Nordeste, então principal centro exportador do Brasil, não se restringia ao mercado externo. Os negócios de exportação do litoral estavam entrelaçados à rede comercial do interior do país. Partindo da fronteira com o vale amazônico, a primeira região assim caracterizada era a do Maranhão. A economia maranhense vivia em função das exportações de algodão — que no final do século XVIII e início do XIX representavam cerca de 75% do total exportado — e de arroz —, que representava algo em torno de 10% das exportações do período. Mas o sul do Maranhão e o interior do Piauí eram zonas pioneiras de outro longo circuito de atividades internas em expansão, também girando em torno do gado.

Os currais distribuíam-se de maneira esparsa pelo interior. Uma série de trilhas permitia que as boiadas fossem conduzidas na direção do vale do Jaguaribe, já no Ceará. Até o início do século XVIII, a maioria dessas boiadas seguia por via terrestre do Crato até o interior da Paraíba e de Pernambuco; a partir da metade do século, boa parte delas começou a ser desviada, ao longo do vale do Jaguaribe, para Aracati, onde foram instaladas charqueadas. A carne-seca ali industrializada era embarcada por via marítima para Recife e Salvador. Em 1782, um vereador descreveu a atividade da vila, principal núcleo urbano do Ceará:

> *Além deste ramo de comércio da fábrica de carnes, havia muito outros com que se fazia grandioso negócio, cujos gêneros orçavam a cada ano de 25 a 30 mil couros salgados, 50 a 60 mil meios de sola e vaquetas, 30 a 35 mil couros de cabra, 2 a 3 mil pelicas, abatendo todos os anos para cima de 50 mil reses* (apud Souza, 1994:68).

Camocim, outro ponto de charqueadas de menor envergadura no oeste do estado, drenava parte da produção do Piauí, embarcando charque principalmente para Recife.

No quarto final do século XVIII, o algodão começou a adquirir importância na região litorânea. O centro de gravidade econômica transferiu-se para Fortaleza, cidade coletora da produção. Na virada do século, o algodão representava 90% das exportações para a metrópole.

Todo esse longo circuito de produção para o mercado interno dessas várias capitanias convergia para um centro: Recife. Ali, a tradicional produção de açúcar, montada no século XVI, continuava sendo o maior negócio da região e da colônia. Os engenhos pernambucanos permitiam escala para o controle dos negócios de abastecimento do interior — que chegava ao ponto do controle do tráfico de escravos para toda a vasta região acima descrita. De Pernambuco saíam escravos para todo o litoral norte, o vale amazônico e o sertão do Piauí e do Ceará.

Outra artéria importante do comércio sertanejo, semelhante àquela do Norte, era a que ligava Salvador, na Bahia, a Minas Gerais pelo vale do rio São Francisco. Nesse caminho estavam quatro regiões de mineração de

Johann Moritz Rugendas

Porto do Estrella

IN: *VIAGEM PITORESCA ATRAVÉS DO BRASIL*

PARIS: LITH. DE G. ENGELMANN, 1835. PRIMEIRA DIVISÃO. GRAVURA 13

GRAVURA, 25,3 × 33,5 CM

SEÇÃO DE ICONOGRAFIA DA FUNDAÇÃO BIBLIOTECA NACIONAL, RIO DE JANEIRO

ouro (Jacobina, Rio das Contas, Araçuaí e Fanado), além de duas regiões de mineração de diamantes (Serro e Chapada Diamantina). Afora os negócios com mineradores, ali se criava gado e se cultivavam gêneros para o abastecimento de Minas Gerais e depois Goiás; e também havia culturas de exportação, como a do algodão.

Por fim, é preciso registrar ainda a principal rota de comércio interno no período: a ligação terrestre entre Minas Gerais e o Rio de Janeiro. Por ela passavam tropas levando os principais produtos agrícolas de exportação da capitania mineira: tecidos, fumo, produtos pecuários e agrícolas. No sentido inverso, chegavam produtos importados e escravos. Minas Gerais, mesmo após a queda na produção do ouro, continuou sendo a maior economia regional brasileira na virada do século XIX — e uma economia que quase só produzia para o mercado interno da colônia.

Havia também um forte movimento populacional no interior da capitania mineira, dirigido para onde a atividade econômica crescia. A comarca do Rio das Velhas era a que apresentava maior incremento: entre 1776 e 1821 sua população aumentou 158% (de 82,7 mil para 213,6 mil habitantes), contra uma média geral de 60,8%; no período, os moradores passaram de 25,9% para 41,6% do total da capitania. Sendo esta, basicamente, uma região produtora de alimentos, esse crescimento é indício de que a atividade interna era um dos principais sustentáculos da expansão econômica da época. No Sul, a Zona da Mata, que se desenvolveu inicialmente como fonte de abastecimento da região mineradora, passou também a manter intensas ligações com a praça do Rio de Janeiro. Mesmo São João Del-Rei, já em plena região mineradora, enviava quatro tropas semanais com produtos de abastecimento para a capital da colônia.

COLÔNIA E METRÓPOLE

As complexas redes de negócios interiores ajudam a entender o desempenho econômico nos dois principais centros brasileiros: Salvador e Rio de Janeiro. A ligação entre grandes centros e o mercado interno, como no caso do Recife, tinha base no tráfico de escravos. Começando pelo Rio de Janeiro, nas décadas de 1790 e 1800, desembarcaram na cidade cerca de 10 mil escravos por ano, número que dobrou a partir da vinda da corte portuguesa; a média anual de chegada de navios negreiros passou de 21, no período 1796–1808, para 51 no período 1808–1825. Mas essa era uma atividade para poucos. Embora haja registros de 279 traficantes operando entre 1811 e 1830, apenas as 13 maiores empresas, aquelas que apareciam regularmente no mercado todos os anos, eram responsáveis por 42,1% do total de viagens. A mesma concentração acontecia em Salvador. Em *Notícia geral da Bahia*, de 1754, o engenheiro José Antônio Caldas listou os comerciantes da praça de Salvador, classificando-os de acordo com suas fortunas. No rol das grandes fortunas, em que estavam os traficantes, havia apenas 37 nomes.

A grande concentração de riqueza em torno de traficantes de escravos em Salvador e no Rio de Janeiro torna-se ainda mais acentuada quando lembramos que essas regiões eram também os maiores polos de produção para exportação da colônia — grandes zonas consumidoras de escravos e produtoras de matérias-primas exportáveis. No Rio de Janeiro havia as regiões da Baixada Fluminense e de Campos dos Goitacazes. Nessa última, o crescimento da cultura de cana-de-açúcar era explosivo. O número de engenhos passou de 34, em 1767, para 65, em 1769; 177, em 1779; 287, em 1785; 328, em 1799; quatrocentos, em 1815. Já a Bahia era a maior região produtora de açúcar e de tabaco do Brasil — os dois principais produtos de exportação durante todo o século XVIII. Juntos, os dois portos eram responsáveis por 65,2% do total das exportações brasileiras. Ainda assim, as fortunas dos agricultores que exportavam eram muito menores que a dos traficantes de escravos.

Conhecidos os detalhes regionais, fica mais inteligível o balanço geral da economia colonial. Havia um amplo mercado interno e uma burguesia comercial local, formada por tropeiros na base, atacadistas locais como intermediários e grandes traficantes de escravos no topo. A soma das muitas partes era imensa, a ponto de a economia da colônia dominar amplamente a produção no cenário do Império português. Vista estritamente do ponto de vista do porte, a economia metropolitana parecia um simples apêndice da parte colonial. Entre 1796 e 1807, as exportações brasileiras corresponderam a 83,7% do total das exportações de todas as colônias portuguesas para a metrópole; no mesmo período, as reexportações dessas mercadorias foram responsáveis por 56,6% do total das receitas portuguesas no comércio exterior. Na via inversa, o Brasil consumia 78,4% dos produtos enviados por Portugal a todas suas colônias e 59,1% do total dos produtos importados pelo Reino. Mas essa alta participação nos negócios metropolitanos era obtida com uma fração relativamente reduzida da produção local. Estudos recentes indicam que algo em torno de 85% da produção total brasileira era consumida no mercado interno, e apenas 15% da produção eram destinados à exportação.

Foi nesse cenário econômico que, em rápidos movimentos, ocorreram as grandes transformações do capitalismo e a criação do Estado nacional brasileiro. No ponto inicial do século XIX, a onda burguesa era percebida na colônia como notícia distante, assunto apenas de debate entre pessoas cultas, preocupação que não fazia parte do cotidiano econômico. De um dia para outro, em 1808, com o desembarque da corte de d. João, que fugia de Napoleão Bonaparte, a onda chega e ganha forma física instantânea. Ela muda não apenas a percepção do cenário como também a situação da economia real e, especialmente, o quadro institucional da economia. A existência de um Estado soberano de fato molda o período de permanência da corte. Nele, "Brasil" deixa de ser uma utopia nacional e passa a ser uma ideia dotada de conteúdo econômico real, mesmo sem independência formal.

No próximo giro, a partir da Revolução do Porto de 1820, os atores mais importantes da fase anterior rapidamente se transformaram nos construtores do Estado nacional brasileiro, empenhando-se em resolver o problema geral de encontrar o lugar desse novo "Brasil" na realidade do capitalismo. Feita a independência em 1822, inicia-se outro movimento: o da construção da nação propriamente dita. Dele resultaram não apenas novas instituições econômicas, mas também novas práticas: os atos do governo soberano e suas consequências para a economia real moldaram a inserção econômica brasileira na ordem mundial, agora plenamente capitalista.

CAPITALISMO E ESCRAVIDÃO NOS ESTADOS UNIDOS

A passagem para o capitalismo no Novo Mundo se deu em torno de questões muito diferentes das europeias. Na América não havia uma ordem feudal a ser superada. Tudo girava em torno da criação de mercados internos com a mistura entre produtores livres e escravos — e cada espaço colonial da América produzia sua receita para a combinação desses elementos.

Se o entendimento a partir do mercado interno ajuda na compreensão da dimensão da economia colonial brasileira, uma visão a partir de fora permite avaliar melhor aquilo que havia de particular na combinação entre escravismo e produção livre implantada nela.

Vista no cenário da América, a produção brasileira de 1800 tinha um valor total muito próximo à dos Estados Unidos. As duas disputavam a liderança continental nesse momento, e pelo mesmo motivo: os moradores coloniais dos dois territórios haviam conseguido abrir importantes brechas na forte estrutura do mercantilismo, o chamado exclusivo colonial — ou seja, o monopólio de comércio com a metrópole. A partir dessas brechas, criaram um modo próprio de ampliar o mercado interno.

Nos Estados Unidos, a brecha foi aberta no século XVII, com o abastecimento das colônias inglesas do Caribe. De início limitado a períodos de guerra e a produtos específicos, acabou se tornando algo amplo: da comida dos escravos aos cavalos, passando pela bebida, todo o abastecimento das *plantations* caribenhas foi sendo dominado pelos continentais. No bojo desse domínio, conseguiram montar uma frota naval própria, e com ela os negócios se ampliaram. Logo se descobriu que havia grande lucro no fornecimento das mercadorias locais a colônias estrangeiras, e o contrabando passou a fazer parte integrante das viagens — como os ganhos eram sobre concorrentes, a metrópole fazia vista grossa. O passo seguinte foi a inclusão de escravos nos pacotes de mercadorias; os traficantes de Boston eram os maiores fornecedores do Caribe, e Cuba, já no início do século XIX, o maior mercado para o "produto".

A independência do país, em 1776, esteve ligada a essa brecha. Ao longo da Guerra dos Sete Anos, entre 1755 e 1763, a Inglaterra tomou praticamente todas as unidades coloniais caribenhas (tanto da Espanha quanto da França e da Holanda), o que abriu novos mercados de fornecimento para os coloniais do continente. Ao fim da guerra, a Inglaterra percebeu que a posse dessas colônias lhe valia pouco, por falta de compradores para o açúcar. Não encontrou saída melhor do que devolver tudo aos antigos proprietários — o que criou problemas para os negócios recém-instalados. Nas colônias da Nova Inglaterra, essa realidade gerou uma percepção: um país independente poderia ser uma grande oportunidade. E tinham razão: um dos primeiros tratados assinados pelo governo dos Estados Unidos, já em 1778, foi o acordo com a França dando acesso aos mercados de suas colônias à nova nação.

Apesar das boas perspectivas, os anos iniciais do país recém-criado não se mostraram promissores. O comércio com a Inglaterra caiu (de 1,7 milhão de libras, em 1774, para um milhão de libras, em 1790); o principal produto exportado, o tabaco, manteve os níveis de produção da década de 1770 até o final do século; as exportações de arroz caíram no mesmo período; o mesmo aconteceu com as de trigo. Nesse momento difícil, a ameaça de consolidação de uma situação de dependência e fraqueza era bastante real, como notou o historiador Drew McCoy:

> *Tão cedo como 1784 os revolucionários descobriram que a independência, por si mesma, não permitiria construir a espécie de livre-comércio que eliminaria os déficits comerciais que os perseguiam quando coloniais. As importações, que excediam consideravelmente as exportações, contribuíam para a drenagem de moeda e os atrasos de pagamentos* (McCoy, 1980:94).

As dificuldades econômicas logo se traduziram numa crise fiscal e política que quase provocou a dissolução do país. A crise da autoridade federal explodiu em 1786, com uma revolta de agricultores contra impostos em Massachusetts que ameaçava a estabilidade de toda a União.

A razão da revolta era clara: a federação ampla adotada acabou gerando uma guerra tributária entre as 13 colônias. Para vencer as dificuldades, John Adams acabou liderando o programa que desembocou na Constituição de 1787 — promulgada 11 anos após a independência. Era a forma de proteger o mercado interno e manter o externo, cuja função foi claramente percebida pelo líder: "O comércio das Antilhas faz parte do sistema comercial americano. Eles não podem nada sem nós e não podemos nada sem eles. O Criador nos colocou na terra numa situação em que necessitamos uns dos outros", disse Adams (apud Williams, 1968:159). Para manter esse comércio, interesse vital do Norte, foi feito um acordo com o Sul. Os estados que vendiam escravos no tráfico interno (basicamente Virginia e Georgia) aderiram ao projeto de centralização tributária e proteção dos mercados, em troca de um acordo para a proibição da importação de escravos via tráfico num prazo de vinte anos, garantindo-lhes o monopólio do mercado interno. O acordo ficou conhecido como "*the dirty compromise*". Com isso foi montado um sistema tributário centralizado, capaz de garantir a produção interna e pagar uma frota para proteger os negócios caribenhos.

Adams estava certo. Com os Estados Unidos fornecendo cada vez mais para os franceses, toda a situação do Caribe mudou. A produção das colônias inglesas se tornou mais custosa sem os fornecimentos norte-americanos, enquanto aquela das colônias francesas, incentivada por esses mesmos fornecimentos, apresentou um grande crescimento. Entre 1783 e 1789, em apenas seis anos, a produção de São Domingos, a maior colônia francesa do Caribe, simplesmente dobrou, chegando a um valor de 8 milhões de libras esterlinas — 40% maior que todo o Caribe inglês. Havia ali oitocentos engenhos de açúcar, 3 mil fazendas de café, oitocentas de algodão e 3 mil de índigo, para cujo transporte eram ocupados mil navios franceses — mais parte da frota dos Estados

Unidos. Entre outros produtos importados para manter essa produção, o mercado local absorvia 40 mil escravos por ano, muitos fornecidos pelos traficantes norte-americanos.

CAPITALISMO E ESCRAVIDÃO NO HAITI E ANTILHAS

A Revolução Francesa provocou a mudança seguinte nesse cenário. Colocou em pauta uma questão inteiramente nova: a libertação dos escravos. O assunto havia passado inteiramente à margem de todas as idas e vindas das guerras e crises dos nascentes Estados Unidos, mesmo com o preâmbulo da famosa frase que abre a Declaração de Independência: "É evidente por si mesmo que todos os homens foram criados iguais e dotados por seu Criador com certos direitos inalienáveis, entre os quais os da vida, da liberdade e busca da felicidade." Era uma clara filiação ao Iluminismo, e à ideia de que uma nação se fazia por contrato entre seres humanos iguais — e o governo dos Estados Unidos foi o primeiro dessa espécie a vingar no planeta.

Mas, quando se olha de perto a biografia do autor da frase, logo fica claro que ela não tinha, para ele, o mesmo significado que lhe atribuem os leitores atuais. Thomas Jefferson era negociante e dono de escravos no momento em que escreveu a Declaração — e continuou sendo. Tinha oito filhos com uma escrava mulata, Sally Hennings, e esses filhos foram criados como escravos. Escreveu a legislação civil da escravista Virginia, e essa legislação tornou ainda mais duras as punições para escravos e negros livres. Considerava que "a raça, mais que o estatuto da escravidão, condena os negros a uma desigualdade permanente" (Finkelman, 1996:108–109).

A ideia do natural direito à liberdade conviveu com a escravidão nos Estados Unidos porque nenhum escravista norte-americano jamais confundiu o "direito inalienável à liberdade" com a necessidade de acabar imediatamente com a escravidão, pelo simples motivo de que nenhum deles — assim como Jean-Jacques Rousseau, que os inspirava —, imaginava que liberdade e escravidão eram realidades que provinham da mesma fonte de poder e, por isso, mereciam o mesmo tratamento político. A liberdade provinha da razão; a escravidão, da força. A primeira era uma fonte de poder moral; a segunda, imoral. Por virem de fontes diferentes, haveria uma incompatibilidade completa entre escravidão e direito: "As palavras *escravidão* e *direito* são contraditórias, excluem-se mutuamente", dizia Rousseau (1978:35).

Embora não possa fundamentar um *direito*, a força pode fundamentar um *costume*. Era na convivência entre essas duas fontes contraditórias de poder, razão e força, que escravidão e liberalismo coexistiriam na sociedade norte-americana. Por geral que fosse a lei racional da Constituição, a interpretação geral foi de que esta não tinha poderes para abolir um costume preexistente. E se justificava até mesmo apelando a Rousseau, que tinha seus momentos adaptativos e dizia, por exemplo, que o costume se constituía na "lei mais importante de todas, que não se grava nem no mármore nem no bronze, mas no coração dos cidadãos" (Rousseau, 1978:62). Assim, os homens tinham direitos iguais gravados na lei racional, mas essa lei não tinha força para abolir costumes gravados nos corações.

Essa filigrana essencial não pôde ser aplicada em São Domingos, quando ali se colocou a necessidade de tratar simultaneamente de escravidão e Iluminismo. Ao estalar a Revolução de 1789, foi convocada uma Assembleia Nacional para fazer uma Constituição, o contrato original da nação. Na hora de escolher os representantes da colônia, surgiu uma divisão. Nas leis do Antigo Regime, apenas proprietários brancos, chamados seringues, tinham direito a participar do governo. Mas, ao contrário dos Estados Unidos, onde os proprietários de terras e escravos eram todos brancos, não havia como esconder a realidade da mistura de gentes em São Domingos. Ali havia 28 mil proprietários de terras e escravos que eram mulatos, donos de um terço da riqueza da economia, e que também queriam participar. Tiveram seus direitos reconhecidos em 1791.

Como neste caso a lei racional de Paris afetava o costume local do domínio branco, em vez de acomodação houve conflito entre costume e direito. Abriu-se uma guerra surda entre os dois grupos que detinham direitos políticos pelo controle do governo. Essa discordância fundamental não permitiu que o costume do mando de alguns coexistisse com o direito universal da liberdade. Vendo o conflito aberto no topo, demorou muito pouco para que um grupo numeroso — os 450 mil escravos da colônia — interpretasse de maneira mais real a ideia de que todos os seres humanos haviam sido dotados pelo Criador de certos direitos inalienáveis à liberdade. Começaram a eclodir revoltas de escravos, e logo havia um exército deles, chefiado por Toussaint L'Ouverture. A abolição total da escravatura entrou na pauta política local, juntamente com agentes espanhóis e ingleses interessados na destruição econômica do concorrente.

No lugar de uma coexistência pacífica entre costume e direito, a busca real do direito universal se traduziu numa guerra que durou uma década. Em 1801, chegou-se a um resultado constitucional com o qual se imaginava o fim do conflito: uma Carta para a colônia que previa a abolição e um governo em que o comando ficava com o líder dos escravos. L'Ouverture foi o primeiro negro a governar um território na América.

Durou pouco. Napoleão Bonaparte, assim que assumiu o poder na metrópole, encarregou-se de realizar uma interpretação própria do novo Iluminismo francês e gerar outro balanço entre força e costume: revogou a abolição, mandou um exército para queimar e destruir tudo na ilha, prendeu numa masmorra, e ali deixou morrer, seu governante constitucional. E, mesmo assim, perdeu a luta que terminou em 1804 com a independência do Haiti e a posse de Jean-Jacques Dessalines como primeiro negro a governar um país na América — um país sem escravos.

Infelizmente os resultados econômicos do processo não tiveram a mesma riqueza dos políticos. Ao fim de tudo, a produção havia sido inteiramente desarticulada, e nem mesmo as potências concorrentes ou os Estados Unidos apareceram para aproveitar eventuais oportunidades. Assim como os franceses, os ocidentais só sabiam operar a economia americana tendo como ponto nevrálgico a exploração de escravos, base das compras vantajosas de produção exportável. Sem isso não havia negócios, de modo que o mercado local haitiano retrocedeu a um nível de trocas quase tribal — e as exportações simplesmente desapareceram. Mas também já não havia como voltar aos tempos pré-revolucionários.

A destruição da produção no Haiti não resultou em melhoras para a situação das colônias inglesas. Na maior delas, a Jamaica, 15 mil escravos morreram de fome com a proibição de se abastecer no mercado dos Estados Unidos, o que ocorria desde a época da independência. Mesmo com a posterior suspensão da proibição e a destruição do Haiti, a situação não melhorou: em 1805 havia 65 engenhos abandonados, 35 em liquidação por falta de pagamento de dívidas — e 1.807 processos de cobrança judicial de atrasos contra os 115 restantes.

Mesmo nesta situação extrema, os ingleses conseguiram uma interpretação diversa das relações entre a realidade da escravidão e o princípio do universal direito à liberdade. Com uma produção industrial crescente, simplesmente chegaram à conclusão de que não havia mais sentido em investir para tentar recuperar um mundo abalado — e resolveram acabar com ele a seu modo. Em 1787, ano em que os Estados Unidos elaboravam sua Constituição, pequenas sociedades abolicionistas, quase marginais, começaram a receber o apoio de políticos importantes e grandes contribuições em dinheiro, desde que trocassem de objetivo central: lutar apenas contra o fim do tráfico de escravos, sem tocar na questão da abolição.

Mesmo um dos líderes beneficiados, Thomas Clarke, não deixou de notar com ironia a nova situação:

> *Quando a América era nossa, nenhum ministro ouviu nenhum gemido dos filhos da África, quaisquer que fossem seus sentimentos perante esse desespero. Mas, quando se levantaram obstáculos insuperáveis, essa afeição foi multiplicada, graças a um maravilhoso concurso de circunstâncias* (apud Williams, 1968:163).

A ideia por trás de tudo era a de manter a produção colonial com escravos, mas impedir os ganhos de traficantes com ela — naquela altura, os norte-americanos controlavam o tráfico em todo o Caribe. Assim, em 1807, no mesmo ano em que entraria em vigor a proibição de importação de escravos nos Estados Unidos, fruto de um acordo constitucional de vinte anos antes, a Inglaterra decretou a mesma lei para si — e passou a tentar impedir que outros continuassem no negócio. Essa política levaria à lenta decadência do sistema colonial em todos os países, enquanto se consumiam produtivamente os escravos existentes nas plantações inglesas.

O PESO DO TRÁFICO NO BRASIL

Esses eventos dos vários exemplos da América marcaram o tempo brasileiro. Os erros e acertos americanos eram conhecidos e analisados pela elite local. E as possibilidades futuras analisadas tendo em vista uma realidade em que não apenas a escravidão, mas também o tráfico de escravos tinham papel central. No caso brasileiro, ao contrário do restante da América, o tráfico de escravos desempenhava uma função crucial no mercado interno, estando muito além dos limites das trocas entre cativos e a produção exportável. Essa faceta central da economia colonial tinha bases históricas sólidas.

Tanto quanto os Estados Unidos, o Brasil também conseguiu abrir importantes brechas no exclusivo colonial, capazes de permitir uma razoável dose de crescimento do mercado interno. A raiz da brecha foi comum: o contrabando. No caso brasileiro, o caminho se abriu cedo, a partir de um ponto central: Potosi. Na virada para o século XVII, esta era uma das maiores concentrações humanas do mundo, com 200 mil habitantes (Amsterdã tinha 60 mil habitantes na época; Roma, 75 mil). Foi preciso muita gente para transformar um morro de quase pura prata em moedas — Potosi produziu aproximadamente 60 milhões de unidades por ano, fora o contrabando de prata não amoedada. O processo consumia algo em torno de 15 mil escravos por ano, mas havia prata suficiente para pagar essa conta. Atrás do metal foram alguns mercadores brasileiros, especialmente do Rio de Janeiro, armando navios para comprar escravos em Angola e vender em Buenos Aires, de onde seguiam até as minas. O sucesso foi tal que logo surgiram indústrias de processamento de prata no Rio de Janeiro e em Salvador.

Os negócios de contrabando foram interrompidos com a tomada, entre 1637 e 1641, dos portos de tráfico africanos pelos holandeses que ocupavam Pernambuco desde 1630. Mas ganharam outra dimensão com a separação entre Portugal e Espanha, em 1640. D. João IV, o novo rei português, autorizou os traficantes fluminenses a tentarem retomar Angola. E prometeu mais que os lucros usuais. Isso bastou para que o território fosse retomado, com um novo dominador, assim descrito por Luiz Felipe de Alencastro:

> *Salvador de Sá — só ele e mais ninguém — detinha recursos no Rio de Janeiro para bancar, organizar e levar a expedição avante. Só ele, seus parentes e sua gente poderiam para ali carrear a maior parte da ajuda, mantimentos, homens, armas e navios da força-tarefa. Aliás, a corte havia reconhecido formalmente os fatos, dando-lhe ao mesmo tempo o governo do Rio de Janeiro e Angola* (Alencastro, 2000:232–233).

O domínio econômico e político desse colonial brasileiro sobre o tráfico de Angola pós-retomada levou à entrada de vários comerciantes no negócio, tanto em Salvador como em Olinda. Assim, os capitais brasileiros dominaram toda essa rota de comércio internacional, sendo capazes de suportar investimentos, riscos, custos de defesa e o financiamento da economia angolana — e a maior parte do capital que permitia o giro dos negócios locais em Luanda vinha do Brasil. Por isso mesmo, ficaram também com os lucros, acumulando riqueza na colônia.

Tudo isso fez com que os traficantes brasileiros embolsassem a maior parte do ganho sobre o transporte de algo em torno de 350 mil cativos trazidos durante todo o século XVII. Mas, apesar do expressivo aumento numérico sobre os 50 mil trazidos no século anterior, a destinação continuou sendo localizada: no Brasil, apenas a região açucareira reunia contingentes expressivos de africanos. Com a descoberta do ouro, no final do século XVII, a multiplicação dos negócios foi imediata. Apenas na década

Johann Moritz Rugendas
Mercado de negros
IN: *VIAGEM PITORESCA ATRAVÉS DO BRASIL*
PARIS: LITH. DE G. ENGELMANN, 1835. QUARTA DIVISÃO. GRAVURA 82
GRAVURA, 19 × 28,5 CM
SEÇÃO DE ICONOGRAFIA DA FUNDAÇÃO BIBLIOTECA NACIONAL, RIO DE JANEIRO

de 1730, 100 mil escravos foram trazidos de Angola para o Rio de Janeiro e distribuídos na região mineradora.

Os comerciantes de Salvador também foram atrás de oportunidades, e encontraram uma. Alegando que iriam fazer contrabando de escravos em território sob domínio holandês na Costa da Mina, e, portanto, não prejudicariam o exclusivo colonial metropolitano, arrancaram uma autorização. A primeira viagem aconteceu em 1721, e até o fim dessa década haviam sido trazidos 80 mil escravos do atual Benim para Salvador. Logo havia uma frota de 24 navios integralmente empregados em viagens entre Salvador e Ajudá, levando tabaco e trazendo escravos. Para manter esse ritmo naval, foram ampliados os estaleiros locais, e, apenas a frota baiana, passou a ser estimada em 2 mil barcos, com suas tripulações, cargas e investimentos. O domínio da Bahia na região africana de compra chegou ao ponto de um mestiço baiano, Francisco Félix de Souza, terminar ali seus dias, já no século XIX, como o grande senhor de Ajudá e o maior mercador de escravos de seu tempo.

Ao final de mais um século, calcula-se que algo em torno de 1,4 milhão de escravos tenham sido trazidos da África para o Brasil. E vieram num negócio inteiramente dominado pelos capitais coloniais. Como bem definiu o historiador inglês Hugh Thomas,

> *Portugal tinha uma participação cada vez menor neste comércio, e suas autoridades sabiam disso; Martinho de Melo e Castro, ministro de Estado em Lisboa, escrevia em 1770: "Não se pode, sem grande tristeza, ver como os coloniais brasileiros tomaram o comércio e a navegação com a costa da África, com a total exclusão de Portugal"* (Thomas, 1997:278).

O domínio do tráfico interoceânico de escravos permitiu que os traficantes coloniais controlassem toda a cadeia de negócios do mercado interno. As chamadas "peças d'África" eram, de longe, a mercadoria central nas trocas — ou seja, a maior mercadoria fornecida em troca da produção que passava pelas muitas rotas comerciais interiores. Das mãos dos traficantes oceânicos eram enviadas para atacadistas — isto é, comerciantes locais capazes de pagar grandes lotes com dinheiro ou mercadorias de alta liquidez, aceitas pelos traficantes, e revender os escravos com lucro no interior. Para chegar a essa situação, é evidente que esse atacadista local deveria ter capital acumulado suficiente para bancar seus riscos. Em outras palavras, aonde chegavam escravos deveria haver mercado para pagar por eles — e acumulação de capital. E, quando chegavam, o capital fluía na direção dos traficantes maiores.

A ligação física entre os grandes traficantes e os atacadistas locais era feita pelos tropeiros, regatões ou monçoneiros — as figuras que chefiavam as caravanas comerciais que levavam a produção de um local para outro, compravam e vendiam sertão afora. Para comandá-las, era preciso capital suficiente para bancar a carga e seu giro. Distribuíam escravos e bens, na ida, para voltar com a produção agrícola, artesanal ou pecuária — produção essa que deveria ter valor suficiente para dar lucros para eles mesmos e ao fornecedor de escravos, no retorno das caravanas ao ponto de partida.

AS RELAÇÕES ECONÔMICAS ENTRE A COLÔNIA E A METRÓPOLE

Esse movimento econômico controlado por uma burguesia local, própria da colônia, dona de uma grande brecha no exclusivo colonial via tráfico, é fundamental para entender o cenário econômico brasileiro de 1800, caracterizado pelo domínio da colônia sobre a metrópole. O ritmo da economia brasileira já nem dependia mais de Lisboa, como mostra um estudo realizado por Frédéric Mauro — ele nota um ciclo ascensional que se inicia em 1787 e vai até 1821, e um ciclo de queda que se estende daí até 1845. Enquanto isso, em Portugal haveria uma parada entre 1770 e 1790, uma ascensão até 1815 e uma queda forte e duradoura até 1850. Dois pontos chamam a atenção: primeiro, o fato de que a recuperação brasileira se iniciou antes, em um momento de franca decadência da produção de ouro — e, portanto, baseado no consumo interno; segundo, que já nesse período o ritmo da economia colonial se desvinculara das oscilações da economia metropolitana: crescimento e depressão já eram mais questões internas da colônia do que o resultado de suas relações com o centro político do Império. Convém observar que a regra valia também para o fim dos ciclos: entre 1815 e 1821, o ciclo de alta brasileiro continuava, enquanto Portugal já tinha economia em queda.

Em outras palavras, não havia mais subordinação econômica da colônia para com a metrópole. O movimento das exportações para Lisboa perdera sua significativa relação com o comportamento da economia local, como notou o historiador:

O que aconteceu no período que vai de 1796 em diante? Se o ouro estava em fase de declínio e o açúcar conhecia uma leve ascensão, como pôde crescer o movimento de exportação neste período? Como se explica o salto de 3,2 milhões de libras, em 1796, para 3,8 milhões, em 1807? Só há uma resposta. Uma diversificação. Efetivamente o traço marcante da economia colonial brasileira é a diversificação da produção (Mauro, 1972:44).

Embora contrarie as explicações tradicionais, segundo as quais a economia colonial era subordinada à metropolitana, a posição de Mauro é ainda cautelosa, concentrando as preocupações nas exportações. Outro estudo, centrado no mercado interno, permitiu conclusões ainda mais ousadas. João Luís Fragoso, analisando o mais importante mercado colonial — o Rio de Janeiro entre 1790 e 1830 —, notou que este tinha um comportamento inverso à tendência internacional; e, mais ainda, percebeu que essa inversão devia-se sobretudo a ganhos com a parte interna da produção: a dos produtos de abastecimento locais. No período 1799–1811, enquanto as receitas de exportação no Rio de Janeiro caíam a uma taxa de 17,9% ao ano, as taxas de crescimento dos principais produtos de abastecimento (farinha e charque) eram positivas, mesmo antes da chegada da corte. Além disso, a importação de escravos cresceu a uma taxa anual de 5,1% em plena retração exportadora.

Obviamente, tal realidade não aconteceu por desejo do governo metropolitano, aferrado ao exclusivo comercial. Ela foi construída contra essa força e com base em outra mais poderosa: a dinâmica do mercado interno. Essa é a conclusão evidente dos dados de pesquisa — mas não casa com a interpretação corrente de que o sentido da colonização era enviar riqueza para fora por meio da violência, deixando um mercado interno ínfimo, com um ritmo que era apenas reflexo do desempenho das exportações.

O conhecimento da autonomia econômica local, propiciado pelos novos estudos que incluem o tráfico na economia colonial, é essencial para entender os comportamentos dos agentes nesse período de transição. A primeira década do século foi toda de expansão da produção e de otimismo. Entre as razões desse otimismo, não se pode deixar de lado o fato de que as consequências das diversas crises de mudança burguesa na América, naquele momento, beneficiavam o Brasil.

Não há exemplo mais claro que o caso do Haiti. Até 1799, todo o suprimento francês de produtos tropicais era feito por sua maior colônia; por conta disso, o comércio entre França e Portugal era desprezível: em 1798, as importações totais francesas desse país foram de apenas 16 contos de réis. Em 1800, com o começo dos problemas na colônia, a França se tornara o sétimo parceiro de Portugal, importando 618 contos. Em 1803, com a revolução dominicana em marcha, as compras saltaram para 2 mil contos. No ano seguinte, o da independência do Haiti, as importações francesas chegaram a 4 mil contos, e a França se tornou o maior comprador de Portugal, superando a Inglaterra e Hamburgo, que se revezavam na liderança. Nos três anos seguintes, essa liderança feita com vendas de produtos brasileiros foi mantida com folga.

Só o surgimento desse novo e gigantesco cliente tornava razoável para os brasileiros imaginar que não havia necessidade de mudar nada na questão dos escravos. Ao contrário, a opção parecia estar na preservação desse estado de coisas. Cada mercado destruído lá fora parecia uma oportunidade interna, com os produtores locais vendendo mais produção escravista daquilo que os concorrentes produziam menos. A tragédia alheia abria até mesmo espaço para novos produtos — e mudas de cana-caiana (muito mais produtiva) e de café vieram dos domínios franceses para impulsionar os negócios brasileiros.

ESCRAVIDÃO SEM CAPITALISMO NO BRASIL

Foi nesse cenário de crescimento econômico que os movimentos revolucionários mundiais passaram a fazer parte da realidade brasileira, transformando o que era mera observação do que se passava lá fora em debate interno. O segundo momento começava. E começava por vias inusitadas. Em vez de ondas revolucionárias, como no resto do mundo, a nova era chegou com figuras absolutistas. A colônia recolheu, em poucas semanas, uma nutrida sobra das guerras napoleônicas, que impunham a realidade contratual e burguesa Europa afora. Eram nada menos de 15 mil cortesãos representantes da ordem que se varria do velho continente, com rei e tudo. Como se pode facilmente imaginar, mesmo estando no papel de migrantes em busca de fazer a vida na América, os integrantes da corte que para cá vieram não eram o tipo de gente predisposta a aceitar o modo de produção capitalista ou as ideias burguesas de igualdade entre os homens.

Representantes da velha ordem, a vinda dos novos imigrantes provocou naqueles que pensavam em preservar uma imensa euforia. A materialização do rei e seus cortesãos foi interpretada como caminho para outro tipo de progresso — aquele derivado da ordem tradicional e capaz de evitar revoluções burguesas. A vida no Brasil seria melhor porque o monarca manteria esse pedaço de mundo à margem das confusões revolucionárias. O pioneiro desse tipo de formulação foi José da Cunha de Azeredo Coutinho, num livro intitulado nada menos que *Análise sobre a justiça do comércio de resgate de escravos da costa da África*, publicado em 1808, logo após a chegada da corte. Para esboçar o centro do argumento, ele gastou apenas o espaço de uma dedicatória:

> *A vós, felizes brasileiros, meus concidadãos e patrícios; a vós, talentos de fogo, cujas cabeças o sol coroa de seus raios; a vós, que um dia fareis brilhar as vossas luzes, sem que vossos campos sejam abrasados; a vós todos dedico esta obra filha de meu trabalho, que só teve em vista vosso bem; obra por cuja causa tenho sido insultado, e perseguido pelos ocultos inimigos de nossa Pátria, e pelos desumanos e cruéis agentes ou sectários dos bárbaros Brissot e Robespierre, estes monstros com figura humana que estabeleceram a regra: "Pereçam antes as colônias que um só princípio"; princípio destruidor da ordem social, e cujo ensaio foi o transtorno geral da sua Pátria, e a rica e florescente colônia de São Domingos abrasada em chamas, nadando em sangue* (Coutinho, 1966:223).

Nada mais claro como reação ao que era novo: apresentar a liberdade individual como um princípio abstrato defendido por idealistas — e gerador apenas de caos social, nunca de uma ordem mais justa. Esse argumento central se desdobrava, na pena rica de Coutinho, num conjunto de imagens invertidas. A luz que iluminava os brasileiros seria a luz natural do sol, não a luz artificial da razão; a que previne o fulgor dos incêndios, não aquela das chamas; seria a da maioria ponderada, não da minoria de sectários; o caminho dos que respeitam as distâncias entre senhores e escravos, nobres e plebeus, não o guia de adoradores dos princípios abstratos de igualdade que as subvertem; daqueles que pensam mais na colônia de São Domingos rica e florescente com seus escravos, que no Haiti revolucionado pela abolição da escravatura.

Em tempos de guilhotina, a imagem final não poderia ser mais significativa:

> *Há trinta anos uma seita começou a espalhar a semente das revoluções para separar as colônias de suas metrópoles.* [...] *Mas, quando já tudo parecia desesperado, e sem socorro humano, o Céu em um instante apareceu alegre e risonho; o vento do mar saltou para a terra, o mar sossegou sua fúria; as naus, soltando as velas, salvaram do perigo a Vossa Alteza, aos seus augustos pais, a toda a família real, para a felicidade dos fiéis portugueses; a alma de Portugal voou para animar o corpo, que pérfidas mãos trabalhavam já por separar da cabeça* (Coutinho, 1966:62).

A versão estritamente econômica desse argumento geral seria produzida quase no mesmo momento por José da Silva Lisboa, futuro visconde de Cairu. Em *Princípios de economia política*, de 1804, ele conseguiu a proeza de fabricar uma defesa econômica do absolutismo numa obra que se apresentava como peça de divulgação do liberalismo de Adam Smith...

Já no início do texto, o visconde considerava "errônea" a "hipótese" de que o indivíduo fosse o sujeito da economia, atribuindo tal absurdo a Rousseau, a quem tratava como "paroxista de Genebra". Segundo o peculiar entendimento do visconde, o sentido maior do liberalismo econômico de Adam Smith viria do reconhecimento da superioridade do governo absoluto sobre o interesse individual. Assim, o liberalismo teria valor porque reforçaria o poder desse governo sobre a sociedade ao redor:

> *O Soberano deve prover para que se faça o devido trabalho, particular e público, com o mais livre, extenso e lucrativo emprego possível de pessoas e capitais, de maneira que jamais falte ocupação honesta a quem oferecer o serviço; a fim de que se obtenha periodicamente o Estado o maior e mais valioso produto geral da indústria* (Lisboa, 1956:121).

A liberdade para agir derivaria da ação provedora do soberano, não do interesse individual; a divisão do trabalho é entendida como confirmação da metáfora das diferentes funções do corpo estamental, não como produto dos mercados livres; a finalidade da riqueza seria beneficiar o Estado — e o indivíduo entraria nisso tudo apenas como um bom súdito.

Nesse contexto de pensar um futuro com os ideais do Antigo Regime, vale notar que entre o homenageado, Adam Smith, e o homenageador, Silva Lisboa, existe um fosso. Mas um fosso que permite compreender muito do modo como no Brasil se pensaria a adaptação à era capitalista. Para entender a natureza dessa versão fundamental, nada melhor que uma dedicatória de outro livro de Cairu, publicado logo em seguida ao citado acima:

> *Senhor,*
> *Devendo ser o voto de quaisquer fiéis vassalos que Vossa Alteza Real seja celebrado em todas as nações; e sendo meu principal empenho que a humanidade consagre a Vossa Alteza Real o ser celebrado em todas as nações; e sendo meu principal empenho que a humanidade consagre a Vossa Alteza Real o título de Libertador do Comércio, mostrando-se Vossa Alteza Real ante as potências da Terra como o mais sábio dos reis, Salomão, e o mais opulento, o monarca de Tiro, com quem se aliou e cuja riqueza e magnificência as Sagradas*

Escrituras descrevem, conservando sempre o sistema da paz e comércio com todas as gentes, e abrindo seus portos para receber as mercadorias de todas as partes do mundo, e pagando assim todos os povos, sem força ou injúria, grandioso tributo à sabedoria e justiça desses tão dignos soberanos (apud Rocha, 2001:63).

Parece também liberalismo à Adam Smith, mas não é. As ideias do escocês versam sobre como a liberdade de mercado pode construir a riqueza das nações. Já Cairu tem como norte a liberdade de comércio — algo que Smith não tinha exatamente em alta consideração. Suas avaliações sobre o ponto aparecem em *A riqueza das nações*, quando critica a obra do fisiocrata François Quesnay. Ao comentar a pregação deste pela liberdade de comércio, diz:

> *Segundo esse sistema liberal e generoso, o método mais vantajoso pelo qual uma nação pode brindar artífices, manufaturadores e comerciantes próprios consiste em assegurar a mais completa liberdade de comércio aos artífices, manufaturadores e comerciantes de todas as demais nações.* [...] *Ao contrário, quando uma nação agrícola, seja com altas taxas, seja com proibições, exerce pressão contra o comércio das nações estrangeiras, ela forçosamente age contra seu próprio interesse.* [...] *Praticando essa política opressiva uma nação pode formar artífices, manufaturadores e comerciantes próprios um pouco antes do que conseguiria fazê-lo adotando a política de livre-comércio — sobre o que, aliás, não resta a mínima dúvida — todavia os formaria prematuramente, se podemos dizer assim, e antes que a nação estivesse madura para eles* (Smith, 2008:295).

A avaliação negativa desse tipo de política é direta:

> *Sistemas que, preferindo a agricultura a todas as demais ocupações e que, para promovê-la, impõem restrições à manufatura, agem contra o objetivo preciso a que se propõem.* [...] *Ao invés de acelerar, retardam o desenvolvimento da sociedade na direção da riqueza e da grandeza real e, ao invés de aumentar, diminuem o valor real da terra ou do trabalho* (Smith, 2008:205).

Ao contrário de Adam Smith, o visconde de Cairu pensava o progresso econômico exatamente como fruto da política fisiocrata do livre-comércio, e não do crescimento do mercado via proteção da produção. Visto de hoje, parece simples reacionarismo — mas o fato é que esse era um pensamento realista. O rei materializado propiciava a diferença fundamental, tornava viável o projeto de um futuro a partir de um Estado absolutista. Em qualquer outro ponto da América dessa época, uma monarquia do Antigo Regime era uma fantasia abjeta num momento revolucionário; no Brasil, tornou-se a base efetiva que deu substrato ao projeto conservador.

Foi com base nesse projeto que a economia brasileira passou a ser dirigida ao modo de uma nação soberana — cujo crescimento se acentuou com a chegada do rei e seus atos. A abertura dos portos e a liberdade de comércio, apesar da precariedade dos dados existentes sobre a questão, não geraram uma onda de importações. Pelo contrário, a situação de guerra na Europa provocou forte contração nas transações externas brasileiras, tanto de importações quanto de exportações, nos dois anos imediatamente seguintes à vinda do rei. E por muito que se fale na onda de comerciantes ingleses, a realidade parece ter sido de uma balança comercial superavitária no período.

Por outro lado, a dinâmica interna da economia colonial não foi perdida nem mesmo com a brusca queda nas exportações e importações. Tal comportamento só foi possível porque o mercado interno mostrou-se inteiramente capaz de não apenas compensar as perdas nas transações externas, mas de elevar ainda mais o nível da atividade econômica, numa evidência clara de que era o centro dinâmico da economia.

E, do ponto de vista do mercado interno, a presença da corte teve um impacto tão importante como geralmente pouco notado por historiadores. A instalação de todo o seu aparato no Brasil foi realizada sem traumas fiscais, apenas com alterações bastante secundárias na tributação. E foi assim pelo simples motivo de que tanto os salários de empregados públicos quanto as despesas correntes da máquina administrativa — agora instalada no Rio de Janeiro — puderam ser quase totalmente cobertos com os impostos que se recolhiam na própria colônia antes da mudança. Em outras palavras, o dinheiro dos brasileiros já pagava a conta do governo metropolitano. A questão foi outra: o que antes era dinheiro recolhido dos moradores do Brasil e transferido para o consumo na metrópole passou a ser dinheiro gasto por funcionários e entidades administrativas para movimentar a própria economia brasileira. Apenas os funcionários superiores das instituições instaladas no Brasil consumiam 42% do total de salários pagos pelo governo do Reino.

Essa massa de dinheiro agora aplicada na economia local explica boa parte do crescimento da economia brasileira nos anos seguintes a 1808, mesmo com a forte contração dos negócios externos. Instituições investindo em instalações e manutenção, mais 15 mil consumidores de alto padrão no Rio de Janeiro marcaram o início de uma onda de crescimento da economia brasileira. Para reforçar ainda mais o movimento, assim que perceberam o potencial do mercado, muitos dos recém-chegados passaram a trazer capital da metrópole para investir no Brasil.

A má sorte dos comerciantes ingleses também ajudou na melhoria das condições econômicas. A primeira onda de enviados era basicamente formada por pessoas cheias de produtos e sem capital, dependentes, portanto, da venda rápida de suas mercadorias. Encontraram uma realidade onde as liquidações em dinheiro eram raras e os atacadistas locais tinham capital para bancar estoques. Como resultado, muitos acabaram liquidando suas cargas em leilões, com prejuízo — e o lucro ficou para os traficantes.

A dificuldade desses comerciantes derivava da estrutura do comércio externo do Reino. Antes das guerras, a Inglaterra era um parceiro comercial relevante de Portugal, mas não o mais significativo. Hamburgo, França e Itália tinham transações igualmente importantes, todos se revezando na liderança a cada ano. Dos quatro, a Inglaterra era a única para a qual a produção do Reino (especialmente vinho e pescados) tinha um peso substancial nas transações. Quase não consumia produtos brasileiros, pelo singelo motivo de que o mercado inglês para produtos tropicais era reservado à produção de suas próprias colônias. Sendo assim, a produção brasileira ia quase integralmente para os mercados que a guerra fechara — o que ajuda a entender a falta de alternativas dos comerciantes ingleses para trocar seus produtos por produção brasileira.

Para sair da posição de fragilidade, os comerciantes ingleses precisaram de mais do que a generosidade de d. João VI e sua política de livre-comércio. Pelo Tratado de Comércio e Navegação, assinado entre Portugal e Inglaterra em 1810, durante um período mínimo de 15 anos, as mercadorias inglesas pagariam direitos alfandegários de 15%; o tráfico de mercadorias interno ao Reino de Portugal, entre colônia e metrópole, ficava taxado em 16%; as demais nações pagariam 24%. Na via inversa, os mercados ingleses continuavam tão fechados como antes para os produtos brasileiros.

Este era apenas o ponto econômico central de uma série de disposições assimétricas. O conde de Palmela resumiu numa única frase tanto o conteúdo do acordo quanto os sentimentos de boa parte do governo e dos brasileiros: “Este tratado é, na forma e na substância, o mais lesivo e o mais desigual que jamais se contraiu entre duas nações independentes” (apud Lima, 1945:380). Ela basta como resumo global.

Do ponto de vista econômico, há três pontos centrais que, de conjunturais, foram transformados pelo tratado em estruturais — todos indo muito além do simples comércio. Neste setor específico, como notou Oliveira Lima, possivelmente os efeitos das tarifas foram secundários, podendo eventualmente até ter beneficiado conjunturalmente o Brasil. Mas a fixação de tarifas num tratado ia muito além do comércio: trazia definições econômicas fundamentais para toda a economia brasileira.

A primeira e mais importante questão era que, admitindo fixar tarifas por prazos longos, o governo simplesmente alienava sua soberania na gestão interna da economia. Alterar tarifas de acordo com a conjuntura é prerrogativa básica para a condução de políticas econômicas. A fixação de um número num tratado internacional significou a perda dessa capacidade, não apenas perante os ingleses, mas ante todos os parceiros econômicos ao longo do período de vigência desse tratado.

O segundo ponto, quase tão fundamental quanto o primeiro, estava na perda da capacidade de proteger o mercado interno e o trabalho. Com o patamar de 15%, muito baixo para uma época de monopólios e restrições comerciais, a produção inglesa concorria quase que diretamente com a brasileira — ainda com as vantagens da maior produtividade e muito maior capitalização. Salvo a produção de mercadorias que o concorrente não produzia, todo o demais estava exposto à concorrência desleal. A esse ponto estava associado outro: a facilitação de entrada de produtos estrangeiros gerava déficits comerciais, na época cobertos pelo envio de moeda para o lado superavitário — e falta dessa mesma moeda no lado deficitário.

O terceiro ponto diz respeito à estrutura das receitas do governo. Quase toda ela então derivava de impostos alfandegários, gravando o comércio exterior. Fixar baixas tarifas era o mesmo que decretar a diminuição das receitas públicas a longo prazo. As únicas opções para manter o volume de despesas do momento da assinatura do tratado e as contas em equilíbrio seriam a diminuição das receitas ou o aumento dos impostos sobre a atividade interna — que, para concorrer com as importações privilegiadas, ficaria então ainda mais débil do que no ponto de partida.

Esses três pontos foram claramente percebidos mesmo na época e geraram críticas como as do conde de Palmela. Há hoje uma relativa facilidade para entendê-los, porque refletem o que mais tarde se tornaria senso comum para avaliar as políticas de economias capitalistas.

Mas a questão, na época, não era tão simples assim. Havia os que defendiam o tratado como um ato adequado para a construção do futuro do Brasil — entre os quais se destacou novamente o visconde de Cairu, com seu livro *Observações sobre a franqueza da indústria e estabelecimento de fábricas no Brasil*, publicado logo em seguida ao acordo. E ele fazia a defesa com argumentos coerentes com aqueles do momento anterior, em que apresentava o livre-comércio como um caminho para um futuro, mesmo que não fosse capitalista nem industrial. Pela importância, o argumento merece ser detalhado.

A visão estratégica, de longo prazo, era singela:

> *Reintegrando-se, como é de se esperar, na paz a monarquia, os gêneros coloniais devem ter vastos mercados na Europa; e com a franqueza do comércio e indústria, interior e exterior, provavelmente poderemos vencer aos competidores na venda de iguais produtos; e consequentemente não convém com privilégios distrair fundos de nossa agricultura, e ramos estabelecidos e assaz rendosos, e menos ainda com a mão do governo levantar fábricas rivais das estabelecidas no Reino, devendo as do Brasil serem antes filiais que inimigas, postas em desnecessária competição* (apud Rocha, 2001:226).

O curioso desse raciocínio é apresentar a venda de produtos agrícolas a baixo preço como objetivo nacional de longo prazo, que deveria ser perseguido inclusive com políticas deliberadas do governo para evitar o estabelecimento de indústrias. Por cumprir esse elevado objetivo, o visconde apresentava como positivas para os interesses nacionais as imposições do acordo. E, de modo peculiar, justificava a medida repassando cada um dos três pontos essenciais tratados acima.

Para a primeira questão, a da perda da soberania na política econômica, a resposta era apresentar a produção econômica de gêneros coloniais como fruto da natureza, e o bom governo como aquele que agia de acordo com as indicações naturais do Criador. Deste modo dizia, por exemplo, que "as indústrias de seda são naturais da França assim como as de lã são naturais da Inglaterra". E indicava a política econômica dos Estados Unidos como um caso de sucesso desse "seguir a natureza":

> *Deve-se notar que há no Brasil não só igual, mais ainda maior razão para seguir, em matéria de fábricas, a prática da América do Norte, pois a população brasileira principal é de escravos, e a de brancos e gente livre é pequena e avança muito lentamente, pela desgraçada lei do cativeiro, que dificulta os casamentos de pessoas de extração europeia, e obsta a formar-se um corpo de nação homogêneo. Convém-lhe pois, pela necessidade das coisas, o trabalho dos campos, visto a óbvia e fácil colheita dos frutos da terra, e o simples fabrico*

e transporte de coisas grosseiras, que está mais na esfera e possibilidades do homem do povo. O número de indivíduos das classes superiores mal chega para dirigir aquele geral trabalho do país. Portanto, se nos Estados Unidos da América a população é toda, ou quase toda composta de gente livre, e de ainda muitos artistas e fabricantes expatriados da Europa, o governo não achou logo possível, ou prudente, o estabelecimento de fábricas, não devemos desaproveitar uma experiência e razão forte, presumindo de melhor entendermos os nossos interesses para querermos a torto e a direito já insurgir, e pretender rivalizar na indústria manufatureira que têm por si redundante população (apud Rocha, 2001:221).

Hoje é fácil perceber que os Estados Unidos não seguiam de modo algum essa política de considerar a indústria imprudente. Assim se pode distinguir sem dificuldade o tipo de sofisma empregado pelo visconde. Embora pareça um argumento fundado na experiência, ele é de outra espécie. As definições da "natureza" das populações, com um Brasil sem gente livre e os Estados Unidos sem escravos, que fundam todo o argumento, não eram propriamente empíricas, e o mesmo acontecia com as diferenças no modo de pensar o futuro industrial da economia. Quando Cairu diz, por exemplo, que o governo dos Estados Unidos não "achou prudente" incentivar a indústria mesmo com "a população quase toda composta por pessoas livres", o leitor pode ser levado a imaginar que ali não havia escravidão e que a política econômica norte-americana era pautada pelas exportações agrícolas.

Mas a inversão tinha sentido. Com ela, o tratado de 1810 podia ser apresentado como adequado para o cumprimento da mais elevada das finalidades — a plena soberania sobre política econômica —, na medida em que ajudava a cumprir o destino "natural" da economia brasileira. E essa elevada finalidade também seria a base sobre a qual se assentaria a defesa do segundo ponto, que trata da proteção do mercado nacional. Mesmo na época, a fundamentação mais substantiva contra o acordo era a de que nem os Estados Unidos, e muito menos a Inglaterra, permitiam acesso a seus mercados — pelo contrário, tratavam de protegê-los com todas as forças de que dispunham. Nesse caso, o argumento era o seguinte:

Tem-se dito que nada se pode considerar mais contrário à justa reciprocidade dos direitos dos governos e dos povos do que recebermos todos os gêneros, fazendas e mercadorias dos ingleses que, de fato, monopolizam o nosso mercado, quando aliás não recebem para o consumo de seus estados na Europa

> *todos os nossos principais gêneros coloniais; nem nos abriram os portos de suas colônias, sustentando seu antigo sistema. Sobre esta desigualdade tão enorme (dizem alguns) é absurdo acrescentar outra de atraí-los com legais convites para o Brasil, e deixar-lhes fazer estabelecimentos e fábricas que lhes dão ganhos imensos, que nunca poderemos ter na Inglaterra, fazendo tais estabelecimentos* (apud Rocha, 2001:308).

Feitas as considerações, vinha a resposta:

> *Ser o nosso sistema mais liberal, e ter nosso governo superiores ideias generosas e políticas, é só de sua honra e glória privativa, e em nada prejudica o Estado, antes lhe dá realce e esplendor. Nós seremos os principais ganhadores em tal sistema: por ele o povo terá a mais vasta indústria, mais ramos de trabalho e tráfico, mais certeza e extensão de mercado e mais capitais adventícios. Que nos importam os ganhos e interesses dos ingleses em seus tráficos e interesses no Brasil? Também não temos nisso ganho e interesse?* (apud Rocha, 2001:308)

O leitor atual pode encontrar algumas dificuldades para imaginar que um tratado pelo qual um governo abdicava da soberania sobre política econômica externa e defesa do mercado interno possa ser justificado racionalmente como adequado aos interesses nacionais. Mas o entendimento pode ganhar outra ordem quando se considera que o bem maior do defensor do tratado não era nem a competição com estrangeiros nem o progresso industrial, mas a coroa na cabeça de um rei. Cairu pensava como o leal súdito de um monarca absolutista, e não como um cidadão interessado num governo burguês. Nesse sentido, o tratado sustentava um objetivo maior: o conjunto cabeça coroada/corpo social.

O curioso no pensamento de Cairu é que ele empregava a linguagem dos economistas liberais para defender ideais absolutistas. Retraduzia a linguagem econômica liberal como prova adicional de que o governo autocrático é sempre sábio, porque observa a economia da natureza — como no modelo aristotélico que formava a base filosófica do Antigo Regime. Por isso, as obras do visconde eram mais do que um simples exercício ideológico. Eram justificativas quase oficiais das políticas de governo, de modo que nos ajudam a entender as opções que estavam sendo tomadas. A partir do tratado de 1810, deixaram de existir as alternativas de desenvolvimento da economia brasileira na direção do capitalismo e se fixou uma política pela qual a exportação de "gêneros coloniais" passava a ser a prioridade.

Não apenas porque os ingleses forçavam o caminho, mas também porque se queria manter um governo absolutista.

E vale ainda notar uma dificuldade adicional trazida pelo tratado para uma economia em que a principal atividade econômica era o tráfico de escravos. Entre as várias disposições do acordo, havia uma, imposta pela Inglaterra, em que os portugueses reconheciam tanto a "injustiça e inutilidade" do tráfico de escravos quanto a "desvantagem de introduzir e renovar uma população artificial" no Brasil, de modo que se disporiam a estudar medidas destinadas "a garantir a abolição do dito tráfico". Era um começo jurídico, embora o negócio continuasse legal.

Para ajudar na apreciação hermenêutica da letra do tratado, a Marinha inglesa apreendeu 17 navios baianos traficando no antigo Daomé — o que, então, era um negócio legal. Quando o governo foi reclamar, recebeu um comunicado do embaixador dizendo que o rei português deveria de agora em diante considerar "Sua Alteza Real o príncipe regente da Inglaterra como protetor e até certo ponto aliado daqueles infelizes e oprimidos" (apud Verger, 1978:302). Começava assim o longo processo de corte dos laços econômicos que uniam o Brasil à África, e sua substituição pela fraternidade do humano imperialismo britânico.

Com tantos problemas e tão pouca margem para manobras, mesmo as possibilidades de manter uma economia produtora dos tais "gêneros coloniais" pareciam pequenas. Mas ainda assim o milagre se fez, apesar das dúvidas e rumores de queixosos. O governo de d. João VI, apesar de toda a reação ao tratado de 1810, encontrou meios não apenas para se legitimar, como para manter a popularidade e o crescimento da economia.

O segredo desse milagre reside no tratamento dado ao terceiro ponto afetado pelo tratado: a capacidade do governo de continuar gastando e mantendo atividade no mercado, mesmo com suas receitas diminuídas. Ao contrário dos dois primeiros pontos, nos quais a soberania foi inteiramente alienada, agora poderia haver uma alternativa: o governo teria a possibilidade de retirar, além dos impostos, dinheiro suficiente da população para cobrir a diferença entre receitas e gastos, prometendo repor esse dinheiro amanhã, com juros.

Não parecia uma situação atraente para eventuais emprestadores, pois a posição do governo era potencialmente desastrosa, mas entre o desastre em potência e o desastre real havia uma brecha de tempo, existia margem para ação. E aqueles governantes absolutistas errantes eram mestres em agir sobre brechas mínimas, encontrar depressa todos os expedientes possíveis para manter a união entre cabeças coroadas e corpos sociais, ao preço que fosse.

A brecha, no caso, era a pequena dívida do governo com a economia colonial. E era pequena pelo simples motivo de que todo o sistema de crédito da colônia restringia-se à esfera familiar, uma vez que até 1808 era proibida aos coloniais a constituição de empresas. Todos os empréstimos e financiamentos eram feitos apenas pelo que hoje chamamos pessoas físicas (já que não existiam as pessoas jurídicas). As relações entre as fortunas dessas pessoas e o governo eram anualmente liquidadas na forma de impostos. Era um sistema rude, mas que não deixava rastros: os moradores forneciam renda, mas não davam crédito ao governo. Apesar de tudo, isso tornou possível que um número significativo de moradores da colônia acumulasse posses e montasse seus negócios.

A transferência dessas fortunas — que, embora guardadas em casa, eram o capital que movia a economia local —, para o governo garantiu a continuidade da economia. O instrumento que produziu o milagre tinha um nome: Banco do Brasil. E a estrutura do milagre foi simples: oferecer regalias e privilégios àqueles que se dispusessem a comprar suas ações e captar os fundos guardados.

Um comerciante estrangeiro atilado não tinha dificuldade para desconfiar da situação. Louis François Tollenare, no Recife, anotou em seu caderno de observações: "Não se deve esquecer que os bancos só alcançam tantos privilégios do governo porque se comprometem, ao menos tacitamente, a conceder-lhe grande crédito" (apud Lima, 1945:245). Mas, para um comerciante da colônia, a conta era outra: a partir de certo limite de privilégios para os acionistas, eles mesmos também obtinham crédito do banco, ficando sócios do governo na atividade de captar fundos alheios. Eventuais problemas seriam, assim, mais dos tomadores dos papéis do banco, tomadores esses que os próprios acionistas se encarregaram de encontrar.

Uma vez em marcha, a emissão não cessou. A história da política econômica da década de 1810, na falta total de opções, resumiu-se em obter um crescimento relativamente ordenado da dívida do governo, quase toda investida na simples manutenção da máquina administrativa. Nesse primeiro momento, a política de endividamento permitiu a continuidade do ciclo de alta da economia, especialmente a partir da retomada das exportações, em meados da década.

Era o bastante para satisfazer o rei e a maioria conservadora de seus financiadores — traficantes e comerciantes —, mas não o suficiente para contentar os mais prejudicados: aqueles que não produziam "gêneros coloniais". Ainda mais numa década onde praticamente toda a América se tornara independente e se organizava em repúblicas, sonhando com uma nova era de desenvolvimento na liberdade.

Mas a consolidação tanto de um governo com capacidade de manobra e prestígio quanto de uma ligação estável, embora negativa, com a maior potência do planeta transformava a tarefa dos liberais brasileiros em algo muito maior do que a de seus contemporâneos de continente. Uma coisa era organizar um governo sobre o vácuo de autoridade, como na América hispânica; outra, muito diferente, reunir interesses para derrubar uma monarquia com força, capacidade e apoio externo.

O movimento liberal de maior amplitude na época foi a Revolução de 1817, em Pernambuco. Desde a virada para o século XIX, essa era a região de maior superávit comercial da colônia — e, por isso mesmo, quase um território de caça do fisco. Tentativas de extração forçada de riqueza estiveram por trás da divisão territorial da capitania (Ceará, separado em 1796; Paraíba e Rio Grande do Norte, em 1799). Com a chegada da corte, foi a única a ter rendas das alfândegas desviadas para o Rio de Janeiro. O tratamento fiscal desigual e as dificuldades para o setor interno, após o tratado de 1810, somaram-se como causa para o movimento, que não ultrapassou as fronteiras locais. Afora esse momento, o liberalismo foi quase só questão de opinião, expressão do descontentamento.

Por isso, a ruptura revolucionária mais importante acabou vindo do lugar realmente mais prejudicado pelos acontecimentos: Portugal. Se os liberais brasileiros tinham angústias com relação ao futuro, o liberalismo português alimentou-se de um passado melhor que o presente. O Reino sofreu desde o início com a mudança da corte. Todos os benefícios fiscais e de mercado interno da colônia significaram prejuízos fiscais e perda de consumidores enriquecidos para a metrópole. Todos os ganhos de intermediação comercial da abertura dos portos transformaram-se em prejuízo para os comerciantes reinóis. Muitos dos ganhos ingleses com o tratado de 1810 fizeram-se contra as receitas do comércio lisboeta. Um número simbólico resume a decadência: em 1807, entraram no porto do Rio de Janeiro 777 navios portugueses; em 1820, foram 269, dos quais apenas 57 procedentes de Lisboa.

Esse quadro econômico explica como uma classe que há séculos apoiava uma monarquia absolutista, os comerciantes do Porto e Lisboa, vestiu a pele de revolucionários liberais. Ao contrário dos liberais brasileiros, esses recém-convertidos tinham vantagens de ação: um centro de poder distante, autoridade sem prestígio, descontentamento geral. A

Revolução de 1820 começou no Porto, e em poucos meses havia liberais no poder e uma Constituição sendo feita. Eram liberais bastante peculiares, já que o primeiro ponto do programa revolucionário era a volta do rei absolutista, com toda a sua corte e administração, para Lisboa. Conseguiram: no dia 7 de março de 1821 o rei publicou um decreto determinando a volta da corte.

O impacto econômico da medida começou a ser sentido no mesmo dia: os retornados fizeram fila na agência do Banco do Brasil para trocar os títulos do banco por ouro. Nos dias seguintes foi preciso colocar guardas para garantir a continuidade das trocas. Acabaram-se os fundos, de modo que o rei decretou, no dia 23, o reconhecimento da dívida do Erário ao banco como dívida nacional. Com isso, pôde determinar que todas as reservas em ouro e diamantes do Real Erário fossem formalmente transferidas para o banco, para cobrir as dívidas. Na prática, essas reservas apenas propiciaram a continuidade dos saques.

A corte finalmente partiu no dia 25 de abril. O resumo financeiro do movimento foi o seguinte, segundo Afonso Arinos de Melo Franco:

> *Ficou famoso o verdadeiro assalto ao Banco do Brasil. O próprio rei, que pelo decreto de 23 de março havia assumido tão honesta atitude em relação ao banco, mandando depositar no banco inclusive as joias da Coroa, não se pejou em retirar, além dos recursos que possuía, os próprios diamantes que tinha entregue como doação. Desaparecia, destarte, a única esperança de reembolso dos investidores, pois os impostos consignados à satisfação da dívida mal acobertavam as necessidades da despesa pública.* [...] *Até as moedas de cobre foram raspadas, e o banco ficou na situação de uma casa vazia, para não dizer o pior. Era o espectro da falência* (Franco e Pacheco, 1979:94–95).

Em julho, a insolvência foi assumida oficialmente, por um decreto que suspendia a troca dos bilhetes do banco por ouro e obrigava o curso forçado dos papéis emitidos. As pessoas que haviam adiantado seu dinheiro para o governo, esperando receber mais no futuro, tinham agora papéis que valiam no mercado uma fração do dinheiro avançado. Enquanto isso, o governo continuava a emitir mais títulos como forma de pagamento de suas despesas, contribuindo para aumentar sua desvalorização.

Estava, pois, estabelecida a crise, marcando o fim do longo movimento de alta que vinha desde o último quarto do século anterior. Nesse novo cenário começa o terceiro movimento da conjuntura, caracterizado pela criação de um país independente.

E começa numa realidade internacional em que o capitalismo já não era mais uma aposta no futuro, mas o presente inexorável. Em que, também, os tempos de lucros provisórios com revoluções alheias haviam desaparecido, e os prejuízos no contato com as economias mais avançadas na direção do capitalismo eram permanentes. Finalmente, no momento econômico em que as perdas com as apostas de um futuro baseado na especialização em "gêneros coloniais", como propunha Cairu, estavam sendo realizadas. Em poucas palavras, as oportunidades eram muito menores agora do que vinte anos antes.

A imposição da mudança capitalista chegara ao ponto em que nem os traficantes de escravos mais conservadores nem mesmo o regente d. Pedro entretinham ilusões de que poderia haver possibilidades fora do caminho dos princípios iluministas. No campo econômico, o crescimento do mercado interno passava a ser sinônimo de maior interesse nacional, motivo central da organização de um país.

O PROJETO DE JOSÉ BONIFÁCIO

José Bonifácio de Andrada e Silva foi o responsável por encontrar uma fórmula de baixo custo econômico e alta eficiência política para tornar viável a mudança em tempos de crise — ou seja, numa época em que nenhum dos atores tinha fórmulas otimistas para apresentar. Em troca de importantes concessões como a existência do Parlamento e a elaboração da Constituição, os liberais concordaram com a implantação de um governo de unidade nacional (ou seja, com a manutenção da administração controlada por conservadores e a aceitação do regente como monarca) e de transição para novos tempos. Com base no acordo, antes mesmo da independência formal foi possível convocar a Constituinte, enviar embaixadores para vários países e obter controle sobre uma razoável fatia do território brasileiro. A eficiência desse projeto após o Sete de Setembro, data da independência, foi tão alta que, antes mesmo de assegurada a autoridade em alguns pontos, já havia representantes eleitos desses territórios trabalhando na elaboração da carta constitucional.

Além de eficiente para encontrar caminhos políticos, José Bonifácio foi fundamental para equacionar a questão central que marcava a transição para o capitalismo na América: a escravidão. Também nesse campo conseguiu uma proposta inovadora. Profundo conhecedor do pensamento iluminista, tinha acesso também às versões americanas de sua aplicação.

Ao contrário de norte-americanos como Thomas Jefferson, que acreditava numa inferioridade dada muito mais pela condição da raça do que pela situação de escravo, José Bonifácio adotou o ponto de vista oposto: considerava todas as raças iguais e a condição de escravo como geradora de diferenças. Por isso, propôs à Constituinte resolver o assunto tendo como objetivo de longo prazo a integração dos escravos libertados do cativeiro como cidadãos plenos. Essa passagem da situação de escravo para a de cidadão era, para ele, a grande razão pela qual o país nascente necessitaria de um governo monárquico de transição.

Ao contrário dos iluministas de seu tempo, depositaria todas as esperanças na transição dos costumes, e não na razão. Em *Representação sobre a escravidão*, documento enviado ao Parlamento em 1823, aparece o motivo: a miscigenação.

> *É tempo que comecemos a acabar com todos os vestígios da escravidão entre nós, para que venhamos a formar em poucas gerações uma nação verdadeiramente homogênea, sem o que nunca seremos verdadeiramente livres, respeitáveis e felizes. É da maior necessidade irmos acabando com tanta heterogeneidade física e civil; cuidemos pois, dês já, em combinar sabiamente tantos elementos discordes e contrários, em amalgamar tantos metais diversos, para que deles saia um todo homogêneo* (apud Caldeira, 2002:201–202).

Enquanto, para Jefferson ou Rousseau, o costume se associava a força e escravidão, José Bonifácio o pensava como mecanismo capaz de superar as desigualdades da força e de implantar liberdade e igualdade. E tudo isso porque brasileiros de origens étnicas diversas tinham o costume de casar entre si. Como resultado de seu projeto, a Constituição dotou os libertos de cidadania integral, ao contrário dos Estados Unidos, onde legislações locais tiravam os direitos inclusive dos negros libertos. Com isso, já em 1829, o primeiro negro foi eleito para o Parlamento brasileiro: José Rebouças, futuro senador pela Bahia.

Nesse caso, a impressão é de utopia. Mas aqui também pode ser usado o dado demográfico como critério para avaliação. Francisco Vidal Luna e Herbert Klein descrevem deste modo as diferenças demográficas entre os dois países:

> *Embora a sociedade escravista brasileira do século* XIX *diferisse pouco da existente no sul dos Estados Unidos em termos de tamanho e peso relativo da população cativa e seus senhores, houve diferenças significativas entre essas duas sociedades*

Luís Aleixo Boulanger

José Bonifácio de Andrada e Silva, 1834

IMP. LEMERCIER, PARIS. A. MAURRIN AINÉ. LITH.

LITOGRAVURA, 33 × 25,5 CM

SEÇÃO DE ICONOGRAFIA DA FUNDAÇÃO BIBLIOTECA NACIONAL, RIO DE JANEIRO

no tamanho de sua população livre. Enquanto nos Estados Unidos mais de 95% da população livre era branca, na maior parte do Brasil os brancos tendiam a compor menos da metade da população livre. No início do século XIX *o Brasil possuía a maior população livre de cor de todas as sociedades escravistas da América* (Luna e Klein, 2006:197).

Tratava-se, portanto, de um projeto que tinha bases empíricas; que depositava muito mais confiança na sociedade do que no Estado, no Parlamento que a representava do que no Executivo nascido da divisão dos poderes absolutistas. Mas esse projeto não vingou imediatamente — e não pelo que tinha de bom, mas porque havia um monarca se revelando cada vez mais absolutista.

A VITÓRIA DA COROA

D. Pedro I foi capaz de atrair os conservadores para o golpe que fechou a Constituinte. Os parlamentares, com José Bonifácio à frente, resistiram, e foram presos ou deportados. O monarca promulgou a Constituição, mas acrescentando uma divisão de poderes que lhe parecia mais palatável. No lugar dos três poderes tradicionais — Executivo, Legislativo, Judiciário —, incluiu um quarto — o Moderador —, definido no artigo 98 da Carta como "a chave de toda a organização política, delegado privativamente ao imperador, como primeiro representante da Nação, para que vele incessantemente pela manutenção da independência, harmonia e equilíbrio dos demais poderes". Nessa peculiar concepção, o equilíbrio dos poderes não era garantido por sua divisão, mas pela submissão ao dono da chave. O artigo 99 definia como absoluta a submissão: "A pessoa do imperador é inviolada e sagrada. Não está sujeito a responsabilidade alguma."

Foi no uso pleno desse poder pessoal absoluto e irresponsável que d. Pedro I estabeleceu o caminho do Brasil no mundo capitalista. E fez isso favorecendo sua pauta pessoal de poder em detrimento da nação. O Tratado de Reconhecimento da independência, assinado em 1825, moldou todo o quadro econômico do período seguinte — e não exatamente de modo favorável.

Para começar, afrontou os liberais. O tratado trouxe para o direito do novo país tudo aquilo que os liberais chamavam de "privilégios" que a Inglaterra obtivera do governo de Portugal no tratado de 1810:

vantagem alfandegária, tarifa privilegiada e baixa, direito a juízes próprios para os cidadãos ingleses, monopólios de navegação etc. Mas não se esqueceu de afrontar também os conservadores: pelo tratado, o Brasil aceitava a extinção do tráfico de escravos num prazo de cinco anos.

Em troca, o tratado permitia a d. Pedro reclamar sua herança ao trono português. Como meio para afagar os futuros súditos, previa uma indenização de 2 milhões de libras esterlinas à antiga metrópole. Além dessa indenização, havia outros dois empréstimos, totalizando 3 milhões de libras. O destino do dinheiro desses últimos foi o seguinte:

> *Somente 600 mil libras foram enviadas ao Banco do Brasil. O restante foi empregado em expedições militares e missões diplomáticas na Europa. Sendo assim, os objetivos econômicos para a obtenção dos empréstimos não foram levados em consideração na utilização dos recursos. A situação monetária do país piorou consideravelmente, graças à má administração dos empréstimos* (Peláez e Suzigan, 1981:50).

Resumindo: dos 5 milhões de libras de dívidas, 4,4 milhões não foram aplicados no Brasil. O valor equivalia a um ano de exportações, algo em torno de 15% do PIB brasileiro. Era gasto do governo com interesses do imperador que não eram da nação. Ficava para esta apenas a conta do dinheiro a serviço pessoal do monarca, a ser paga pelos contribuintes, com a riqueza que pudessem criar. E, claro, o tratado piorava ainda mais as já precárias condições de gerar essa riqueza.

Prevendo o descontentamento quando essas simples verdades se tornassem públicas, o imperador tratou de providenciar o mais tradicional desvio de atenção utilizado nessas situações: uma guerra contra a Argentina, para dirigir os ódios contra um eventual inimigo externo, declarada no final de 1825. O reflexo econômico foi imediato. No ponto inicial do país independente havia 8,8 mil contos em títulos de dívida do governo. Com todos os problemas da independência, até o final de 1824 o total passara para 11,4 mil contos, com um aumento de 29%. Apenas em 1827, o primeiro ano de impacto das novas condições dadas pelo tratado de reconhecimento e pela guerra, o aumento de emissões foi de 61% — e o total de títulos em circulação chegou a 21,5 mil contos, num tempo onde o orçamento do Império era de 12 mil contos. Não bastasse isso, no mesmo ano o governo resolveu colocar em circulação moedas de cobre com alta taxa de senhoriagem (isto é, com valor de face muito superior ao valor do metal). Foi o que bastou para que comerciantes importassem ou contrabandeassem o cobre que pudessem, tratando de cunhar eles mesmos as moedas falsas e abocanhar a diferença de valor.

Como na época já havia imprensa, existia também a tradução da linguagem técnica em exemplo palatável para pessoas comuns, como esta publicada na edição de 26 de junho de 1828 do *Astreia*: "Já que na terra houve um Midas, que quanto tocava virava em ouro, nós cá temos um banco que quanto ouro existe volatiza, evapora ou muda em papel." Em 30 de setembro, o redator voltou ao assunto, para explicar o processo de maneira um pouco mais detalhada:

> *A nação é devedora do banco de uma quantia da qual paga juros de 6% ao ano, e o banco continua a suprir o Tesouro com notas sem que isso lhe custe um só vintém em dinheiro. Isso vem a ser que as notas do banco não representam um valor em caixa, mas sim uma dívida do Tesouro para com os particulares, e só os acionistas é que lucram, porque só por eles se divide o juro que a nação paga, sem que o verdadeiro credor do Tesouro, o particular portador da nota, receba coisa alguma.*

Em outras palavras, o banco onde os depósitos e transações comerciais comuns representavam uma parcela cada vez menor dos negócios, para as pessoas que entregavam moeda metálica em troca desse papel que prometia juros, estava se transformando num corretor caro para distribuir títulos do governo. Já aqueles que recebiam os títulos, as pessoas que entregavam moeda metálica, com a crise que se instalou, só conseguiam obter moeda metálica de volta se aceitassem trocar seus títulos com um grande deságio, que chegava a quase 100% no caso do ouro. Esse deságio se alastrava por todos os preços da economia, num processo que atualmente se chama inflação.

Além da imprensa, desde 1826 funcionava um Parlamento, que também procurava controlar os excessos, até mesmo de um monarca com poderes despóticos. Em 1829 o Parlamento simplesmente votou uma lei mandando liquidar o banco e colocando em circulação papel-moeda. Com isso conseguiu, ao menos, a extinção da cara comissão representada pelos dividendos dos acionistas, além de não pagar juros pelo papel que circulava. Sem o banco era possível começar a controlar a espiral do endividamento emissionário.

Para que isso fosse possível, mais um obstáculo precisou ser removido: o próprio imperador. A solução veio com a abdicação, no dia 7 de abril de 1831, sete meses antes de entrar em vigor o instrumento legal que proibia o tráfico de escravos a partir de 7 de novembro. Com a partida do imperador encerrou-se o ciclo iniciado em 1800: agora havia um país independente com um lugar na realidade capitalista mundial.

No que se refere à economia, no entanto, a soma de políticas destinadas a fixar para o Brasil um papel de exportador de produção agrícola escravista, além da manutenção do absolutismo e de tratados externos ruinosos, fez com que a posição do país, ao final de trinta anos, fosse pior do que no ponto de partida.

Caberia aos liberais da Regência o trabalho de limpar a sujeira absolutista: conter as emissões; instalar um orçamento nacional; criar um sistema de controle sobre tratados; controlar as muitas revoltas populares que eclodiram como resposta à crise; criar um parlamentarismo real, que substituiria o poder discricionário do imperador; montar um sistema fiscal.

No período entre 1800 e 1830, ao apostar na monarquia absolutista (contra o capitalismo triunfante), os conservadores coloniais levaram o país a uma situação que resultou em atraso com relação às próprias economias concorrentes da América. Somente a partir de 1831 começaria a construção de instituições capazes de conviver com o capitalismo. O primeiro terço do século XIX, em que se sonhou com a continuidade do absolutismo como opção para o Brasil, acabou sendo um tempo essencial perdido, a base de um grande atraso em relação não apenas à Europa, mas ao próprio continente americano. O capitalismo impunha sua lei, e o Brasil corria atrás.

BIBLIOGRAFIA

ALENCASTRO, Luiz Felipe de. *O trato dos viventes*: formação do Brasil no Atlântico Sul, séculos XVI e XVII. São Paulo: Companhia das Letras, 2000.

BRAZIL, Americano do. *Súmula da história de Goiás*. Goiás: Imprensa Oficial, 1932.

CALDEIRA, Jorge. *A nação mercantilista*. São Paulo: Editora 34, 1999.

______. *História do Brasil com empreendedores*. São Paulo: Mameluco, 2009.

______ (Org.). *José Bonifácio de Andrada e Silva*. São Paulo: Editora 34, 2002. (Coleção Formadores do Brasil)

COUTINHO, José da Cunha de Azeredo. *Obras econômicas*. Organização de Sérgio Buarque de Holanda. São Paulo: Companhia Editora Nacional, 1966.

FINKELMAN, Paul. *Slavery and the founders*: Race and liberty in the age of Jefferson. Armonk, NY: ME Sharpe, 1996.

FRAGOSO, João Luís. *Homens de grossa aventura*: acumulação e hierarquia na praça mercantil do Rio de Janeiro (1790–1830). Rio de Janeiro: Arquivo Nacional, 1992.

FRANCO, Afonso Arinos de Melo; PACHECO, Cláudio. *História do Banco do Brasil*. Rio de Janeiro: AGGS Indústrias Gráficas S.A., 1979. v. 1.

HOLANDA, Sérgio Buarque de. *História geral da civilização brasileira*. São Paulo: Difusão Europeia do Livro, 1967. v. 3, 4 e 5.

LIMA, Manuel de Oliveira. *D. João VI no Brasil*. 1808–1821. São Paulo: Livraria José Olympio, 1945. 2 v. [1908]

LISBOA, José da Silva (visconde de Cairu). *Princípios de economia política*. Rio de Janeiro: Pongetti, 1956. [1804]

LUNA, Francisco Vidal; KLEIN, Herbert. *Evolução da sociedade e economia escravista de São Paulo, de 1750 a 1850*. São Paulo: Edusp, 2006.

______. *Slavery in Brazil*. Cambridge: Cambridge University Press, 2009.

MAURO, Frédéric. A conjuntura atlântica e a independência do Brasil. In: MOTA, Carlos Guilherme (Org.). *1822*: dimensões. São Paulo: Perspectiva, 1972.

______. *Portugal, o Brasil e o Atlântico (1570–1670)*. Lisboa: Editorial Estampa, 1989.

MCCOY, Drew. *The elusive Republic*: Political economy in Jeffersonian America. New York: W.W. Norton & Company, 1980.

MELLO, Evaldo Cabral de. *A outra independência*: o federalismo pernambucano de 1817 a 1824. São Paulo: Editora 34, 2004.

PELÁEZ, Carlos Manuel; SUZIGAN, Wilson. *História monetária do Brasil*: análise da política, comportamento e instituições monetárias. Brasília: UnB, 1981.

ROCHA, Antonio Penalves (Org.). *José da Silva Lisboa, visconde de Cairu*. São Paulo: Editora 34, 2001. (Coleção Formadores do Brasil)

RODRIGUES. José Honório. *Independência*: revolução e contrarrevolução. Rio de Janeiro: Francisco Alves, 1975.

ROUSSEAU, Jean-Jacques. *Do contrato social*. São Paulo: Abril Cultural, 1978.

SANTOS, Corcino Medeiros dos. *Economia e sociedade no Rio Grande do Sul*. São Paulo: Companhia Editora Nacional, 1984.

SILVA, Alberto da Costa e. *Francisco Félix de Souza, mercador de escravos*. Rio de Janeiro: Nova Fronteira, 2004.

SMITH, Adam. *A riqueza das nações*. 3. ed. São Paulo: Hemus, 2008.

SOUSA, Octávio Tarquínio de. *A vida de d. Pedro I*. Rio de Janeiro: José Olympio, 1972.

SOUZA, Simone (Coord.). *História do Ceará*. Fortaleza: Fundação Demócrito Rocha, 1994.

THOMAS, Hugh. *The slave trade*. New York: Simon & Schuster, 1997.

VERGER, Pierre. *Fluxo e refluxo do tráfico de escravos entre o golfo do Benin e a Bahia de Todos os Santos, dos séculos XVII a XIX*. 3. ed. São Paulo: Corrupio, 1987. [Paris, 1968]

WILLIAMS, Eric. *Capitalisme et esclavage*. Paris: Présence Africaine, 1968.

DETALHE DA IMAGEM DA PÁGINA 225

PARTE **5**

LILIA MORITZ SCHWARCZ
CULTURA

QUASE EUROPA, SEMIMETRÓPOLE, CIDADE INTEIRA

> *E, além disso, a grandeza desta cidade de pouca extensão é mui semelhante aí ao Sítio de Alfama, ou fazendo-lhe muito favor, ao Bairro Alto nos seus distritos mais porcos e imundos. Ora, quem vem de Lisboa aqui desmaia e esmorece: diga ao Lima, portador dessa carta, pois estou sumamente arrependido de fazer tal asneira* (Marrocos, 2008:36).

Luís Joaquim Santos Marrocos, um mal-humorado bibliotecário que chegou ao Rio de Janeiro em 1811 acompanhando os livros da Real Biblioteca, foi pouco amistoso ao definir a nova situação que experimentava, agora, no Brasil. A Livraria tardara a chegar, ficara perdida no cais de Lisboa, quase fora roubada pelos franceses, mas finalmente aportava, com seu funcionário, em território americano português. É certo que Marrocos acabaria por se habituar aos ares dos trópicos: por aqui casaria, constituiria família e morreria com idade avançada. Mas se a primeira impressão é a mais forte, com certeza a dele não foi das melhores.

Bem que o conde dos Arcos, responsável pela recepção da corte portuguesa nos trópicos, quando soube da boa nova em 14 de janeiro de 1808, tentou "maquiar" a aparência modesta da nova capital do Império. E, por mais que as elites locais tenham caprichado na iluminação das ruas, clamado pela afluência do povo na cerimônia de recepção, se esmerado na realização de missas e desfiles em homenagem à família real, nada mudava a impressão estampada no semblante dos recém-chegados em 1808. Como dizia Marrocos: tudo não passava de "grande asneira".

O fato é que, aos olhos dos que aportavam, o Rio de Janeiro parecia mesmo uma cidade partida em dois, ainda mais após a chegada dos monarcas portugueses e de toda a pesada estrutura da corte: de um lado, a morada dos colonos; de outro, a nova residência dos reis portugueses. Visto de certa perspectiva, o aglomerado ganhava ares de uma "Nova Lisboa"; de outra, a urbe mantinha a aparência de uma pequena África, tal a quantidade de escravos e libertos que perambulavam pelas ruas. Além do mais, e para espanto dos viajantes que passavam a adentrar o território desde a abertura dos portos logo em 1808, os cativos não só tomavam os logradouros, como ostentavam, de forma escancarada, objetos de sevícia: pegas, ganchos, correntes e toda sorte de instrumentos de controle. A situação era tão naturalizada que os corpos, publicamente supliciados, mais pareciam representar um grotesco espetáculo ao ar livre.

Pode-se imaginar, pois, o susto dos portugueses ao pisarem em terra firme, depois de mais de quatro meses de viagem com direito a uma escala em Salvador. Para além do calor e dos mosquitos, o Rio de Janeiro, apesar de ter se transformado, em 1763, em capital da colônia, não passava de uma vila acanhada. No início do século XIX seu núcleo principal mantinha-se limitado pelos morros do Castelo, de São Bento, de Santo Antônio e da Conceição. O ponto central ficava próximo do morro do Castelo e era a partir de lá que a cidade se espalhara por quatro freguesias: Sé, Candelária, São José e Santa Rita. No total, eram não mais de 46 ruas, quatro travessas, seis becos e 19 largos. Boa parte do movimento de expansão da nova capital se dera no sentido de domar as águas, e vários desses locais nasceram sobre aterros de brejos e mangues.

O cenário era tomado por ruas de terra batida, desniveladas, esburacadas, cheias de poças e detritos, quase sempre fétidas. No entanto, nos arredores do morro do Castelo, de frente ao mar, a cidade surgia mais vistosa, em tudo diferente. O lugar ficou conhecido como Largo do Carmo, quando ali se construiu a igreja e o convento da Ordem dos Carmelitas. No século XVII foram erguidos, ainda, os prédios para a Casa da Câmara e da Cadeia. No XVIII, o Largo foi calçado e instalou-se um chafariz executado por Valentim da Fonseca e Silva, mais conhecido como mestre Valentim. E o conjunto arquitetônico, apesar de modesto, tinha lá seu charme.

Entretanto, como capital do Império português, o Rio de Janeiro deixava muito a desejar, uma vez que tais edificações eram não só poucas, como pobres em seus traçados. Havia, porém, mais uma exceção digna de nota: no Setecentos, a Ordem Terceira do Carmo construiu, em frente ao Largo, uma igreja e um hospital, vistosos para os moldes locais. Além deles, existiam alguns prédios mais antigos, reformados e ampliados para se transformarem em sede do governo da capitania do Rio de Janeiro e depois vice-reinado. Ao lado do Paço foi construído, ainda, um cais em cantaria lavrada, três escadas e uma rampa de acesso ao mar. Tudo com certa harmonia, tanto que o Largo lembrava — em escala menor — o Terreiro do Paço da Ribeira em Lisboa, plantado bem na beira do Tejo. Não obstante, nada impedia que a imagem geral da cidade continuasse bastante provinciana. E se tais características marcavam a capital da colônia, que ostentaria, a partir de então, as instituições da monarquia recém-transplantadas, o que dizer do restante do território, ainda mais desconhecido e estranho? A não ser pelas cidades de Recife e por Salvador (capital da colônia até 1763), Belém, São Luís e Vila Rica, as demais concentrações urbanas mal passavam de entroncamentos, por onde se deslocavam tropeiros, ou viajantes em seu movimento de translado.

Por isso, logo na chegada, o governo português passou a implementar uma espécie de "projeto civilizatório", que incluía o estabelecimento das principais instituições da metrópole, como o Desembargo do Paço, o Conselho da Fazenda, a Junta de Comércio, entre tantas outras. Afinal, fazia-se necessário, e com urgência, importar e transplantar práticas que, originalmente em Portugal, faziam a máquina do Estado governar. Não obstante, e como diz o provérbio, "todo tradutor é um traidor" — o projeto de construção de uma "Nova Lisboa" estava longe de se conformar como realidade, apesar do conjunto de medidas que a corte rapidamente inaugurou. De um lado, aí se instalara uma nova imprensa, o Jardim Botânico, o Banco do Brasil, o Museu Nacional e tantos feitos que convertiam o Rio de Janeiro em espelho exemplar da metrópole. De outro, permaneciam, tal qual tradições teimosas, os costumes da terra, que invertiam o reflexo que se pretendia mirar, ou davam a ele aspecto um pouco turvo e desfocado.

Viajantes como John Luccock mencionavam, por exemplo, a falta de educação dos colonos e os precários hábitos de higiene. Segundo o inglês, a população não escovava dentes, não tomava banho e, assim, também pouco trocava de roupa. Para ele, a falta de asseio encontrava correspondência na própria estrutura da cidade, onde preponderava um ar "não só impuro, como perigoso para o trânsito". Luccock referia-se ao hábito de jogar fezes pelas janelas, mas também às epidemias que grassavam na terra.

É preciso desconfiar das memórias de viajantes, que guardam sempre um olhar externo diante da realidade que pretendem descrever. Mas também é verdade que, nesse quesito, Luccock não se encontrava isolado. Segundo Marrocos, igualmente hipocondríaco, grassava na terra "uma contínua epidemia de moléstias pelos vapores crassos e corruptos e humores pestíferos da negraria que aqui chega da costa leste" (Marrocos,

Sigismond Himely
La grande rue à Rio de Janeiro, ca. 1830

LITOGRAFIA, 25 × 33 CM
IBRAM, MINISTÉRIO DA CULTURA,
MUSEU HISTÓRICO NACIONAL, RIO DE JANEIRO

2008:102). O bibliotecário usava conceitos da época para mostrar como uma série de doenças provinha da prática de enterrar brancos nas igrejas e negros na superfície da terra, sobretudo no cemitério próximo ao Valongo, famoso mercado de escravos. Por sinal, não foram poucos os viajantes que descreveram de maneira ácida o local, e entre eles estava o francês Jacques Arago: "O Valongo é um bazar aberto a todo mundo, uma feira perpétua e permanente [...]. A mercadoria grita, implora, canta para chamar atenção" (Arago, 1822). O Brasil seria, segundo ele, o lugar do trabalho escravo: trabalho rude e dos mais violentos. Importante é que a existência da escravidão, espalhada por todo o país, chamava a atenção dos estrangeiros que visitaram a colônia brasileira, e destacava, ainda mais, uma espécie de padrão de civilidade negativo, existente no local. A comparação levava sempre à constatação da inferioridade da situação americana, sobretudo quando observada com lentes europeias.

Sem ter a preocupação de entender a particularidade dessa sociedade e os costumes em tudo misturados que então se formavam, o olhar de fora percebia a colônia apenas como uma metrópole invertida, atribuindo-lhe como adjetivo a palavra "falta": falta de cultura, falta de higiene, falta de espaço. O Brasil deveria ser, portanto, "outro", quando sempre foi e continuou a ser uma colônia no Novo Mundo, mesmo depois de decretada (em 1815) sua condição de Reino Unido. Veremos, porém, como não se constrói "outra Europa" por decreto ou mera transposição de modelos. Que a vinda da corte significou uma revolução nas paragens locais, isso não se discute. Mas também é claro como no Brasil a "civilização" foi relida e ganhou novos contornos. Esse era mesmo um Portugal improvável.

AJEITANDO A CASA: NOVAS HABITAÇÕES, PALÁCIOS E INSTITUIÇÕES

Logo que chegaram, e terminadas as longas festas de recepção, o casal real passou a governar e reinar. D. João ficaria bem alocado e, principalmente, longe de sua mulher. Elias Antônio Lopes, um rico comerciante português, resolveu "ofertar" ao príncipe regente uma casa de campo nos subúrbios de São Cristóvão, dizendo não ter outro interesse senão "o bem-estar de Sua Majestade". Conhece-se, porém, como funcionam as práticas políticas de "favor", ainda mais durante a monarquia: Elias Lopes recebeu uma pensão vitalícia por conta de sua dadivosa "oferta" e a princesa Carlota Joaquina permaneceria no Paço Real, e, depois, em uma mansão no bairro do Flamengo, bem no centro da corte.

Já para os fidalgos, funcionários e militares que ainda não tinham onde habitar ou para os que continuavam chegando, aplicou-se a lei das aposentadorias. Por meio dela, as melhores casas eram requisitadas, sem maiores explicações. Apenas dispunha-se uma placa com as letras "P.R.", cujo sentido original — Propriedade Real — foi logo convertido em outro, mais jocoso e popular: "Ponha-se na Rua". Verdade ou não, o que importa é que, diante do arbítrio desse tipo de medida, alguns proprietários se defendiam simulando ou realizando em suas residências obras dispensáveis e demoradas. Outros, ainda, faziam-se de desentendidos e não davam atenção aos desmandos do governo. O certo é que foi criando-se um ressentimento por parte da população local, nomeadamente a residente no Rio de Janeiro, contra as personagens do segundo escalão, a quem denominavam de "toma-larguras", por serem os que maiores exigências faziam. A situação geraria impasses e conflitos, que só seriam resolvidos dez anos depois, quando a lei das aposentadorias foi suspensa.

Entrementes, a despeito de certos desentendimentos, era chegada a hora de executar os ajustes necessários para o bom funcionamento da máquina administrativa na nova sede. Ao se instalar na corte do Rio de Janeiro, em 7 de março de 1808, d. João deixou clara sua intenção de, a partir da colônia, dirigir seu império, mesmo que provisoriamente. Para tanto, imediatamente organizou o primeiro ministério: a pasta dos Negócios Estrangeiros e da Guerra ficou com d. Rodrigo de Souza Coutinho, ministro que atuara fortemente no sentido de apressar a partida da corte para o Brasil. Se, até então, as questões de política externa que envolviam o Brasil eram resolvidas em Portugal, com base nos interesses metropolitanos, agora, seriam articuladas na própria colônia, detalhe que alterava o sentido e o enfoque das negociações. Além do mais, as embaixadas e delegações estrangeiras, trocando Lisboa pelo Rio de Janeiro, iriam dinamizar a vida diplomática local, dando ao Brasil o aspecto e perfil de nação soberana. Além de d. Rodrigo de Souza Coutinho, logo convertido em ministro forte da administração joanina no Brasil, João Rodrigues de Sá e Menezes, visconde de Anadia, que em Portugal já havia sido o secretário dos Negócios da Marinha e dos Domínios Ultramarinos, foi encarregado dos Negócios da Marinha. E para tratar dos assuntos internos foi escolhido Fernando José de Portugal, que trazia a experiência de ter sido vice-rei no Rio de Janeiro entre 1801 e 1806. Essa estrutura da cúpula do governo se manteve exatamente como começou: três ministros e o soberano, que detinha sempre a decisão final. Tal modelo rígido parecia representar a garantia, em terras brasileiras, da continuidade e implementação do modelo português de governança. E foi o jornal *Correio Brasiliense* quem logo manifestou certa ironia com relação à trindade ministerial, comparando-a a três diferentes relógios: um atrasado (d. Fernando Portugal); outro parado (visconde de Anadia) e o outro sempre adiantado (d. Rodrigo).

Não obstante, se a estrutura de cúpula se manteve enxuta, já nos escalões mais baixos o número de funcionários aumentava, emperrando a máquina administrativa. Afinal, muitos cargos foram sendo criados apenas para atender àqueles que vieram junto com o regente e que reclamavam subsistência. E a saída foi criar impostos pelo Brasil todo. Por outro lado, as instituições que existiam em Portugal foram transplantadas para o Brasil com o mesmo espírito de rotina burocrática. O plano era criar a nova sede, tomando a administração de Lisboa como modelo, e o primeiro ano de d. João no Brasil foi, nesse sentido, bastante ativo. O governo deu conta de instalar e fazer funcionar os setores de suas principais áreas de atuação — segurança e polícia, justiça, fazenda e área militar. Mas é sempre bom lembrar que não se tratava de começar do zero: a Coroa administrara o Brasil baseando-se no mesmo código legal que vigorava em Portugal desde o século XVII, as Ordenações Filipinas. Portanto, o processo de implantação foi tanto de sobreposição e fusão, quanto de adequação e, sendo do interesse da Coroa, também de inovação.

Também é fato que, nesse contexto, Portugal já não controlava mais, de maneira eficiente e coesa, a máquina imperial, assim como vigorava certa descentralização política. No entanto, com relação ao Brasil, e diante da situação urgente, convinha manter a lei e o controle de forma rigorosa. E as áreas essenciais para os negócios do Estado foram sendo instituídas e postas a funcionar. A estrutura judicial já contava, no Brasil, com o Tribunal de Relação e seus desembargadores dos agravos e apelações e seus ouvidores-gerais do cível e do crime, vinculado à Casa da Suplicação, sediada em Lisboa: o grande tribunal de todo o Império. Agora, a própria Casa de Suplicação seria instalada na colônia, absorvendo o Tribunal de Relação local. Outros antigos tribunais portugueses vieram na bagagem da corte: o Desembargo do Paço, instância superior que encabeçava o organograma; a Mesa de Consciência e Ordens, que mantinha o vínculo com o arcebispado do Brasil.

Assim, que ninguém se iludisse: apesar da abertura dos portos ter causado uma rachadura sensível no enfraquecido sistema colonial português, o governo continuava firme no propósito de manter seu território americano sob controle. Por outro lado, se na Europa as maiores ameaças vinham do exemplo da Revolução Francesa, no Brasil, além dos ideais iluministas e democráticos dos Estados Unidos, os ventos que sopravam da própria vizinhança precisavam ser controlados. É bom lembrar que as colônias espanholas se encontravam em processo revolucionário rumo à emancipação política: neste exato ano de 1808, Bolívar tomava o poder em Caracas, e rebeliões contra a Espanha estouravam em Quito e na Bolívia.

Logo em 5 de abril de 1808 foi criada a Intendência Geral de Polícia da Corte e do Estado do Brasil, à semelhança da que existia em Portugal desde 1760, e cujas instruções deveriam ser observadas por todas as autoridades criminais e civis espalhadas pelas cidades e vilas das capitanias. E tudo parecia ser "caso de polícia": a guarda da "pessoa real", a organização da guarda real e o estabelecimento de quartéis, as obras municipais, a fiscalização dos teatros e diversões públicas, a matrícula dos veículos e embarcações, o registro dos estrangeiros e a expedição de passaportes, a promoção e policiamento de festas públicas, a detenção de escravos fugidos, a perseguição e prisão de pessoas ou grupos que criticassem ou se opusessem ao governo.

Era preciso cuidar, também, das finanças, e o Erário e o Conselho da Fazenda, uma vez transplantados, passaram a administrar de perto as já existentes Alfândega, Junta da Fazenda, Intendência da Marinha e Armazéns Reais. Ainda em 1808 deu-se a criação do Banco do Brasil, com o objetivo de agilizar e atender os interesses do comércio. Da mesma forma, se a Real Junta do Comércio, Agricultura, Fábricas e Navegação já contava, na colônia, com Casas de Inspeção, alterava-se apenas a denominação: seria Junta do Comércio, Agricultura, Fábricas e Navegação do Brasil. A simples troca das palavras — "Real" por "Brasil" — sugeria a presença da monarquia, agora instalada na América, mas sinalizava também para certa autonomia.

UMA JOVEM IMPRENSA PARA UM NOVO IMAGINÁRIO POLÍTICO

O importante é que, se a história muitas vezes se parece com um previsível processo repetitivo, nesse caso, o que estava acontecendo era bastante novo: a colônia transformava-se em sede da metrópole, e a metrópole, por razões contingenciais, via-se na obrigação de se submeter a seus desmandos. Por isso, não há como separar a situação política da cultural, até porque era uma nova "cultura política" que se criava nesse contexto, cruzando, sobrepondo e colocando em tensão tradições muito distintas e agora em contato. Duas realidades viravam uma só e era preciso criar convenções, se a filosofia reinante implicava convencer (para dentro e para fora) que tínhamos nova hierarquia e desenho de Estado. E não por acaso, uma enxurrada de documentos foi sendo produzida para concretizar e tornar real essa inversão de papéis: legislações, papéis diplomáticos e todos os documentos produzidos pelas repartições do real serviço. Era preciso publicá-los, mas, até então, a montagem de oficinas tipográficas na colônia era expressamente proibida, e as tímidas iniciativas tiveram existência efêmera. No entanto, agora a história era outra e, em 13 de maio de 1808, dia do aniversário de d. João, como se tudo fosse pretexto para homenagem, criou-se a Impressão Régia. Foi o historiador Benedict Anderson quem mostrou a relevância da imprensa, no século XIX, para a conformação de novos imaginários políticos, muitas vezes afinados ao Estado. Um tempo simultâneo transparecia e dava realidade ao que mais poderia lembrar um jogo de projeções: tínhamos rei, ele morava no Brasil e de lá governava. E não por coincidência especificavam-se as funções da nova instituição: além da obrigação de publicar a documentação oficial, o decreto previa a impressão de todas e quaisquer obras e, ainda mais, daquelas que ajudassem a divulgar a imagem da própria monarquia. O nome de batismo, Impressão Régia, foi com o tempo alterado, acompanhando de perto os acontecimentos políticos: em 1815, ano da elevação da colônia a Reino Unido, passou a ser Régia Oficina Tipográfica; em 1818, d. João era aclamado rei e a oficina mudou o nome para Tipografia Real. Peça-chave na nova arquitetura que se montava, a Impressão faria as vezes da "propaganda de Estado". Presente, passado e futuro surgiam como efeitos de ilusão, a partir dessa documentação que passava a certeza, vertiginosa, de que tudo ocorria no contexto simultâneo.

O liberalismo da monarquia portuguesa tinha, no entanto, seus limites, e, entre as atribuições da junta diretora, constava o exame de tudo o que se mandasse publicar e o impedimento da impressão de papéis e livros cujo conteúdo contrariasse "o governo, a religião e os bons costumes". Assim, a real censura nascia colada à real tipografia, uma vez que ela se preocupava em impedir a divulgação de material que ameaçasse a já frágil estabilidade da Coroa portuguesa.

E a Impressão Régia já começaria seus trabalhos com a agenda atrasada. Para se ter uma ideia do trabalho acumulado, basta dizer que, até 1822, foram publicados 1.427 documentos oficiais. Ali se imprimia um pouco de tudo, desde que se passasse pela peneira da censura: pequenas brochuras, folhetos, opúsculos, sermões, prospectos, obras científicas e literárias, traduções de textos franceses e ingleses versando sobre agricultura, comércio, ciências naturais, matemática, história, economia política, filosofia, teatro — óperas e dramas, romance, oratória sacra, poesia, literatura infantil. Foram 720 títulos, até o ano da independência.

Também dos prelos da mesma Tipografia saiu o primeiro periódico brasileiro, uma vez que até então jornais eram proibidos de circular na colônia: a *Gazeta do Rio de Janeiro*. Seu número inaugural apareceu num sábado, 10 de setembro de 1808. A palavra "Gazeta", que compunha o título, seguia o padrão de jornais estrangeiros, assim como as dimensões: 19 × 13,5 cm. Tinha quatro páginas e a princípio seria semanal; no entanto, a partir do segundo número apareceria também às quartas-feiras. Produto de um órgão do governo, o periódico era redigido pelo frade franciscano Tibúrcio José da Rocha, oficial da secretaria de Estrangeiros e da Guerra. Com essa origem, a *Gazeta do Rio de Janeiro* seria o veículo certo para publicar feitos da monarquia que contribuíssem para expandir a imagem que mais lhe convinha. Seu conteúdo não passava, porém, da reprodução de atos oficiais, de textos traduzidos de jornais europeus e de elogios à família real. Até 1814, acompanhava-se também o andamento da guerra que se desenrolava na Europa, dando-se sempre destaque às vitórias contra Napoleão. Copiadas sobretudo de matérias publicadas no estrangeiro, o conteúdo das notícias da *Gazeta* não escondia parcialidades: os franceses eram "pragas que assolavam a Europa" e a saída de d. João "um plano sábio e abençoado".

Até a população local pouco se iludia com relação às preferências políticas da *Gazeta*. "Gastar tão boa qualidade de papel em imprimir tão ruim matéria, que melhor se empregaria se fosse usado para embrulhar manteiga", era a queixa de Hipólito José da Costa Pereira Furtado, que era do ramo e incluiu a nota no seu *Correio Braziliense*. Brasileiro, morou em Portugal, onde foi diretor da junta da Imprensa Régia em Lisboa. De funcionário, passou a inimigo do governo português; acusado de ser maçom, foi perseguido pela Inquisição e detido de 1802 a 1804, quando, fugido da prisão, foi para a Inglaterra. Três meses antes da criação oficial da *Gazeta do Rio de Janeiro*, Hipólito da Costa lançou o *Correio Braziliense*, em Londres. O periódico era mensal e durou até 1822. Proibido de entrar no Brasil, o *Correio* circulou, entretanto, clandestinamente, pelas capitanias afora. A imprensa assim se iniciava no Brasil, representando, ao mesmo tempo, possibilidade de arejamento, mas também evidência de censura. Além desses dois títulos mais regulares, vale a pena mencionar o jornal *Ideal d'Ouro do Brasil* (na Bahia), revistas como *As Variedades* e *Ensaios de Literatura* ou mesmo *O Patriota*, periódico dirigido de 1813 a 1814 pelo baiano Manuel Ferreira de Araújo Guimarães, considerado como o primeiro veículo dedicado à divulgação das ciências e das letras. O importante é que jornais e panfletos proliferariam já em tempos de Brasil independente, e cumpririam papel fundamental nos debates políticos que cercaram o imperador d. Pedro I. Foram eles, inclusive, grandes responsáveis pela abdicação do monarca, tal a virulência e coragem com que lidavam com os temas da política. A partir de então, ganhariam espaço e regularidade, transformando-se em uma voz importante e muitas vezes contestadora dos valores e rumos do governo.

Nesse momento, seriam os gêneros públicos, segundo o crítico literário Antonio Candido, ou seja, o jornalismo e a retórica, aqueles que mais ressonância teriam. No entanto, se até a chegada da corte esse tipo de manifestação tinha um conteúdo religioso e vagamente acadêmico, só nesse contexto e no momento da independência e do Primeiro Reinado é que ganharia uma nova feição, mais laica e evidentemente política.

DECRETO

TEndo-Me conſtado, que os Prélos, que ſe achão neſta Capital, erão os deſtinados para a Secretaria de Eſtado dos Negocios Eſtrangeiros, e da Guerra; e Attendendo á neceſſidade, que ha da Officina de Impreſsão neſtes Meus Eſtados: Sou ſervido, que a Caza, onde elles ſe eſtabelecêrão, ſirva interinamente de Impreſsão Regia, onde ſe imprimão excluſivamente toda a Legislação, e Papeis Diplomaticos, que emanarem de qualquer Repartição do Meu Real Serviço; e ſe poſsão imprimir todas, e quaesquer outras Obras; ficando interinamente pertencendo o ſeu governo, e adminiſtração á meſma Secretaria. Dom Rodrigo de Souza Coutinho, Do Meu Conſelho de Eſtado, Miniſtro, e Secretario de Eſtado dos Negocios Eſtrangeiros, e da Guerra o tenha aſſim entendido; e procurará dar ao emprego da Officina a maior extensão; e lhe dará todas as Inſtrucções, e Ordens neceſſarias, e participará a eſte reſpeito a todas as Eſtações o que mais convier ao Meu Real Serviço. Palacio do Rio de Janeiro em treze de Maio de mil oito centos, e oito. =

Com a Rubrica DO PRINCIPE REGENTE N. S.

Regist.

Decreto de criação da Impressão Régia no Rio de Janeiro a 13 de maio de 1808

SEÇÃO DE OBRAS RARAS DA FUNDAÇÃO BIBLIOTECA NACIONAL, RIO DE JANEIRO

Destacam-se, nesse sentido, alguns nomes e entre eles o de frei Caneca, que fez de suas ideias uma verdadeira missão política. Era um liberal arraigado, e seu *Typhis Pernambucano*, publicado de dezembro de 1823 a agosto de 1824, é exemplo de sua literatura revolucionária, contrária à tirania e favorável à "dignidade patriótica". Famosa é sua *Dissertação sobre o que se deve entender por pátria do cidadão*, de 1822, na qual transparece o tratadista retórico e o poeta ocasional. De espírito absolutamente oposto era Evaristo da Veiga, que no seu *O Verdadeiro Patriota* pratica uma evidente filosofia da moderação. Partidário da República, aceitou logo os Bragança, para evitar maiores movimentações, sobretudo, de fundo popular.

Na literatura propriamente dita, poucos nomes se destacaram e, mesmo entre os diletos, sua produção é considerada pela crítica, no máximo, mediana. Januário da Cunha Barbosa, que no futuro seria secretário do Instituto Histórico e Geográfico Brasileiro (IHGB), produziu poesia de rotina neoclássica, sempre preocupado com a política e com o patriotismo. Em seu poema *Niterói* já vemos o aparecimento da exaltação ao indigenismo romântico, que faria sucesso durante o Segundo Reinado. Natividade Saldanha, por seu lado, manteve-se atrelado à voga arcádica de meados do XVIII; isso quando não voltou a temas patrióticos como em *Pindáricas*.

Paralelamente, desenvolve-se uma produção de certa maneira ligada à experiência dos viajantes estrangeiros, que se dedicaram, em seus relatos, à exaltação da natureza brasileira, como forma de expressão dileta e particularizada — encantada até, com as belezas dos trópicos. Ficou conhecido no exterior o texto de Theodore Taunay, filho do artista Nicolas-Antoine Taunay, que escreveu em latim — mas com tradução em francês — *Idílios brasileiros*. A obra representava o começo da exaltação da paisagem exuberante da América portuguesa. Édouard Corbière escreveria, em 1823, *Élégies brésiliennes*, uma espécie de prenúncio do romantismo de meados do século. Nesse livro já surgiria a imagem do indígena bom, nobre e honrado, que morre para não se submeter à escravidão. Mas foi Ferdinand Denis, sem dúvida, o precursor do romantismo, ao registrar a força da natureza em suas descrições do Brasil. Em seu *Scènes de la nature sous les tropiques* o viajante curioso se converte de fato ao paraíso local — perspectiva que guardaria influência decisiva sob o grupo de jovens brasileiros que nesse momento residiam na França e passariam a ter contato com Denis e sua obra. Gavet e Boucher lançariam o romance *Les toupinambas*, outro livro dessa leva de romances e tratados que ensinariam às novas gerações, que vivenciaram a independência, uma espécie de pré-romantismo, que partia da noção da necessária valorização da América. Se tínhamos uma monarquia nova, a natureza grandiosa nos redimiria e seria a base, segura, para uma nova nação e civilização. Escritores como Borges de Barros, Monte Alverne, e alguns poucos outros, acabariam por se congregar no IHGB e elegeriam a natureza e seus naturais — os indígenas estilizados — como mote para exaltação e marco de identidade. Se o começo dessa história data da época da independência, sua afirmação e amadurecimento deu-se nos marcos do reinado de d. Pedro II. Mas essa é outra história. A que tratamos de analisar se interrompe com o anúncio de uma nova literatura, mais afeita à procura de um cânone local, por oposição à antiga metrópole portuguesa. Para uma nação independente, nada como uma literatura autônoma e que seria emancipada em seus temas e valores.

UM BELO MAL-ENTENDIDO OU RUÍDOS NA TRADUÇÃO: OS NOVOS PROJETOS DE CIVILIZAÇÃO

Mas retornemos aos nossos tempos joaninos, para lidar com os impasses na organização burocrática da nova administração. Apesar de os modelos de organização administrativa terem sido importados, as peculiaridades locais iam sendo lentamente integradas às novas pretensões de civilidade. Não era fácil familiarizar-se com tantas novidades e o governo logo se viu às voltas com problemas gerados pela presença e cultura dos africanos e dos diversos grupos indígenas espalhados pela colônia. Uma boa mostra ocorreu logo em 13 de maio: o príncipe regente, por meio de uma carta régia, ordenava ao governador de Minas Gerais que iniciasse uma guerra ofensiva aos "índios antropófagos botocudos":

> *Sendo-me presentes as graves queixas que tem subido à Minha Real Presença sobre as invasões que diariamente estão praticando os índios Botocudos antropófagos em diversas, muito distantes partes da mesma capitania de Minas Gerais* [...] *e onde passam a praticar as mais horríveis e atrozes cenas da mais bárbara antropofagia, ora assassinando os portugueses e os índios mansos, por meio de feridas de que sorvem depois o sangue, ora dilacerando os corpos e comendo os seus tristes restos; tendo-se verificado na minha real presença a inutilidade de todos os meios humanos pelos quais tenho mandado que se tente a sua civilização e o reduzi-los a aldear-se e agorarem* [compartilharem] *dos bens permanentes de uma sociedade pacífica e doce* [...] *sou servido por estes e outros justos motivos, que ora fazem suspender os efeitos de humanidade que com eles tinha mandado praticar, ordenar-vos que deveis considerar como principiada contra estes índios antropófagos um guerra ofensiva...*

O impacto que o cenário e os habitantes do Brasil causavam aos recém-chegados era forte, e termos como "bárbara antropofagia", "canibalismo" ou "infectados" revelavam um verdadeiro choque e mal-entendido entre culturas. No entanto, não só os indígenas assustavam; também os negros, com seus hábitos e festas, causavam estranhamento. O marquês de Borba, por exemplo, achava que a nova terra representava o dia do Juízo: "A respeito dos pretos, não há nada que se possa comparar, parece isto uma Babilônia infame...". Em inícios do XIX, na Bahia, Luís dos Santos Vilhena condenava a excessiva diversão dos negros:

Não parece ser de muito acerto o tolerar que pelas ruas e terreiros da cidade façam multidões de negros de um e outro sexo, os seus batuques bárbaros a toque de muitos e horrorosos atabaques, dançando desonestamente canções gentílicas, falando línguas diversas e isto com alaridos horrendos e dissonantes que causam medo e estranheza, ainda aos mais afeitos na ponderação das consequências que dali podem provir.

Isso sem esquecer do medo de rebeliões negras, a exemplo do ocorrido em outras colônias americanas, ou mesmo das práticas religiosas, as quais, segundo algumas testemunhas estrangeiras, "faziam mal aos incautos".

O fato é que não se transmigravam instituições e ponto. Cada "tradução" implicava inovação, releitura, e os trabalhos seguiam nesse movimento que levava à cópia, mas somada a boa dose de imaginação. E outras dificuldades surgiam. Adicionando-se à questão das aposentadorias, os comerciantes, a maioria deles portugueses residentes no Brasil, não aceitaram de bom grado a presença de seus compatriotas que, privilegiados pela Coroa, foram ocupando seus lugares. O governo percebeu que era necessário amenizar a tensão e agradar os comerciantes lesados, assim como atrair o apoio dos proprietários locais de terra. E para acariciar a vaidade, nada como um bom título de nobreza ou outra distinção qualquer. Sem perder tempo, foi criada a Câmara do Registro das Mercês e, em 1810, a Corporação de Armas, para bem organizar o nascimento de uma nobreza e de uma heráldica em terras brasileiras. D. João concedeu, até seu retorno a Portugal, em 1821, nada menos que 254 títulos: 11 duques, 38 marqueses, 64 condes, 91 viscondes e 31 barões. E não podemos deixar de lado as condecorações, uma vez que, nesse quesito, o príncipe foi ainda mais pródigo: fez 2.630 cavaleiros, comendadores e grã-cruzes da Ordem de Cristo; 1.422 das Ordens de São Bento de Avis e 590 de Santiago. Onde há rei, há nobreza, e era preciso semear a nova terra com tudo o que pudesse dar lastro, efeito de tradição e certeza de continuidade da monarquia. Assim, ao lado da nobreza titulada fora do país, surgia uma nobreza da terra, ávida pelos mesmos símbolos de distinção europeus.

No entanto, é possível afirmar que apenas após 1811 foram definitivamente abertas as comportas para um "bom banho de civilização", assim como a colônia deveria mostrar-se apta a cumprir seu papel de sede da monarquia e cartão-postal do Império. Para começar a inverter a imagem que se tinha do Brasil, nada melhor do que um laboratório para experimentos científicos, tão ao gosto da época. A ideia de construir um horto não era nova; a família real já possuía seu Jardim Botânico localizado no Paço da Ajuda, em Portugal, e lá se desenvolviam experiências e colecionavam-se exemplares. E a inspiração foi suficiente para a elaboração de um horto botânico no Rio de Janeiro, e desenvolvido como área de aclimatação e ostentação de especiarias e plantas "de proveniência exótica". Foram plantados pés de cravo-da-índia, pimenta-do-reino, cana-caiana, árvore de cânfora, canela, cinamomo, noz-moscada e, entre as árvores frutíferas, a fruta-pão, a fruta-de-conde, a lichia da China, mangueiras, jaqueiras, jambeiros, caramboleiras, amoreiras e outras mais. Das Antilhas veio a planta *mater* da *Oreodoxaoleracea*, a palmeira-real. Também ali, em 1814, se iniciou a experiência da cultura do chá com sementes importadas de Macau e para seu trato foi contratada a vinda de uma colônia de cerca de duzentos chineses. Em 1819, com o nome de Real Jardim Botânico, o parque foi anexado ao Museu Nacional e aberto ao público.

A nova sede também "carecia" de cultura e arte, ao menos daquelas entendidas como tal, no Ocidente. E enquanto a Escola Real de Ciências, Artes e Ofícios foi aberta oficialmente em 1816, criou-se o Museu Real, mediante decreto de 6 de junho de 1808, tendo como função "estimular os estudos de botânica e zoologia no local". Se a primeira iniciativa visava dotar uma representação técnica para a nova sede; já a segunda intentava trazer um saber científico para o local. No entanto, o museu — para além da concepção inicial — não possuía acervo e por isso foi aberto apenas com uma pequena coleção doada pela própria família real e composta por peças de arte, gravuras, objetos de mineralogia, artefatos indígenas, animais empalhados e produtos naturais. Tratava-se, portanto, menos de um museu de etnografia e antes de um "gabinete de curiosidades", bem ao estilo dos estabelecimentos do século XIX.

Foi nesse bojo de medidas que se fundou em terras brasileiras a Real Biblioteca. O precioso acervo perdera a primeira viagem em 1807, mas abria suas portas ao público logo em 1814. Consequência da política cultural dos Bragança, que sempre "ajuntaram" livros, a nova biblioteca chegava com ares de civilidade: representava a entrada da "tradição e da antiguidade". Enciclopédico em sua formação, o acervo continha desde pensadores ilustrados (impedidos de circular em Portugal, por conta da censura, mas presentes em suas prateleiras), até incunábulos, documentos raros, gravuras, mapas, moedas, partituras e toda sorte de material para a formação dos príncipes. Dessa maneira, juntando-se dois mais dois, a colônia, e depois império, já não parecia tão distante e isolada. A Real Livraria, por exemplo, que foi tema central no Tratado de Independência de 1825, e que foi comprada a preço de ouro, vingou como um dos símbolos da nova monarquia. O Império podia ser novo, mas tinha a maior e a mais bem suprida biblioteca das Américas. Cultura importa-se, ou ao menos assim pensavam nossos reais governantes.

VIDA DE CORTE NA COLÔNIA

E a fama brasileira começava a crescer, na mesma proporção em que o príncipe parecia tomar gosto por seu reino tropical. Por sinal, não por coincidência, o cônsul-geral da França, Lesseps, em sua correspondência oficial a Paris, se referia ao regente como *roi du Brésil*. Afinal, fora em sua colônia tropical que d. João se livrara de uma série de moléstias (entre elas uma incômoda gota), assim como ficara longe da complicada política europeia que, mesmo com a derrota de Napoleão em 1814, ainda permanecia sujeita a discórdias e disputas territoriais. Dessa maneira, se os novos tempos sinalizavam para políticas pacificadoras e a volta aos velhos modelos banidos pela revolução, d. João não se dava por convencido: ia ficando e dotando sua colônia tal qual capital do Império. O Rio de Janeiro funcionaria, pois, como uma espécie de epicentro; não só porque na capital moravam, agora, o príncipe e sua corte, mas também porque era nesse local que se concentraram, num primeiro momento, o grosso das inovações. Vogas, costumes, políticas partiam sempre deste local.

É preciso dizer que a situação andava um tanto mudada e que, nesses quase dez anos de intervalo, desde sua chegada, o Rio mal lembrava aquela vila que recebera a corte nos idos de 1808. A população aumentara muito — da casa dos 60 mil habitantes pulara para 90 mil — e todo o espetáculo das ruas se alterava rapidamente. A antiga vila pacata agora dava lugar a uma urbe com intensa atividade, que chegava a aturdir os visitantes desacostumados a ver gente de tantas origens, múltiplas cores e costumes variados.

Mas, a despeito das visões ufanistas, o certo é que ocorria o contrário. As ruas que já eram movimentadas continuavam barulhentas, e apesar de por ordem do último vice-rei algumas terem sido calçadas e cobertas de lajedo, ainda circulavam estranhos tipos pelo local: pedintes de irmandades, escravos desempenhando todo tipo de função, senhores com suas senhoras portando guarda-chuvas para lhes livrar do sol, comerciantes apressados, guardas a manter a segurança e viajantes curiosos.

Dizia o protestante Bosche que o badalar incessante dos sinos das igrejas e mosteiros, ou o frequente estampido dos foguetes, era suficiente para perturbar o pensamento de qualquer homem razoável e para levar o recém-chegado ao desespero. Luccock achava a cidade do Rio de Janeiro, por exemplo, "a mais suja associação humana vivendo sob a curva dos céus". E com certa razão: as cidades brasileiras tinham suas ruas cheias de lama e de toda sorte de imundice. Entretanto, tal característica não era muito distante das demais capitais europeias, e mais especificamente de Lisboa, onde as ruas eram igualmente sujas e escuras e as casas de pouca importância, no que se refere ao estilo, com seus interiores exíguos e mal iluminados. Mas no Brasil tudo surgia radicalizado: o mobiliário se resumia na maioria das vezes a um oratório, um sofá de palhinha e algumas cadeiras. Normalmente, as famílias de posse reuniam-se na sala de trás, aonde por sobre uma mesa ou no chão faziam as refeições. Para a iluminação eram utilizadas lamparinas de ferro ou de outro metal, alimentadas por óleo de baleia. No entanto, mesmo sendo simples em sua arquitetura exterior, as casas da cidade não dispensavam seus balcões que, debruçados por sobre o movimento da rua, permitiam que seu proprietário testemunhasse quem passava e como passava. É o viajante Luccock, mais uma vez, quem legou a melhor descrição dessas moradias:

> *Em cada janela, e ao mesmo nível do assoalho do cômodo, havia uma espécie de plataforma de pedra, de cerca de dois pés e meio de balanço que servia de base ao balcão [...]. Era feita de treliça e dividida em painéis... formavam uma espécie de alçapão que permitia às pessoas olharem para baixo a rua, sem que elas próprias fossem vistas* (Luccock, 1975:64).

Só em poucas casas, de proprietários mais abonados, poderiam ser notadas serpentinas e candelabros com velas de cera. Nessas residências, ainda, o cardápio chegava a ser gastronômico, composto por oito a dez pratos, à semelhança do que se aprendera na metrópole. O célebre Charles Darwin, durante os poucos dias que visitou a cidade do Rio de Janeiro, assim se pronunciou a respeito: "Num dia, fazia os cálculos mais sábios para conseguir provar de tudo e pensava sair vitorioso da prova quando com profundo terror vi chegar um peru e um porco assado." Mas uma refeição normal poderia ser bem mais frugal e evidentemente as diferenças sociais inscreviam-se nos hábitos alimentares. Conta Luccock que no "jantar do meio-dia" servia-se sopa, muitos legumes, carne-seca e feijão. Em vez de pão, a farinha de mandioca era usada de forma corriqueira enquanto as frutas locais e queijos importados de Minas faziam parte das preferências locais. O milho era consumido de várias maneiras e alimentava grupos étnicos e sociais distintos: preparado assado, como pipoca, tal qual farinha (o fubá), como canjica (doce feito fervendo o milho em leite), ou jacuba (mistura de farinha de milho com rapadura e água). Já a vasta população escrava alimentava-se uma vez ao dia, de uma mistura rala, em geral composta por feijão e farinha.

O comércio de gêneros alimentícios era pequeno e tenderia a aumentar com a vinda da corte. Assim, se nos anúncios do final da década de 1800 a venda de quitutes já denotava a existência de certo mercado — uma empada com recheio de ave custava cem réis, uma feita com porco, oitenta, e outra com marisco ou camarão, sessenta réis — já em meados de 1810 ofereciam-se, na *Gazeta do Rio de Janeiro*, gêneros mais coadunados com essa elite migrada para os trópicos: diversos tipos de pão, vinhos variados, presuntos de Portugal, salames da Itália, doces europeus, frutas, aguardentes e licores.

O viajante Leithold conta que nos mercados encontrava-se toda sorte de gêneros:

> [...] *especialmente interessantes são os de animais e frutas. Nos primeiros vendem-se macacos de quatro a seis táleres* [moeda nacional do autor], *papagaios, de quatro a dez e outras aves, grandes e pequenas, a preços diversos; nos segundos atraem nossa atenção os abacaxis, as bananas, os mamões, as laranjas e outras frutas tropicais. A lenha não é vendida e distribuída, como entre nós, por fornecedores especializados, mas pelas quitandas e aos molhos, para as necessidades do dia, carregada por escravos. Assim, vendo os cozinheiros das melhores casas voltarem do mercado seguidos de um escravo, que leva, além da cesta de mantimentos, seu feixe de lenha* (Leithold e Rango, 1966:87).

Vinho também existia em quantidade, sobretudo o português, que podia ser encontrado nas praças do Rio, de Belém, Salvador e Recife. Segundo o mesmo viajante, no Brasil não se tomava água sem misturá-la com um pouco de vinho, rum ou outra bebida, pois se achava que, sem esses artifícios, o líquido faria mal: "Lembro-me de certa vez, almoçando com um amigo, bebemos três garrafas desse vinho em cinco de água sem o menor efeito para a saúde."

No Paço, era cozinheiro de d. João, José Cruz Alvarenga, que chegara com ele de Lisboa e ajudara a criar a fama de glutão do príncipe regente. E vem daí a tradição de descrever o príncipe sempre à mesa, a comer frangos com as mãos, atirando os ossos fora e limpando os dedos em guardanapos de linho. Dizem os relatos que à proporção que comia as aves, ia ele devorando fatias de pão torrado, para em seguida chupar quatro a cinco mangas da Bahia. Certa passagem pitoresca na vida de d. João é contada com regularidade: picado por um carrapato, e seguindo conselhos médicos, recorreu aos banhos de mar. Porém, como o incidente lhe trouxera dificuldades de locomoção, o príncipe regente passou a usar a "cadeirinha" para as distâncias mais curtas — pequeno carro feito para um passageiro e transportado nos ombros de escravos — e o problema virou solução, para deleite da elite local, que passou a também utilizar-se deste tipo de veículo. Não é possível distinguir fato de mito, mas o importante é que nas ruas das principais capitais, que já começavam a armar pretensões à elegância, rodavam carruagens e cadeirinhas — particulares ou de aluguel.

Ademais, nessas cidades principiava a aglutinar-se o comércio local, onde se reuniam comerciantes, em geral estrangeiros, mas também negros de ganho e negras doceiras, frades e soldados. Mas afora esses endereços elegantes, os transportes eram um problema. Para curtas distâncias utilizavam-se carroças com cortinas levadas por mulas e conduzidas por um escravo que seguia a pé, ou então num carro puxado por bois. Já na sede da corte uma variedade maior de meios de locomoção estava à disposição. A *Gazeta do Rio de Janeiro* anunciava com frequência a venda de carros para um ou dois cavalos, cobertos ou descobertos; de quatro rodas ("de cabeça de deitar para trás"); carruagens de portas; carruagens de vidros; carruagens de cortinas; carruagens à Daumont (com arreios para quatro cavalos); carruagens com duas ou quatro rodas; seges de boleia; seges montadas em molas; seges aparelhadas de casquinhas; seges de duas ou quatro rodas e traquitanas de portas, de cortinas ou de vidros. Quem não pudesse adquirir veículos, tinha ainda a possibilidade de alugá-los, seja para percorrer distâncias maiores, seja para "fazer bonito" em dias de festa ou de "grande função". Na época, havia cocheiras que alugavam seges "muito asseadas e com boas parelhas" pelo preço de cinco patacas, tanto de manhã como de tarde. Alugavam-se, ainda, criados "com toda decência" para conduzir os veículos velozes e evitar acidentes causados por condutores inexperientes.

Mas as comunicações eram, de um modo geral, difíceis, ainda mais se pensando na inteireza da colônia: passaportes eram vistoriados, entradas e saídas dificultadas e os correios muitas vezes omissos ou lentos.

Além do mais, faltavam opções de diversão, ao menos se guardarmos os moldes europeus. No Rio de Janeiro, o Passeio Público, construído entre 1779 e 1783, foi durante muito tempo o maior dos atrativos, com seus jardins bem cuidados. Touradas existiam, mas eram poucas e realizavam-se no Campo de Santana. Leithold acompanhou uma em que

> *portugueses, brasileiros, mulatos e negros vaiaram do princípio ao fim. Um tourinho magro, cuja ira alguns figurantes paramentados procuravam em vão provocar com suas capas vermelhas, permanecia fleumático, e quando parecia uma vez por outra disposto a investir, logo pulavam eles, assustados a barreira que os separa do público e eram recebidos com assobios e cascas de laranja* (Leithold e Rango, 1966:89).

Para o deleite da nobreza que então se formava, havia, sobretudo, o Real Teatro de São João, fundado em 1813, e durante dez longos anos o único mais reconhecido no país. É verdade que outrora, nos idos de 1747, na rua da Ópera, existira outro teatro, pertencente a um padre chamado Ventura, e conhecido como “Casa da Ópera”. No entanto, o empreendimento ardeu quando se representava a peça *Encantos de Medeia.* Em 1776 foi erguida, na mesma cidade, outra Casa da Ópera, onde se representaram peças de Moliére e de Antônio José. Foi ainda na época de d. João que a Casa da Ópera fechou suas portas. Ergueu-se então um novo teatro, mais equipado: o São João, que marcaria época na arte dramática na colônia. Atores chegaram de Portugal e junto com eles novas companhias: uma de canto dirigida por Ruscollu e outra de dança coordenada por Madame e monsieur Lacombe. A então célebre atriz Mariana Torres esteve no país, e foi acompanhada pela orquestra de Marcos Portugal, músico da corte de Portugal que passou a residir no Brasil e implementar a música de concerto no Brasil; junto com o padre José Maurício,“o Mozart brasileiro”. No teatro antes mencionado, o maquinista chamava-se Luís Gago e os cenógrafos eram nomes conhecidos no meio: Manuel da Costa, José Leandro de Carvalho e depois o artista francês Jean-Baptiste Debret. Para se ter uma noção dos vínculos do teatro com as lides de Estado basta lembrar que, por ocasião da abertura, foi apresentado o espetáculo *O Juramento dos Numes* (cujo libreto data de 1813); peça que logo na abertura estabelece ligações entre o “Gênio” e Sua Alteza Real.

Nicolas Edouard Lerouge

O Real Teatro São João, ca. 1820

LITOGRAFIA, 22 × 30 CM
IBRAM, MINISTÉRIO DA CULTURA,
MUSEU HISTÓRICO NACIONAL, RIO DE JANEIRO

E o teatro seria diversão frequente da família real. Nos dias de gala, d. João, sua esposa e filhos compareciam ao local e, nessas ocasiões, o interior do São João era revestido de sanefas de seda, grinaldas de flores, arandelas, lustres e na tribuna real eram dispostas cortinas de veludo franjadas de ouro. O casal real, que ganhava um elogio dramático no princípio de cada espetáculo, surgia ainda representado no novo pano de boca que homenageava sua chegada à Baía do Rio de Janeiro. Por sua vez, a plateia esmerava-se nas vestimentas, com os fidalgos ostentando comendas e as damas altos toucados entrelaçados de pérolas, pedras preciosas e por vezes coloridas penas. Antes de se iniciar a função, os espectadores se dividiam em quatro ordens de camarotes, que acomodavam um total de 1.020 pessoas. E o São João teria vida longa, convertendo-se em palco para representações não só dramáticas como políticas. Em 1821, d. João VI sagrará a Constituição nesse local, assim como também d. Pedro se utilizará desse palanque para tomar sua cena política em 1822.

Também no ramo da música d. João e seus reais governantes souberam combinar artistas vindos do exterior com os da terra. Por isso a corte se fez cercar de profissionais e em especial do compositor pardo José Maurício, que costumava deliciar o real ouvido. O padre Maurício, como era conhecido, pontificou até 1810 em todas as funções musicais sacras e profanas, quase sem concorrência; isso até a chegada de Marcos Antônio Portugal, músico mais maneiroso, formado pela escola italiana e com prática de batuta na regência das orquestras de São Carlos em Lisboa. O príncipe adotou o artista, e desde 1810 até a partida da família, Marcos Portugal colaboraria em todas as cerimônias públicas, compondo óperas e músicas sacras com "tonalidade profana" e regendo o grupo de vocalistas que trouxe de Portugal. E a música de concerto ia tomando corpo, a ponto de, em 1815, a Capela Real possuir um corpo de cinquenta cantores, entre estrangeiros e nacionais, que só destoavam por conta da coloração mais ou menos escura de suas peles. D. João era amante da música e dos cantochões, já d. Pedro era ele próprio um concertista regular, tendo composto o Hino da Independência, com letra de Evaristo da Veiga.

E havia também os músicos da fazenda Santa Cruz, a qual, além de fornecer produtos agrícolas, formava artistas eruditos — todos negros e boa parte escravos. A fazenda situava-se a cerca de 60 quilômetros da cidade do Rio de Janeiro, e ocupava uma área de grandes proporções. A propriedade chamava a atenção não só por contar com a administração real como por possuir escravos que recebiam tratamento diferenciado do habitual. Trabalhavam três dias para a fazenda, outros três nas próprias lavouras e criações; já os domingos eram dedicados ao descanso e às missas. O mais curioso, porém, era que escravos e escravas costumavam ser iniciados na música sacra, formando corais e tocando instrumentos. Os músicos foram tomando fama e a escola ficou conhecida como Conservatório de Santa Cruz.

Durante cinquenta anos — da expulsão dos jesuítas até a vinda da família real para o Brasil — a fazenda havia permanecido em processo de decadência e nunca mais apresentara a organização e rentabilidade primeiros. Entretanto, com o incentivo de d. João os músicos mestres implementaram novamente o ofício, dando sequência à tradição de educar *virtuoses* e cantores para as solenidades de culto e óperas oficiais. Em 1817, o prédio foi reformado, ganhando amplos aposentos; a capela foi redecorada, prevendo apresentações da orquestra e coral. E Santa Cruz passou a ser a residência de verão da família real e sede das solenidades promovidas por d. João e depois de d. Pedro I e mesmo II. Mas o que encantou, de fato, ao regente, amante dos cantochões gregorianos, foi mesmo a orquestra e os cantores escravos. Os músicos, além de terem talentos próprios, dedicavam muito tempo ao estudo teórico e à prática instrumental, sob orientação de mestres, como o músico, compositor e regente, o padre José Maurício. Do Conservatório saíram os primeiros professores de música, como Salvador José (o mestre de José Maurício); cantores negros, como o modinheiro Joaquim Manoel; isso sem esquecer de Maria da Exaltação, Sebastiana e Matildes, que integraram a orquestra da Real Capela do Paço da Boa Vista.

Com o costume inaugurado por d. João, os músicos de Santa Cruz seriam constantemente chamados para integrar a orquestra, o coral ou a banda do Paço de São Cristóvão e da Capela Real. Tocavam um pouco de tudo: rabecas, violoncelos, clarinetas, rabecões, flautas, fagotes, trombones, trompas, pistons, requintas, bumbos, oficlides, flautins de ébano, bombardinos e bombardões — executavam marchas militares e patrióticas, valsas, modinhas, quadrilhas. E óperas, cujas despesas — partituras, métodos, cadernos pautados, instrumentos e peças como cordas, peles, chaves, arcos e varas — ficavam por conta da Casa Real. Dessa maneira, também na área da música mais lembrávamos uma Europa distante, estranhada por conta da origem e da cor de nossos *virtuoses*. D. João, conhecido amante da música, comparecia ao teatro, nos dias de gala, e às vezes adormecia. Quando tal fato ocorria perguntava sempre a um de seus fiéis camareiros: "Já se casaram os patifes?". D. Pedro manteria o costume, e faria com que seu filho Pedro também aderisse aos escravos cantores e aos bons ares da fazenda, que se manteve forte, enquanto a monarquia continuou a reinar no Brasil.

Mas se no plano da cultura havia mudanças, os hábitos mantinham-se bastante intactos. Nas ruas transitavam sobretudo escravos, ou senhores, devidamente transportados por seus serviçais. Já o belo sexo não fazia absolutamente nada, mesmo dentro de casa, e pouco se deixava ver por estranhos. À tardinha, no entanto, apareciam as jovens às janelas ou sentavam-se horas a fio nos balcões do segundo andar das casas, cabeça descoberta, braços carregados e queixo apoiado sobre a escada. Leithold as teria visto muitas vezes de dia, quando dedicavam-se a olhar curiosamente por através das janelas das casas térreas, ou a dormirem sobre sofás de palhinha, tendo as crianças, pelo chão, sobre as chamadas esteiras de escravos. No entanto e apesar do calor, elas, assim como boa parte da população bem aquinhoada, pareciam gostar de ostentar luxo e riqueza. Segundo Leithold, mais uma vez,

> *apesar do calor e mesmo com tempo bom, a gente do povo, brasileiros e mulatos, usa uns casacos pesados e felpudos. O mesmo fazem as mulheres, que ainda se cobrem de véus pretos. Doutro modo, vestem-se elas, brasileiras e portuguesas, de sedas e tafetás; enquanto que as negras e mulatas usam tecidos grosseiros de lã em cor preta. Mesmo num clima tão quente, muitas famílias tomam chá e ainda comem às onze da noite* (Leithold e Rango, 1966:95).

E conclui o viajante haver relativamente mais luxo nas cidades brasileiras do que nas europeias: "Com dinheiro compram-se artigos e moda, franceses e ingleses; em suma, tudo. O mundo elegante veste-se, como entre nós, segundo os últimos modelos de Paris. Os homens, apesar do grande calor, usam casaco e capas das mais finas telas e meias francesas de seda." Pedras preciosas, pérolas de muitos tamanhos eram exibidas nos beija-mãos, teatros e demais funções de gala, assim como a moda seguia o gosto francês, bem como seus famosos decotes.

E, para desmentir a impressão fácil de que a corte era cópia fiel dos modelos europeus, basta lembrar dos insetos, tema constante entre viajantes que descreviam as especificidades desses "pequenos monstros" de pernas longas. Leithold desabafava: "Pessoa de consideração que reside no Brasil chamou o país por causa deles de terra das bofetadas. Isso porque para nos defendermos dos mosquitos à noite, temos que nos dar bofetadas à esquerda e à direita continuamente" (Leithold e Rango, 1966:96). E não só dos mosquitos se queixavam os viajantes. Ratos e camundongos, baratas, bichos que entravam nos dedos dos pés e cães que ladravam a noite toda faziam a desgraça desses estrangeiros que, mal refeitos do calor, tinham de lidar com os pequenos incidentes do cotidiano nos trópicos.

Lieuten Chamberlain

Uma história

IN: *VIEWS AND COSTUMES OF THE CITY AND THE NEIGHBORHOOD OF RIO DE JANEIRO*

LONDON: HAY MARKET, 1821 (PUBLISHED BY THOMAS MS LEAN)

GRAVURA, 20,3 × 27,8 CM

SEÇÃO DE ICONOGRAFIA DA FUNDAÇÃO BIBLIOTECA NACIONAL, RIO DE JANEIRO

Entretanto, o elemento que mais chamava a atenção de todo aquele que colocasse os pés no país era a população negra. "Falta gente branca", dizia o conde de Palmela para sua mulher, a 22 de janeiro de 1821, referindo-se à evidente superioridade numérica de negros no Rio. A escravidão andava por toda parte e revelava, até nos mínimos detalhes, a violência do cotidiano: o rigor da jornada, a força dos castigos, as marcas de sevícias pelo corpo, o tratamento desigual e inumano. De tão recorrente, o cativeiro simbolizava o próprio trabalho; "mãos e os pés do senhor de engenho", segundo a famosa frase do jesuíta Antonil, os escravos realizavam todo o labor, além de recair sobre eles o preconceito vigente em relação à labuta manual.

E os escravos faziam literalmente de tudo: eram barbeiros, vendedores de frutas, vendedores de angu, capim e sapé; quituteiras, carregadores de peso ou de liteiras, meninos de recado, jornaleiros (que ganhavam por jornada), cata piolhos, marceneiros, negros de ganho... Os negros de ganho eram tão numerosos que compunham categoria à parte. Prestavam toda sorte de serviço braçal e eram regulados por uma "postura do Senado da Câmara": "Haverá em cada um canto em que se costumam ajuntar os negros ganhadores um capataz (...) a quem o povo pedirá os pretos que lhe forem precisos para o serviço de que os quiserem cobrar por cada serviço de que os quiserem encarregar." Nada como "naturalizar" aberrações culturais.

Para se ter uma noção da importância desse tipo de mão de obra, basta dizer que, na década de 1820, só a corte possuía cerca de 38 mil escravos, numa população total de aproximadamente 90 mil habitantes; isso sem contar com os africanos livres que tomavam o espaço urbano. Tratava-se, desde Roma, da maior concentração de escravos. Além do mais, com as levas de escravos arrebanhados pelos negreiros e que chegavam a cada ano, a capital e a parte Nordeste do país ganhavam um aspecto africano. No Rio de Janeiro, por exemplo, na Cidade Nova, a concentração era de tal ordem, que parte do bairro ficou conhecido como "Pequena África". Por lá desfilavam africanos de diferentes origens e que portavam, orgulhosamente, escarificações no rosto e no corpo, numa evidente indicação do grupo a que pertenciam e de como a sociedade inscreve suas marcas nos corpos de seus indivíduos.

Na verdade, a chegada da família real e a concomitante abertura dos portos acabaram por elevar o tráfico a níveis muito altos. O número de africanos era tão significativo que, nesse contexto, empreenderam-se políticas em "prol da povoação branca". Das ilhas dos Açores vieram casais de ilhéus e pagaram-se por eles mesadas, assim como foram providenciadas moradias, ferramentas, carros de boi e tudo que fosse necessário. Tal desproporção se manteria em tempos de d. Pedro I, o qual, para garantir a continuidade no fornecimento da escravaria, entre os países que tratou de negociar o aceite de nossa emancipação, não descurou dos reinos africanos partícipes do tráfico de humanos.

Mas tal "desequilíbrio populacional" era de alguma maneira contrabalançado pela invasão cultural francesa. Desde a pacificação de 1814 — e até um pouco antes dela — a influência da terra dos Bourbon nessa área se fazia notar. Nos jornais da época, imigrantes franceses ofereciam seus préstimos e prometiam, pelo valor de 480 réis, milagres para quem quisesse aprender a língua de Rousseau. Costureiras imigradas e modistas alardeavam serviços para donzelas desejosas de se vestir nos trópicos como se estivessem nos calmos climas temperados. Governantas e professoras só eram valorizadas se fossem francesas. Rendas, leques, enfeites, perfumes, chapéus, joias, galões, canutilhos, penachos, laços, bordados de ouro e prata, botas e sapatos de seda — inadequados para as empoeiradas ruas cariocas, mas apropriados para o novo luxo que se apregoava —, tudo vinha do continente europeu e principalmente da França. Na Imprensa Régia, figuravam inúmeros tratados em francês, além das primeiras novelas que chegavam a prelo no Brasil: *Diabo coxo,* de Alain-René Lesage e traduzido em 1809; *Paulo e Virgínia,* de Bernardin de Saint Pierre, de 1811. Mas foi a partir de 1815, e com a derrota de Napoleão, que essa voga literária francesa pegou, mesmo, levando à loucura os leitores mais românticos de *O amor ofendido e vingado*, *A boa mãe*, *O bom marido*, *As duas desafortunadas*, *Triste efeito de uma infidelidade.* Lia-se, também, a boa literatura iluminista como *Henriada*, poema épico de Voltaire, *As cantatas* de Rousseau, ou *Iphigène*, de Racine. Também entre os livreiros locais a presença de títulos franceses era uma constante, incluindo-se aí obras de religião, filosofia, ciências e artes, história, novelas, dicionários, livros de geografia e de anedotas.

Assim, com a abertura do comércio, chegavam livremente uma grande quantidade de mercadorias finas e objetos de uso por vezes duvidoso. E a elite se acostumaria rápido com a exibição de alguns truques de brilho imediato: relógios de parede, candelabros de cristal, lustres de 12 luzes, camas de sofá com cortinado, leitos de acaju com cortinas de franjas, mesas de chá e de costura em jacarandá, quadros, papel pintado, porcelanas, cristais, vidros, panos de linho, plumas, joias, espartilhos, biombos de charão, figuras de porcelana mate — aí estavam alguns dos "trastes" diariamente anunciados em jornais cariocas, revelando como havia público cativo para tanto luxo e marcas de distinção. Conforme atestava Leithold:

> *O comércio por atacado e varejo é bastante ativo, sobretudo com a Inglaterra. Os produtos de exportação consistem em algodão, café, mandioca, peles, banha, crina, penas, arroz, fumo, anil, madeiras várias, algumas essências para farmácia, ouro e pedras preciosas. Em contrapartida importa-se ferro, aço, artefatos de cobre, farinha, sal (especialidade de Cabo-Verde), fazendas de lã, louças, vidros, pólvora, chapéus, botas e sapatos, quinquilharias e artigos de moda. Os bons artigos ingleses e franceses são às vezes mais baratos do que em Berlim, tal a abundância e variedade com que da França e da Inglaterra suprem este mercado* (Leithold e Rango, 1966:63).

E tais práticas viriam a se instalar definitivamente no cotidiano brasileiro, mesmo em tempos de Primeiro Reinado, dado igualmente às modas europeias. Como se vê, nesse novo Brasil tingiam-se hábitos, remodelavam-se instituições, ou tentava-se acomodar e nuançar barreiras sociais.

HOJE É DIA FERIADO: QUANDO O COTIDIANO É FEITO DE FESTAS E RITUAIS

Por outro lado, diante de tal variedade de origens, religiões e costumes, a capital da colônia se converteria num contínuo carnaval, com sua procissão de personagens assolando o cotidiano. Como mostra Oliveira Lima, ora surgia o desembargador da Casa de Suplicação, com sua beca de seda negra a suar com o calor de 40 graus; ora era a sege de um ministro escoltado pelos correios que vinham a cavalo, com suas fardas azuis, golas e punhos vermelhos, botas altas e chapéus jogados um pouco de lado; por vezes um batizado de negros ao catolicismo. Mas, se o rebuliço era normal, as ruas ficavam ainda mais animadas nos dias de festa. As procissões estavam na ordem do dia e as principais eram sete: a de São Sebastião, a 28 de janeiro e oito dias depois da festa do padroeiro da cidade; a de Santo Antônio, na Quarta-Feira de Cinzas; a do Triunfo, na sexta-feira que antecede o domingo de Ramos; a do Senhor dos Passos, na segunda-feira da Quaresma; a do Enterro, na sexta-feira santa; a do Corpo de Deus e a da Visitação, a 2 de julho. Nessas ocasiões, até mesmo a corte e seus súditos, com uniformes bordados, saíam em desfile, junto com o infalível cortejo de soldados de barretina pendurada no antebraço, estandartes religiosos, cantores da Real Capela e demais curiosos ou pessoas gradas. Os préstitos seguiam por entre cânticos e mais foguetes, enquanto a multidão compactada aplaudia a procissão e o comércio lucrava alto com a venda de doces e bolos.

Não eram, porém, apenas as procissões que dominavam as ruas. Foguetórios, leilões, batuques, fandangos, cavalhadas, a queima do Judas no sábado santo (proibida em 1821), a festa do Imperador do Espírito Santo, os aniversários da realeza, as datas religiosas... qualquer motivo era bom o suficiente para tirar as cidades de sua pasmaceiras semanal. Imperava, no entanto, uma hierarquia nessas festas: enquanto nos rituais religiosos eram os clérigos que comandavam, nas cívicas e nos aniversários oficiais, os representantes do príncipe regiam o andamento. Por fim, nas demais procissões de rua eram os imperadores do Divino e outras figuras do imaginário popular que tomavam a cena.

Essa mania festeira não foi, porém, uma invenção local. Tanto portugueses quanto africanos vindos de diferentes locais, já em seus países de origem, tinham o costume de assistir a cortejos reais e procissões. No caso de algumas nações africanas, eram comuns, desde o século XVIII, as cerimônias de coroação de reis locais, isso sem esquecer os reis e rainhas das congadas, cheganças e do maracatu. Quanto aos portugueses, além de habituados às procissões barrocas, conheciam muito bem as cavalhadas. No entanto, nesse reino distante, as festas cumpririam função ainda mais estratégica. Estamos nos referindo à importância simbólica das mesmas na manutenção do poder político, uma vez que a corte se utilizava e era utilizada nesses espaços formalmente consagrados às festas. As aparições públicas da realeza — seja nos cortejos reais e depois imperais, seja nas procissões — convertiam-se em demarcações territoriais e simbólicas, vinculando a imagem do príncipe à própria representação do Império português, espalhado pelos quatro cantos do mundo e governado a partir da colônia americana.

E a corte adicionaria novas datas ao já carregado calendário de festas local. Em 16 de dezembro de 1815, na véspera da comemoração do 81º aniversário de d. Maria I, d. João elevou o Brasil à condição de Reino Unido a Portugal e Algarves. E nada como selar uma nova realidade com mais festas. Por sinal, as comemorações cariocas, quando da elevação da colônia, foram motivo de júbilo para muitos brasileiros e de manifestações iradas por parte de portugueses. Nosso já conhecido Marrocos, em um parágrafo típico de sua larva, achincalhava:

> *O Senado, que em tudo se quer distinguir, em tudo que dá a conhecer que é o Senado do Brasil; e por isso fez a função mais porca, que eu não esperava ver. Em despique a mesquinhez do Senado, o corpo do comércio, todo bazófia, reserva para depois da Páscoa a sua função, alusiva ao mesmo objeto, e em que prometem*

o maior aparato e grandeza, a imitação das festas reais de Lisboa, para o que já se acha atualmente em cofre de depósito mais de cem contos de réis. Quanto a mim, o extremo também é vício (Marrocos, 2008:63).

O importante é que, entre festas, o Brasil virava um reino dos mais significativos. O Rio de Janeiro, por exemplo, havia se transformado, desde o Tratado de 1810, no grande entreposto brasileiro e pelo seu porto passava uma enormidade de produtos. O mesmo ocorria com Recife e Salvador. Do Reino Unido vinham fazendas, metais, gêneros alimentícios e mesmo vinhos espanhóis; da França, artigos de luxo, quinquilharias móveis, livros e gravuras, sedas, manteigas, licores, velas, drogas; da Holanda, cerveja, vidros, linho e genebra; da Áustria, que comercialmente representava o norte da Itália e o sul da Alemanha, relógios, pianos, fazendas de linho e seda, veludos, ferragens, produtos químicos; do resto da Alemanha, vidros da Boêmia, brinquedos de Nuremberg, utensílios de ferro e latão; da Rússia e Suécia, mais utensílios de ferro, cobre, couro, alcatrão; da costa da África, ouro em pó, marfim, pimenta, ébano, cera, azeite de dendê, goma arábica e — a nota triste dessa relação — escravos negros.

E no reino dos imponderáveis também se situava a sorte da família real. Em 20 de março de 1816, um pouco depois da comemoração de seu aniversário, morria d. Maria I que havia algum tempo apenas vegetava. No entanto, a despeito da situação mental da rainha-mãe, foram reservadas a ela as devidas honras. Assim que seu estado de saúde piorou, e se declarou a morte breve, saíram às ruas confrarias e membros do clero, entoando ladainhas e preces. Era outro tipo de festa que se anunciava; a festa da morte. Mas o desenrolar parecia em tudo semelhante. Nas decorações lutuosas das igrejas predominavam os tons roxos da viuvez, e a pompa da realeza se afirmava com a construção de capitéis coríntios e cúpulas de veludo preto com galões de ouro e prata. Por toda parte, missas encomendavam a alma da soberana e desejavam um descanso melhor do que a vida lhe reservara. As contemplações pela saúde de d. João fizeram reduzir o luto a oito dias, decorridos os quais a família real recebeu pêsames e saiu para ouvir missa e aspergir o caixão. A cidade toda carregaria luto por um ano, em acompanhamento ao da dinastia Bragança, que ficava sem sua rainha, mas começava a esperar pela aclamação do novo rei. A cerimônia da morte não deixava de ser uma bela encenação, sobretudo porque nesse caso abria espaços para um novo momento político. Depois de assinar, durante tanto tempo, atos em nome de outros, o príncipe preparava-se para ser aclamado rei: tudo em sua rica colônia americana e a despeito das pressões portuguesas que exigiam retorno imediato.

A COLÔNIA LEBRETON E OUTRAS MISSÕES CIENTÍFICAS: PARA UMA NOVA SEDE UMA BELA REPRESENTAÇÃO

Em 1816 chegava um grupo de artistas franceses que aqui aportava com o objetivo de começar as artes a partir do zero. Fazendo pouco da produção artística já existente na colônia, tais artistas traziam na bagagem um modelo acadêmico e neoclássico — modelo que, entre outros, dera grandiosidade, passado e memória ao governo "plebeu" de Napoleão Bonaparte. Chefiados por Joaquim Lebreton, o até então poderoso secretário da classe de belas-artes da Academia de França, aportavam artistas como Jean-Baptiste Debret — pintor neoclássico e primo do emblemático pintor David, que teria se tornado famoso em função de seus vínculos estreitos com os jacobinos e depois com o próprio Império napoleônico. O arquiteto Montigny também compunha o time, e trazia consigo o modelo necessário para a construção de monumentos grandiosos, inspirados nos exemplos da arte clássica. Até então empregado de um reino da Westefália, controlado pelo irmão mais novo de Napoleão, Montigny nesse momento perdera o emprego e a ocasião. Aí estava, ainda, Nicolas-Antoine Taunay, membro tradicional da Academia, pintor de história e de paisagem e que se licenciara por seis anos, até que a situação serenasse um pouco. Arte e Estado casavam-se de forma harmoniosa, como se a lógica de um se imbricasse na do outro. Era hora de criar uma iconografia patriótica e estatal, assim como prover de tradição essa circunstância histórica em tudo irregular e contingencial.

Afinal, transmigrada a corte e assegurada a nova situação, era agora preciso dotar a nova sede de uma história, de outra memória, e, nessa sociedade majoritariamente analfabeta, nada melhor do que uma grande iconografia para criar e projetar uma nova representação oficial. E assim se faria: ao invés de uma corte imigrada, temerosa e bastante isolada, surgiriam imagens glorificadoras desse império nos trópicos; exótico por certo, particular em suas cores, gentes e costumes, mas universal na monarquia que o liderava. Assim, juntando a fome com a vontade de comer, uniam-se dois interesses em um só. De um lado, desempregados como estavam, os artistas napoleônicos viram na estada no Brasil uma oportunidade de "fazer a América", recuperar o pecúlio perdido, afastar-se da Europa em guerra, e ainda ganhar novos repertórios culturais, fixar imagens e anotar paisagens. De outro, o governo de d. João veria nos pintores franceses uma maneira certa de contar com essa arte acadêmica que, na França, produzia quase que um exército de pintores a serviço do Estado. Maller, o representante francês no Brasil, é que foi ambivalente em sua reação: se não podia se opor, também não viu com bons olhos essa

Nicolas-Antoine Taunay

Igreja da Glória, ca. 1816–1820

ÓLEO SOBRE TELA, 32 × 46 CM

PALÁCIO DAS LARANJEIRAS, SUPERINTENDÊNCIA DE ENGENHARIA E MANUTENÇÃO DA CASA CIVIL, RIO DE JANEIRO

emigração de artistas napoleônicos. Chegou até a afirmar tratar-se de um exílio disfarçado de indivíduos mais afeitos ao extinto império francês, mas teve logo de retroceder, uma vez que nenhum dos artistas era visado pela polícia ou estava ameaçado pelas leis de segurança da monarquia restaurada.

E vários dos artistas recém-chegados em 26 de março de 1816 vinham para ficar, ao menos por algum tempo. Oportunidades não faltariam, mesmo que essas não fossem as originalmente previstas. Com o falecimento da rainha em 1816, e as futuras coroação e aclamação do novo soberano, dois atos capitais na vida de uma nação monárquica, os artistas logo perceberiam qual seria sua verdadeira função: construir cenários e dar grandiosidade a essa corte imigrada. E a despeito dos percalços iniciais, os franceses acabariam responsáveis por um conjunto de transformações bastante radical, que aos poucos relegou o barroco a segundo plano e permitiu que o neoclassicismo passasse a imperar, ao menos na corte do Rio de Janeiro.

Não se quer dizer que não existisse na colônia artistas e aprendizes — muito pelo contrário —, mas, o certo é que não havia até então ensino sistemático ou uma produção voltada para as novas necessidades da corte. A iniciação dos artistas mais se aproximava da relação de mestre-aprendiz, e pequenos artífices, sem formação acadêmica, dedicavam-se à pintura, ao desenho, à escultura e à arquitetura. Não por acaso, os maiores redutos se concentravam no Rio de Janeiro, em Vila Rica e Salvador, difundindo-se aos poucos para Recife, Olinda e Diamantina. Acresce-se a isso o fato de essa arte colonial responder em boa parte a demandas prévias, sendo os trabalhos encomendados por autoridades eclesiásticas ou civis, e excepcionalmente por particulares. Mas há um detalhe significativo: via de regra, só trabalhavam nesses ofícios indivíduos de baixa extração social, em geral mestiços e negros, de pouca educação, o que dava a esses nossos artistas não só uma formação, como uma coloração distintas.

O fato é que, na falta de escolas, e como autodidatas, esses artistas nacionais haviam controlado os códigos da produção de sua época, de forma suficiente para as demandas locais, mas não plena se pensarmos nas novas exigências que aportavam junto com a corte. Há ainda outro fato a lembrar. Também Portugal carecia de pintores de gênero ou de etnografia. Isto é, por lá existiam academias, mas não de artistas, e, assim, tanto na colônia como na metrópole, a produção desse gênero foi considerada de menor importância, ou até mesmo atividade pouco honrosa.

É dessa maneira que se explica a aceitação dos artistas franceses, acostumados com o estilo neoclássico, essa arte de combate, que se põe a serviço da revolução e trabalha em nome da criação de sua memória. Alocados a serviço do Estado, tais artistas não teriam pruridos em mostrar como se casa engajamento artístico com paixão política. O certo é que um convencionalismo temático e certa contenção acadêmica selecionaram uma arte fiel aos desígnios da corte, mais ligada portanto a um projeto palaciano, e pouco atenta a qualquer traço popular. Assim, se a tarefa primeira era propagar pela colônia uma determinada cultura das belas-artes, que provocaria mudanças a partir da introdução do modelo acadêmico e neoclássico francês, desavenças internas e a pouca efetivação do estabelecimento levaram a mudanças urgentes de plano. Por fim, diante da inexistência de um mercado de artes, o grupo teria de se filiar exclusivamente à família real, colando-se à agenda de datas e fatos que a monarquia passaria a comemorar. Depois das exéquias e cerimônias de luto viriam as de gala, por ocasião da aclamação de d. João e da vinda da futura Imperatriz do Brasil, que chegava para se casar com o príncipe d. Pedro. Assim, dependendo da data ou da ocasião, substituíam-se os ornatos fúnebres por arcos triunfais, obeliscos e iluminações. O importante era bem celebrar e lembrar.

Dessa maneira, se o grupo seria responsável por uma série de obras e projetos urbanísticos, ou pela confecção de grandes monumentos, sua grande efetivação deu-se através da associação de parte dos artistas com o Estado. E nesse departamento os artistas teriam grande sucesso: se devotariam à construção de uma série de "miragens", fachadas e edificações que tentavam driblar a distância existente entre representação e realidade. De um lado, o modelo neoclássico europeu com seus exemplos da antiguidade misturados à civilização ocidental; de outro, a colônia, que parecia aparelhar-se como metrópole, mas era marcada pela escravidão que se espalhava por todo o território.

Outras missões, de perfil mais científico e exploratório, entrariam no país, também a partir do impulso e abertura que significou a chegada da corte e sua permanência no Brasil. Desde o século XVI o Brasil se apresentava como local privilegiado para o olhar estrangeiro que, entre maravilhado e curioso, analisava esse território onde conviviam a natureza e seus naturais. Mas, até a chegada da família real e da paz de 1815, o acesso de estrangeiros era restrito, já que, preocupado com o roubo de plantas e com a manutenção das fronteiras, o governo português evitava ao máximo ceder qualquer autorização. No entanto, com a abertura dos portos a situação se alteraria radicalmente, vendo-se o país, de um dia para o outro, coalhado de estrangeiros — entre cientistas, viajantes, religiosos ou meros curiosos —, interessados em conhecer não só a natureza, como essa civilização de "raças misturadas" ao sabor dos trópicos.

Assim, pode-se dizer, seguindo o historiador Sérgio Buarque de Holanda, que as incursões científicas ao território americano dividem-se em dois períodos. Se até 1808 há o predomínio das viagens com objetivo naturalista ou geopolítico feitas por luso-brasileiros, já no segundo momento se destaca o investimento de outras potências estrangeiras e a reduzida participação luso-brasileira. Na verdade, era toda uma nova política científica que se inaugurava, uma vez que até 1808 (ou 1815, no caso dos franceses) a entrada de estrangeiros era basicamente proibida. O próprio Humboldt, um dos primeiros cientistas estrangeiros a visitar o território americano, foi olhado com desconfiança pelas autoridades coloniais. Quando entrou na Amazônia com o intuito de descobrir a confluência do rio Orinoco com o mar, acabou preso por um capitão general do governo de Portugal. O famoso livro de Antonil — *Cultura e opulência do Brasil por suas minas e drogas* — publicado originalmente em 1711, seria apreendido e destruído, nesse contexto, para não despertar a cobiça de outras nações.

O fato é que, nessa época, os portugueses mostravam-se muito mais superciliosos para com a entrada de estrangeiros do que os espanhóis, e permitiam apenas a permanência de compatriotas. A mais célebre dessas "viagens filosóficas" foi realizada por Alexandre Rodrigues Ferreira, que percorreu as capitanias do Grão-Pará, Rio Negro, Mato Grosso e Cuiabá, entre 1783 e 1792, com o objetivo de examinar, descrever e remeter à metrópole tudo que interessasse à história natural. Frei José Mariano da Conceição Veloso empreenderia expedição botânica iniciada em 1782 e prolongada até 1790.

No entanto, já no reinado de d. João, a colônia se converteria em verdadeiro ponto de encontro de estrangeiros. Viajantes de diferentes formações aportavam no país, trazendo em sua bagagem objetivos variados. Enquanto o explorador curioso, de uma maneira geral, achava interesse em tudo que via, o cientista vinha com uma teoria prévia a ser testada. Os caminhos eram muitos, o território extenso, assim como foram diversos os propósitos: coletavam-se plantas, peles, esqueletos, carcaças de animais, amostras de minério, além de dados sobre a conformação física e os comportamentos das populações locais. Tratava-se, nas palavras do historiador Sérgio Buarque de Holanda, de "um novo descobrimento". Por sua vez, o espaço selecionado transformava-se em um conjunto coerente de animais, plantas, minerais, condições geográficas e topográficas, regime de rios, ventos e também seres humanos, tratados todos como uma totalidade indivisa: uma "situação tropical".

Mas esses viajantes pretendiam mais: aportavam imbuídos de um espírito missionário, como se, tal qual irmãos mais velhos, viessem retirar, sim, mas também ensinar uma nova dicção, novas formas de reconhecer e classificar o país. Por outro lado, seus vínculos com as instituições que os financiavam faziam deles "piratas científicos" que retornavam carregados de espécimes, objetos, exemplares, prontamente instalados em museus e coleções do estrangeiro. Entre os muitos visitantes que entraram no Brasil, basta lembrar de nomes como Chamberlain e von Langsdorf. O inglês, além de ser um entomologista fanático, adquiriu uma plantação de café no prolongamento do Aqueduto da Carioca. Já o prussiano fez-se proprietário de uma fazenda na Raiz da Serra, onde cultivava mandioca. Da mesma maneira, um emigrado político, o conde Hogendorp, veio morar em Laranjeiras no Rio de Janeiro, local onde se dedicou ao plantio de café.

Mas nem todos vinham e permaneciam sozinhos. O barão de Langsdorf, por exemplo, traria junto com sua missão o pintor Rugendas, o botânico francês Ménétries, o jardineiro Riedel, o naturalista Freyreiss e o astrônomo Rubtsov. Além desses, há casos de verdadeiras missões, que aportavam na colônia em busca das mais variadas coleções e logo partiam com malas abarrotadas. Esse tipo de acervo funcionava como rica fonte de estudos; base para a conformação de museus de história natural no estrangeiro. O príncipe Maximiliano I da Baviera, por exemplo, que esteve no Brasil entre 1815 e 1817, e viajou com os naturalistas Freyreiss e Sellow, carregou para seu castelo em Neuwied nada menos que um herbário com 5 mil plantas brasileiras, além de insetos às centenas e outros exemplares da natureza; isso sem esquecer um pequeno botocudo, em carne e osso. Charles Othon Fréderic Jean Baside, conde de Clarac, chegou ao Rio em 1816, como membro da comitiva do duque de Luxemburgo. Embaixador plenipotenciário da França, enviado para tratar da restituição de Caiena, conservador do Louvre à época da Restauração e amante de viagens filosóficas, nos poucos meses que ficou no Brasil — de maio a setembro — executou centenas de desenhos acerca da natureza tropical. Caso famoso é o do botânico Auguste de Saint-Hilaire, do Museu de História Natural de Paris, que aportou no Brasil em 1816 e permaneceu na colônia portuguesa até junho de 1822. E dessa feita não era um amador que punha os pés no país; Saint-Hilaire conhecia profundamente a literatura científica e de viagem, assim como os procedimentos práticos de um naturalista: noções de agricultura, de confecção de herbários, de transporte de vegetais e sobretudo de dissecação de plantas. Coletou o que pôde e não deixou de enviar centenas de espécimes para França e Martinica.

Foi com o casamento da arquiduquesa d. Leopoldina, em 1817, que a presença germânica tornou-se ainda mais evidente. Junto com a princesa (ela mesma grande interessada em estudos naturalistas) chegariam duas missões científicas: a austríaca, da qual faziam parte Mikan (naturalista), Buchberger (pintor), Natterer (zoólogo), Raddi (botânico), Pohl (mineralogista) e Schott (jardineiro); e a bávara, dirigida por Spix e Martius, cuja vida seria, a partir de então, dedicada ao estudo zoológico, botânico, médico e etnológico do país. A colheita da dupla, prontamente apresentada ao protetor régio, Maximiliano José, abrangia além de uma parelha de índios, 85 espécies de mamíferos, 350 de aves, 130 de anfíbios, 116 de peixes, 2,7 mil insetos, oitenta aracnídeos e crustáceos e 6,5 mil plantas. Esses intrépidos viajantes percorreriam no espaço de três anos — de 1817 a 1820 — quase todo o Brasil, desde 240 de latitude sul até o Equador, e ao longo da linha, do Pará à fronteira oriental do Peru, coligindo e coletando informações geográficas, etnográficas, estatísticas e histórico naturais. Os dois naturalistas foram acompanhados, durante boa parte do tempo, pelo pintor Thomas Ender, que deixou extensa amostragem sobre a terra e a cultura americanas.

Como se vê, a lógica era do pensamento evolutivo e naturalista, que, fiado em classificações externas, estabelecia uma hierarquia única, pressupondo conhecimentos da fauna, da flora, da mineralogia e da própria humanidade. Mas o mundo tropical cobrava altos tributos dos europeus viajantes. Na expedição do barão de Langsdorf, por exemplo, as consequências foram muitas: Rugendas pegou malária, o jovem filho do pintor Taunay, Adrien, morreu afogado, e o barão perdeu o juízo. Já Thomas Ender voltaria à sua terra natal, porém sem memória. O clima, os bichos-de-pé, as formigas e os mosquitos também viravam tema de queixa. Em registro bem-humorado, um oficial prussiano contou seus tormentos em um baile realizado em 1819, na fazenda da Mandioca, propriedade de Langsdorf:

> *Às oito horas os braços, ombros e costas das damas, que trajavam vestidos decotados da moda, já tinham sido tão picadas por mosquitos, que, de tão vermelhos, assemelhavam-se a soldados após apanharem de chicote... Até mesmo eu, que não dancei, mantive-me em constante movimento, saltando como um gafanhoto, a fim de afastar os mosquitos das minhas meias de seda. Não é para menos que os bailes aqui tenham um raro valor. Primeiramente os mosquitos; segundo, o incrível calor do qual tantas pessoas sofreram em um espaço limitado* (apud Schwarcz, Azevedo e Costa, 2002).

Outros artistas chegaram ao Brasil, muitas vezes acompanhando novas missões científicas. Essa era a tarefa de Johann Moritz Rugendas, que se debatia na tentativa de dar conta dessa natureza incomensurável em exuberância e escala, mas também por criar uma tipologia para essa grande variedade de espécies. Pintor e desenhista integrante da expedição chefiada pelo barão de Langsdorff, separou-se logo do grupo e, sozinho, fixou paisagens, arquiteturas, cenas de rua, descrições da vida dos índios, tipos humanos e a vegetação de regiões brasileiras.

Falta mencionar um aspecto saliente nas descrições desses cientistas viajantes: a colônia mais se parecia com um verdadeiro "laboratório racial", onde se misturavam povos, religiões e costumes. E, nesse aspecto, o Brasil que os viajantes do XIX observaram foi profundamente marcado por uma visão dúbia: uma reação emotiva e positiva no que se refere à natureza, e uma grande aversão quando se tratava de descrever as populações locais. Ou seja, se muitos viajantes elevaram o perfil paradisíaco da natureza local, não foram poucos que atentaram para a "barbárie" desses povos, considerados atrasados em sua origem e mestiçados em suas cores e costumes. Como descrevia o príncipe de Wied-Neuwied acerca dos botocudos:

> *Domina as suas faculdades intelectuais a sensualidade mais grosseira... Como não são guiados por nenhum princípio moral, nem tampouco sujeitos a quaisquer freios sociais, deixam-se levar inteiramente pelos seus sentidos e pelos seus instintos, tais como a onça nas matas.*

Assim, no que se refere à análise da humanidade, entraram na colônia não só os modelos alentados de Rousseau — que vinculava o homem americano ao "bom selvagem" —, como as teses pessimistas de Cornelius de Pauw, o qual, combatendo uma visão que considerava idealizada, julgava os gentios a partir de conceitos como o de degeneração. Von Martius teria recuperado tal interpretação, julgando ter encontrado nos indígenas remanescentes de povos superiores já decaídos, vivendo em estágios inferiores:

> *Ainda não há muito tempo era opinião geralmente adotada que os indígenas da América foram homens diretamente emanados das mãos do criador... Enfeitados com as cores de uma filantropia e filosofia enganadora, consideravam este estado como primitivo do homem... Investigações mais aprofundadas, porém, provaram ao homem desprevenido que aqui não se trata do estado primitivo do homem, e que pelo contrário o triste e penível quadro que nos oferece o atual indígena brasileiro não é senão o resíduo de uma muito antiga, posto que perdida história* (Spix e Martius, 1979:76).

Não obstante, ainda mais condenatórias do que as anotações sobre os indígenas foram as considerações em relação à escravidão. Se alguns poucos a justificavam, a maioria reagia fortemente ao tratamento abusivo, aos castigos públicos e ao comércio e tráfico ilegais. Viajantes como Maria Graham, Kidder e até mesmo Darwin condenaram o que viram e ajudaram a conformar uma opinião geral contrária ao sistema. Mas, se a escravidão não cabia no julgamento moral desses viajantes, também não havia lugar para os rituais religiosos, onde não se distinguia de forma rígida o espaço religioso do espaço leigo.

Os estrangeiros cumpriram, pois, papel paradoxal. Se é preciso desconfiar de seus julgamentos, por outro lado, a consciência de sua distância fez do olhar de fora um testemunho especial: muitas vezes com o objetivo de criticar o local, foram mais detalhistas em suas descrições, ou desenharam rituais cujo testemunho é quase único nessa sociedade basicamente iletrada e pouco afeita a etnografias do cotidiano. De toda maneira, na percepção deste tipo de literatura, o Brasil parecia mesmo um grande laboratório; composto por animais, plantas e gentes.

Entretanto, nem só de arte e ciência vivia a sede de Império. Um dos fatos que mais feria a imagem do Rio de Janeiro, atemorizando portugueses e estrangeiros, eram as doenças que grassavam pela colônia, e médicos por aqui eram até então raros. E não por coincidência, ainda em 1808, foi impresso o primeiro trabalho médico no Brasil, por encomenda de d. João e autoria do físico-mor Manoel Vieira da Silva. O objetivo era explícito: saber as causas capazes "de conduzir muita gente à sepultura". Por sua vez, a análise do médico reunia um conjunto de razões: o clima quente e úmido; o morro do Castelo, que impedia a passagem equilibrada dos ventos; as águas estagnadas; os enterros de cadáveres de modo e em lugar impróprios. Ainda, a prejudicar a saúde pública, havia a carne verde malconservada, a falta de medicamentos e o charlatanismo. As soluções implicaram demolir o morro do Castelo, criar lazaretos para quarentenas, aterrar pântanos e construir cemitérios. Havia muito problema para pouco remédio e os primeiros profissionais de saúde tiveram de dividir o ofício com curandeiros: "charlatões", como eram então chamados pela imprensa local.

Mas o tempo ia passando e a estadia do príncipe regente se prolongava. Com isso, novas instituições de saúde acabaram sendo estruturadas. Em 1811 foi criado o Instituto Vacínico e um melhor sistema de administração dos hospitais militares foi instalado. Um ano depois já havia uma Junta Médica Cirúrgica e Administrativa do Hospital Real Militar da Corte e, em 1813, foi criada a Escola Cirúrgica, com sede no Hospital da Misericórdia. E tal política espalhava-se pelas províncias do país, como Minas Gerais, Pernambuco e Bahia. Cuidar das cidades, embelezá-las, implantar instituições centrais e garantir uma boa representação e visibilidade não eram peças fáceis dispostas no tabuleiro. Por mais que se tentasse, a colônia insistia em mostrar outras e muitas faces.

Entraria, assim, no Brasil toda uma agenda de festas — complementada pelas celebrações que marcaram a chegada da princesa Leopoldina em 1817 e a coroação de d. João em 1818. Aí estava uma nova corte, rodeada por hordas de cientistas, artistas ou curiosos que, abaixo do Equador, encontrariam um colorido e uma realidade especiais. Com eles, de alguma maneira, a monarquia tentaria reverter sua situação desfavorecida, repatriando o teatro da corte e conferindo importância, continuidade e tradição longínqua a uma situação que podia ser considerada, no mínimo, passageira e instável. Por isso mesmo, no Brasil o ritual esmerou-se e ganhou contornos até então pouco conhecidos. Presente nas festas cívicas e nas populares, mas também na imprensa oficial, nos sermões e panegíricos, nas peças teatrais que recorriam aos deuses da antiguidade clássica, nas alegorias que falavam de virtudes e gênios — o português e o brasileiro —, no beija-mão semanal, nos colóquios do rei com os naturalistas... a cada momento redesenhava-se o exercício da unificação territorial e a afirmação de uma monarquia sediada, se não para sempre, ao menos de maneira segura, nos trópicos.

Mas essa seria sempre "outra Europa" ou uma nova Europa possível. A escravidão representava o limite e a contradição fundamental dessa corte de cenários fugidios e feitos para pouco durar: o tempo de uma comemoração. De um lado, assistia-se ao desfile de uma nova nobreza, vestida no Brasil como na França; de outro, rituais religiosos estranhos interrompiam o cotidiano sonolento. Em um dia presenciava-se a coroação, grandiosa, de d. João, em outro, o espancamento de um escravo fugitivo ou uma cavalhada comemorando universos distintos: africanos e europeus. Tudo parecia ambivalente e transitório, assim como as vantagens políticas e financeiras que, igualmente, concentravam-se na corte. A calma reinante não passava de cenário frágil, assim como as demais encenações cívicas e patrióticas dos artistas franceses. Dentro do país, uma série de insurreições anunciava o descontrole crescente. Fora do território americano, um novo tipo de terremoto se aproximava e vinha dessa vez da cidade do Porto. Uma revolução estouraria naquela cidade e seria o estopim para a volta de d. João a Portugal e para o próprio processo de emancipação, que ganharia um contorno singular, por conta da condução conservadora que receberia.

O próprio império de d. Pedro seria marcado por várias convulsões, e o mesmo Jean-Baptiste Debret trataria de conferir calma e tradição a uma situação em tudo frágil. Desenharia uniformes, bandeiras e demais símbolos pátrios para o novo Império, assim como usaria de toda a sua expertise, como pintor neoclássico, primo de David e membro de seu ateliê em Paris, na elaboração de gravuras e telas comemorando a coroação, agora, de Pedro I e a "elevação" de seu reinado. Na tela que pintou para a inauguração do Império — o "Pano de Boca" —, o artista perfilou ao centro a nação brasileira (representada por uma mulher que carrega as tábuas da Constituição numa das mãos e um objeto indígena na outra), além de indígenas bravios, ao fundo; escravos leais e bandeirantes com suas armas, prontos a lutar pelo novo Estado. O Império surgia, assim, afirmando a comunhão de diferentes povos, tendo um artista acadêmico francês como seu arauto. Nesse contexto, a pintura acadêmica se imporia sobre o barroco tardio mineiro, por um século entendido como arte menor e pouco profissional. Para uma corte palaciana, nada como uma arte palaciana, que fazia dessa monarquia tropical uma realeza das mais tradicionais, a qual buscava na história uma solução de afirmação e continuidade.

De toda maneira, o Brasil sempre foi e não foi outro Portugal, outra Europa. Fiquemos com a discussão encetada sobre o Rio de Janeiro. Entre a definição de Oliveira Lima, que chamou o Rio de Janeiro de "cidade portuguesa", ou a caracterização da historiadora Mary Karasch, que a nomeou como "cidade negra", é preferível optar pelas duas. O Rio de Janeiro era mesmo a corte e a cidade exemplar, no sentido de espelhar modos e costumes considerados civilizados. Por isso o que ocorria com ela de alguma maneira merecia rebatimento no Brasil, de maneira geral. E nesse caso, enquanto a vila se modificou para se vestir como capital do império português, as permanências e continuidades eram também evidentes. As casas e traçados coloniais, as festas tomadas por costumes africanos, os hábitos alimentares, nada permite duvidar da existência de um universo, se não totalmente partilhado, com certeza plural. Não há como esquecer que os aniversários da corte eram comemorados com tradicionais procissões católicas, mas também com lundus e batuques; o comércio chique era atendido por vendedores de cor amorenada; nas solenidades se ouvia música de concerto, mas executada por escravos. O mesmo pode-se dizer da arte local, que adaptou o barroco, mas lhe conferiu tradução local: escravos ao invés de aprendizes livres, areia moldada na falta do nobre mármore, pigmentos novos no lugar da tinta italiana. De parte a parte, as cidades se embelezavam, muitas se europeizavam, assim como se aprofundava uma personalidade colonial ou suas raízes africanas ou até orientais. Aí estavam as permanências e rupturas dessa sede improvisada, moldada para desempenhar o papel de centro político dos vice-reis.

O fato é que o Brasil não se convertera rapidamente numa metrópole europeia como previa o ufanista padre Luís Gonçalves Santos, mas também não era um lugar "asselvajado e aflito", conforme descreveu o cronista Luiz Edmundo. A colônia precisava ser um espelho; mas espelhos distorcem e invertem. A vila comportava muitas vivências que se mesclaram sem de fato virarem uma só: o Brasil se europeizou enquanto a corte se amorenou, não só nas cores como nos costumes.

Vale a pena lembrar a análise que Antonio Candido faz da obra de Manuel Antônio de Almeida: *Memórias de um sargento de milícias*. Não há nenhuma intenção realista, mas o autor começa o livro dizendo que tudo se passa "no tempo do rei", e introduz as desventuras de Leonardo, o qual trafega muito bem entre diferentes ordens: a real e a popular, os portugueses e os brasileiros, a oficial e a privada. Convive e se "dá bem", portanto, nessa lógica marcada, nos termos de Candido, por uma "dialética da ordem e da desordem". Aí estava esse universo complexo onde se interpolavam conflito e negociação, civilização e hábitos coloniais, a Europa e os trópicos. Aí estava, também, uma "Europa possível", ou, antes, uma formação social original que combinava elementos ocidentais com a influência oriental, indígena e africana. Talvez por isso nossos portugueses tiveram mesmo certeza que desembarcavam num Novo Mundo. Vista de longe, a paisagem apresentava-se magnífica com os morros verdes a adornar a baía e os botos nadando nas águas translúcidas. No entanto, observado mais de perto, o espetáculo parecia desfocado, um pouco bizarro, quando não invertido. Essa continuava sendo uma metrópole improvável.

BIBLIOGRAFIA

ANDERSON, Benedict. *Comunidades imaginadas*. São Paulo: Companhia das Letras, 2008.

ARAGO, Jacques Étienne Victor. *Promenade autour du monde: pendant les années 1817, 1818, 1819 et 1820, sur les corvettes du roi l'Uranie et la Physicienne, commandées par M. Freycinet*. Abbaye Saint-Germain: LEBLANC, 1822.

BARRA, Sergio Hamilton da Silva. *Entre a corte e a cidade*: o Rio de Janeiro no tempo do rei. Rio de Janeiro: José Olympio, 2008.

BITTENCOURT, José Neves. *Da Europa possível ao Brasil aceitável*. A construção do imaginário nacional na conjuntura e formação do Estado imperial: 1808–1850. Dissertação (Mestrado em História) – Instituto de Ciências Humanas e Filosofia, Universidade Federal Fluminense, Niterói, 1988.

CANDIDO, Antonio. *Formação da literatura brasileira*. Rio de Janeiro: Ouro Sobre Azul/Academia Brasileira de Letras, 2006.

CARVALHO, Marieta Pinheiro de. *Uma ideia de cidade ilustrada*: as transformações da nova corte portuguesa. Rio de Janeiro: Lexicon, 2008.

EDMUNDO, Luiz. *A corte de d. João no Rio de Janeiro (1808–1821)*. Rio de Janeiro: Conquista, 1957. v. I.

FAORO, Raymundo. *Os donos do poder*. Porto Alegre: Globo, 1979. 2 v. [1959]

HOLANDA, Sérgio Buarque de (Org.). *História geral da civilização brasileira*. O Brasil monárquico: o processo de emancipação. v. 2. São Paulo: Difusão Europeia do Livro, 1962. t. II.

KARASCH, Mary. *A vida dos escravos no Rio de Janeiro*: 1808–1850. São Paulo: Companhia das Letras, 2000. [Princeton, 1987]

LEITHOLD, J. Von; RANGO, C. Von. *O Rio de Janeiro visto por dois prussianos em 1819*. São Paulo: Companhia Editora Nacional, 1966.

LIMA, Manuel de Oliveira. *D. João VI no Brasil*. Rio de Janeiro: Topbooks, 1996. [1908]

LUCCOCK, John. *Notas sobre o Rio de Janeiro*. Belo Horizonte: Itatiaia; São Paulo: Edusp,1975. [Londres, 1820]

MALERBA, Jurandir. *A corte no exílio*. Civilização e poder no Brasil às vésperas da Independência (1808–1821). São Paulo: Companhia das Letras, 2000.

MARROCOS, Luís Joaquim dos Santos. *Cartas do Rio de Janeiro, 1811–1821*. Lisboa: Biblioteca Nacional, 2008. [Rio de Janeiro, 1934]

MAXIMILIANO, Príncipe de Wied-Neuwied. *Viagem ao Brasil*. Belo Horizonte: Itatiaia; São Paulo: Edusp, 1989.

MELLO, Evaldo Cabral de. Um abrigo nos trópicos. *Folha de S.Paulo*, São Paulo, 16 maio 1999. Mais!

______. O Império frustrado. *Folha de S.Paulo*, São Paulo, 15 abr. 2001. Mais!

MORAES, Alexandre José de Mello. *História do Brasil-Reino e do Brasil-Império*. Belo Horizonte: Itatiaia; São Paulo: Edusp, 1982.

SANTOS, Luís Gonçalves dos. *Memórias para servir à história do Brasil*. Belo Horizonte: Itatiaia; São Paulo: Edusp, 1981. 2 v.

SCHWARCZ, Lilia Moritz. *O sol do Brasil*. Nicolas-Antoine Taunay e as desventuras dos artistas franceses na corte de d. João. São Paulo: Companhia das Letras, 2008.

______; AZEVEDO, Paulo Cesar de; COSTA, Angela Marques da. *A longa viagem da biblioteca dos reis*. São Paulo: Companhia das Letras, 2002.

SPIX, Johann Baptist Von; MARTIUS, Karl Friedrich Phillipp Von. *Viagem pelo Brasil (1817–1820)*. Belo Horizonte: Itatiaia; São Paulo: Edusp, 1979. [1823–1828-1831]

ALBERTO DA COSTA E SILVA é diplomata de carreira, serviu em Lisboa, Caracas, Washington, Madri e Roma, antes de ser embaixador na Nigéria, Benim, Portugal, Colômbia e Paraguai. Seus principais livros sobre história são: *A enxada e a lança: a África antes dos portugueses* (1992), *A manilha e o libambo: a África e a escravidão, de 1500 a 1700* (2002), *Um rio chamado Atlântico: a África no Brasil e o Brasil na África* (2003), *Francisco Félix de Souza, mercador de escravos* (2004), *Das mãos do oleiro* (2005) e *Castro Alves, um poeta sempre jovem* (2006).

LÚCIA BASTOS PEREIRA DAS NEVES é professora titular do Departamento de História da Universidade do Estado do Rio de Janeiro (Uerj). Pesquisadora do Conselho Nacional de Desenvolvimento Científico e Tecnológico (CNPq). Coordenadora do projeto Pronex Faperj/CNPq, "Dimensões e fronteiras do Estado brasileiro no século XIX" (2009–2011). Autora de *Corcundas e constitucionais: a cultura política da Independência* (2003) e *Napoleão Bonaparte: imaginário e política em Portugal* (2008). Organizadora de *Livros e impressos* (2009) e coorganizadora do *Dicionário do Brasil joanino* (Prêmio Sérgio Buarque de Holanda, 2009). Publicou diversos capítulos de livros e artigos em periódicos no Brasil e no exterior.

RUBENS RICUPERO é diplomata de carreira, foi embaixador do Brasil em Washington, Genebra e Roma, ministro do Meio Ambiente e da Amazônia, ministro da Fazenda, secretário-geral da Conferência das Nações Unidas sobre Comércio e Desenvolvimento (Unctad), em Genebra. Professor de história das relações diplomáticas do Brasil no Instituto Rio Branco, órgão incumbido de formar os diplomatas brasileiros, e professor de teoria das relações internacionais e de história diplomática na Universidade de Brasília (UNB), sendo autor de vários livros sobre história diplomática e relações internacionais.

JORGE CALDEIRA é mestre em sociologia e doutor em ciência política pela Universidade de São Paulo (USP). Autor, entre outros, dos livros *Mauá, empresário do Império* (1995), *A nação mercantilista* (1999), *O banqueiro do sertão* (2006) e *História do Brasil com empreendedores* (2009). Organizou *Viagem pela história do Brasil* (1997) e dirigiu a coleção Formadores do Brasil, para a qual organizou os volumes sobre Diogo Antônio Feijó e José Bonifácio de Andrada e Silva. Coordenou a equipe de pesquisa que reuniu a obra de José Bonifácio e a publicou no site <obrabonifacio.com.br>.

LILIA MORITZ SCHWARCZ é professora titular do Departamento de Antropologia da Universidade de São Paulo (USP). Escreveu, entre outros, *Retrato em branco e negro* (1987), *O espetáculo das raças* (1993), publicado pela Farrar Strauss & Giroux, Nova York, em 1999, e *O livro dos livros da Real Bibliotheca* (2000). Em 1999, recebeu o prêmio Jabuti de Livro do Ano por *As barbas do imperador: d. Pedro II, um monarca nos trópicos* (1998), também publicado pela Farrar Strauss & Giroux. Em 2009, recebeu o Jabuti de melhor biografia por *O Sol do Brasil* (2008).

A ÉPOCA EM IMAGENS

Nicolas Albert Delerive

Embarque de d. João, príncipe regente, de Portugal para o Brasil em 27 de novembro de 1807

ÓLEO SOBRE TELA, 65,5 × 87,8 CM
MINISTÉRIO DA CULTURA, DIVISÃO DE DOCUMENTAÇÃO FOTOGRÁFICA, INSTITUTO DOS MUSEUS E DA CONSERVAÇÃO
MUSEU NACIONAL DOS COCHES, LISBOA, PORTUGAL

Famosa imagem da partida da família real, o óleo em nada lembra o "tumulto" que foi a saída dos monarcas e de boa parte da corte. Descrito, nos documentos, com cores dantescas — com pessoas se atirando na água, forçando a entrada nos barcos, pais separados de filhos e famílias divididas —, o evento contrasta em tudo com a representação quase bucólica da pintura histórica.

Domingos Antônio de Sequeira
O príncipe regente d. João passando em revista
as tropas na Azambuja, 1803
ÓLEO SOBRE TELA, 100 × 81 CM
MINISTÉRIO DA CULTURA, INSTITUTO DOS MUSEUS E DA CONSERVAÇÃO,
PALÁCIO NACIONAL DE QUELUZ, PORTUGAL
REPRODUÇÃO FOTOGRÁFICA: JOSÉ PESSOA

A representação oficial do príncipe regente d. João, de autoria de Domingos Antônio de Sequeira (Lisboa, 1768-Roma, 1837), data de 1803. Nela vemos d. João seguindo a tópica dos retratos de soberanos feitos tal qual estátua equestre: imóveis e etéreos. A imagem representa a determinação do rei, que parece sinalizar e apontar para o destino futuro, que seria chacoalhado em pouco tempo. Nesse mesmo ano, o ministro d. Rodrigo de Sousa Coutinho, o mais conhecido líder dos ingleses, apresentou um *Memorial* ao príncipe regente apontando uma política eficiente para a administração dos negócios coloniais e sugerindo a transferência da família real para o Brasil. Para o ministro, o traslado da corte não seria apenas a saída possível para contornar a situação política europeia e a premência da invasão napoleônica. A sugestão da transferência era qualificada por d. Rodrigo como atitude de *grande sabedoria e nobreza*, pois resultaria na criação de um poderoso império na América. A ideia da transferência da família real para o Brasil, concretizada em 1808, ganhou força em 1803 com o *Memorial* de d. Rodrigo, embora o estrangeirado d. Luiz da Cunha, em fins do século XVIII, tenha publicado no periódico inglês *Investigador Português* um estudo sobre as vantagens de se transferir a sede da metrópole para a colônia portuguesa na América.

Domingos Antônio de Sequeira

Alegoria às virtudes de d. João VI, 1810

ÓLEO SOBRE TELA, 151 × 200 CM

MINISTÉRIO DA CULTURA, INSTITUTO DOS MUSEUS E DA CONSERVAÇÃO,

PALÁCIO NACIONAL DE QUELUZ, PORTUGAL

Nomeado pintor da corte por decreto de 28 de junho de 1802, Domingos Antônio de Sequeira concluiu essa tela no ano de 1810, ocasião em que a corte portuguesa, instalada no Rio de Janeiro há dois anos, ainda se esforçava por organizar seu aparato administrativo e suas instituições. Na pintura oficial não há um traço sequer da fragilidade política na qual se encontrava d. João diante, por exemplo, das incursões das tropas napoleônicas em Portugal. A serviço da corte e buscando fortalecer a imagem do Reino e de seu representante, o pintor retratou o príncipe sentado sobre nuvens e rodeado de uma grande corte de figuras alegóricas simbolizando as virtudes. Lá estão a Generosidade, a Felicidade Pública, a Religião, a Compaixão, a Clemência, a Estabilidade e Grandeza de Ânimo, o Heroísmo, a Afabilidade, a Docilidade etc. Todas estas figuras empunham seus atributos simbólicos, o que se observa nos demais elementos da cena que se veem inferiormente, no primeiro plano, onde o Gênio da Nação apresenta, em sinal de agradecimento pelas virtudes que acompanham o príncipe, a Fidelidade com uma chave ao pescoço, a Saudade com um ramo de flores do mesmo nome, a Obediência com um freio na boca, a Gratidão com uma cegonha, o Amor da Pátria com as quinas gravadas no peito e, finalmente, a História, com um buril na mão gravando num grande pedestal uma dedicatória que as figuras do Tempo, de Mercúrio e de Minerva admiram.

Tremindos insultos nas Igrejas.

Os Sacerdotes selebrando nos Altares de Deos vivo. Confessores, e Penitentes, os Inocentes
de peito não escapão dos agudos ferros dos infernaes carniceiros dentro dos mesmos Templos

Esta he chamada reforma de Napoleão. A Vossa santa Religião sofreo ella o menor
insulto? Junot Edital de 26 de Junho de 1808. Tal he o descaramento do impio.

Anônimo

Composições alegóricas alusivas às invasões francesas (1807 e 1808).
Alusão aos insultos nas igrejas e ao edital de Junot de 26 de junho de 1808

PAPEL, AGUADA DE TINTA DA CHINA COM TOQUES DE GUACHE BRANCO, 31 × 22,5 CM
BIBLIOTECA NACIONAL DE PORTUGAL

As tropas francesas alcançaram a fronteira portuguesa a 20 de novembro de 1807, não encontrando resistência militar. O príncipe regente d. João, quando soube que Napoleão ordenara às tropas francesas o avanço e o derrube da Casa de Bragança, preferiu não ser detido e forçado a uma abdicação formal. Optou por uma manobra política, deslocando-se para o Brasil e mantendo sua soberania intacta. Vários foram os combates ocorridos por Portugal comandados pelo general francês Jean Andoche *Junot* (1771–1813) e os massacres foram indiscriminados, destacando-se o à cidade de Évora, em julho de 1808, comandado pelo general Loison, no qual morreram cerca de mil pessoas, quer em combate, quer em execuções sumárias. No desenho, a representação da violência praticada pelos franceses no decorrer das invasões em Portugal e a alusão ao edital de 16 de junho de 1808 publicado por Junot, no qual pedia aos "leais" portugueses para ajudarem os "amigos" franceses contra os espanhóis revoltados.

Em cima: "Tremendos insultos nas Igrejas — Os sacerdotes celebrando nos Altares de Deos vivo. Confessores e Penitentes, os Inocentes de peito não escapão dos agudos ferros dos infernaes carniceiros dentro dos mesmos Templos".

Embaixo: "Esta he chamada reforma de Napoleão. A vossa religião sofreo elle o menor insulto? Junot Edital de 16 de junho de 1808. Tal he o descaramento do ímpio Junot."

George Woodward

A Convenção de Sintra, 1809

GRAVURA A ÁGUA-FORTE AQUARELADA, 25 × 34,5 CM

BIBLIOTECA NACIONAL DE PORTUGAL

A primeira metade do século XIX pode ser considerada a época de ouro da caricatura europeia. No contexto das guerras napoleônicas se insere o caricaturista e escritor inglês G. Woodward, autor da gravura apresentada, uma sátira aos termos da Convenção de Sintra, assinada em 31 de agosto de 1808, entre ingleses e franceses, depois da derrota da primeira Invasão Francesa, comandada por Junot. A narrativa é apresentada em sete cenas que representam, na sequência, a cidade de Lisboa, o ouro roubado e, a seguir, os "ladrões" franceses que o levaram, *sir* Arthur Wellesley, futuro duque de Wellington, a Convenção de Sintra que sancionou, os navios ingleses que os transportaram, e John Bull entristecido.

Henry L'Evêque

Embarque de Junot, s.d.

GRAVURA A ÁGUA-TINTA, 40,5 × 54 CM

MUSEU DA CIDADE, CÂMARA MUNICIPAL DE LISBOA, PORTUGAL

A 30 de agosto de 1808 foi assinada no palácio de Queluz a Convenção de Sintra, tratado que determinou a saída do exército francês de Portugal. O acordo estabelecido entre Inglaterra e França encerrou a primeira invasão francesa no contexto das Guerras Peninsulares. Após as derrotas das tropas napoleônicas nas batalhas de Roliça (17 de agosto) e do Vimieiro (21 de agosto), o general Junot propôs aos ingleses um armistício. Pela Convenção ficou definida a retirada das tropas francesas de Portugal, embarcadas em navios ingleses, transportando suas armas, bagagens e o produto dos saques efetuados em Portugal. A gravura retrata a saída de Junot e dos franceses que deixavam o território português, mas que voltariam a invadi-lo um ano mais tarde.

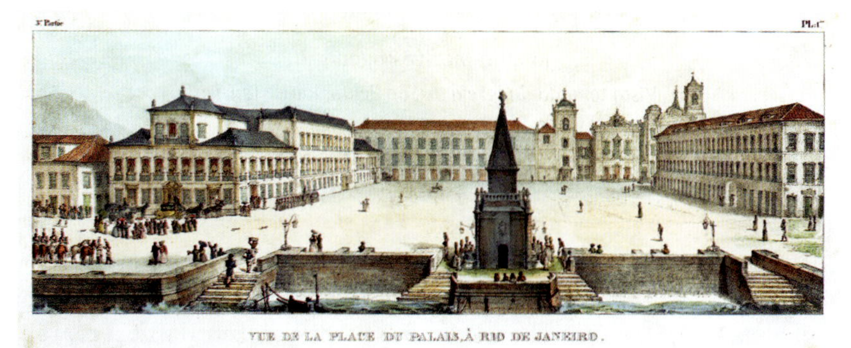

Jean-Baptiste Debret
Vista do Largo do Paço, no Rio de Janeiro

IN: *VOYAGE PITTORESQUE ET HISTORIQUE AU BRÉSIL*
PARIS: FIRMIN DIDOT FRÈRES, 1839. TOMO III, GRAVURA 01
LITOGRAFIA, 20,5 × 37,4 CM
FUNDAÇÃO BIBLIOTECA NACIONAL, RIO DE JANEIRO

Na representação de Jean-Baptiste Debret (1768–1848), o cenário do desembarque da corte portuguesa no Rio de Janeiro em 1808. O Paço Real, à esquerda da cena, aparece grandioso se comparado às figuras diminutas que, de costas para o observador da cena, acompanham o movimento do palácio e das carruagens que transportavam a família real portuguesa.

A perspectiva tomada por Debret faz lembrar o Terreiro do Paço, em Lisboa, se visto das margens do Tejo. No contexto tropical, porém, o que se vê no centro da imagem não é a estátua de d. José I, mas, em primeiro plano, o chafariz construído por mestre Valentim da Fonseca no século XVIII, rodeado de escravos que abasteciam a cidade com seus tonéis de água.

Ao fundo, o Convento das Carmelitas e a Capela Real fecham a composição da cena, que retrata a convivência ambivalente da corte e da escravidão, em planos distintos, e a arquitetura do centro político e capital do Império português na América. O cenário é quase deserto e, propositadamente, o pintor francês evitou retratar a escravidão que se espalhava por todo o território.

Johann Moritz Rugendas

Vista tomada da Igreja de São Bento, Rio de Janeiro

IN: *MALERISCHE REISE IN BRASILIEN* (...). 3ª DIVISÃO. 1827–35. PRANCHA 12

GRAVURA, 20,5 × 31 CM

ARQUIVO G. ERMAKOFF, RIO DE JANEIRO

Integrando a expedição científica do barão Langsdorff, o desenhista alemão Johann Moritz *Rugendas* (1802–1858) chegou ao Brasil em 1821 e registrou, em inúmeras gravuras, aspectos de diferentes regiões brasileiras, suas paisagens, seus costumes e tipos sociais. No Rio de Janeiro retratou uma vista da cidade, em 180°, a partir do pátio da Igreja de São Bento, com destaque para a topografia da cidade, sua arquitetura e o movimento de embarcações do porto, além da população diversa e suas relações cotidianas. Na cena estão presentes religiosos, militares e os tipos negros representados como vendedores e criados que acompanham crianças e mulheres bem trajadas. Como desenhista naturalista, Rugendas não descurava da ideia de construir "tipos", com o objetivo de melhor caracterizar a população local.

Joaquim Cândido Guillobel

Fiel retrato do interior de uma casa brasileira, ca. 1814–1816

AQUARELA, 12,1 × 16,2 CM

IBRAM, MINISTÉRIO DA CULTURA, MUSEU IMPERIAL, PETRÓPOLIS, RIO DE JANEIRO

Joaquim Cândido Guillobel (Lisboa, 1787-Rio de Janeiro, 1859) foi desenhista, aquarelista, arquiteto, militar, topógrafo e cartógrafo. Chegou ao Brasil em 1808 e, a partir de 1812, iniciou a produção de uma série de desenhos representando tipos e cenas urbanas do Rio de Janeiro. Nesta imagem, uma das muitas contribuições do militar português à representação dos costumes da sede da corte portuguesa, pode-se notar a pobreza da decoração interna das casas brasileiras, sempre descritas e pintadas com poucos móveis ou objetos de enfeite. Também se destaca a naturalização da escravidão, com os cativos ao chão e em posição semelhante, simbolicamente, à dos animais domésticos.

Jean-Baptiste Debret
Vendedores de leite e de capim
IN: *VOYAGE PITTORESQUE ET HISTORIQUE AU BRÉSIL*
PARIS: FIRMIN DIDOT FRÈRES. 1835. TOMO II, GRAVURA 06
LITOGRAFIA, 31 × 20 CM
FUNDAÇÃO BIBLIOTECA NACIONAL, RIO DE JANEIRO

Nessa imagem, como nas demais, Debret — pintor e desenhista francês que viveu no Brasil de 1816 a 1831 — esmera-se em representar escravos típicos, exóticos em suas funções (pitorescos nos termos de época), sempre atléticos e desenvoltos na realização de suas tarefas — a exemplo da negra que carrega o leite sobre a cabeça.

Formado pelo modelo de pintura histórica acadêmica, Debret dava aos escravos que descrevia um corpo grego em sua perfeição. O artista buscava ainda registrar o maior número possível de objetos na cena, numa perspectiva de síntese, enfatizando não a paisagem, mas as tarefas desenvolvidas pelos tipos sociais e seu papel na dinâmica socioeconômica da época.

Jean-Baptiste Debret

Vista do exterior da galeria durante a cerimônia de aclamação de S. M. o senhor d. João VI rei do Reino Unido de Portugal e do Brasil e Algarves, celebrada no Rio de Janeiro em 6 de fevereiro de 1818

IN: *VOYAGE PITTORESQUE ET HISTORIQUE AU BRÉSIL*
PARIS: FIRMIN DIDOT FRÈRES, 1839. TOMO III, GRAVURA 61
LITOGRAFIA, 32,5 × 23,6 CM
FUNDAÇÃO BIBLIOTECA NACIONAL, RIO DE JANEIRO

No dia 6 de fevereiro de 1818 as ruas da cidade do Rio de Janeiro foram cobertas de areia fina, flores e folhas aromáticas, monumentos efêmeros foram construídos e as fachadas das principais instituições administrativas da corte, especialmente iluminadas para celebrar a aclamação do rei.

D. João VI foi o primeiro rei aclamado na América e Debret não somente registrou o episódio em sua *Viagem pitoresca*, como se vê na imagem aqui reproduzida, como pintou um grande arco triunfal, de 60 palmos de altura por 70 de largura, projetado por Grandjean de Montigny, ladeado por colunas e no centro do qual estava a estátua de Minerva abrigando o busto de *el-rei* d. João.

Na representação da aclamação, visto de costas, todo o espetáculo poderia até ter ocorrido na Europa. Não fossem pelas sombrinhas que denunciam os trópicos, todo o ambiente parece uma encenação das mais tradicionais, com poucos "negros" a denunciar a particularidade do evento.

Simplício Rodrigues de Sá

D. Pedro I, s.d.

MINIATURA EM MARFIM, 10 × 9 CM
IBRAM, MINISTÉRIO DA CULTURA, MUSEU IMPERIAL,
PETRÓPOLIS, RIO DE JANEIRO

Na miniatura em marfim, o retrato de d. Pedro I, imperador constitucional e defensor perpétuo do Brasil, que, após a independência política de 1822, teve pela frente a tarefa de construir a unidade política do Império brasileiro, inserindo a antiga colônia no quadro econômico internacional.

Jean-Baptiste Debret

Pano de boca executado para a representação extraordinária no Teatro da Corte por ocasião da coroação do imperador do Brasil d. Pedro I

IN: *VOYAGE PITTORESQUE ET HISTORIQUE AU BRÈSIL*. TOMO III, GRAVURA 49

LITOGRAFIA, 22,1 × 33,4 CM

FUNDAÇÃO BIBLIOTECA NACIONAL, RIO DE JANEIRO

O teatro São João, no Rio de Janeiro, foi o palco escolhido para a consagração do imperador d. Pedro I e Debret foi encarregado da produção de um pano de boca que representasse o Império brasileiro e a construção de uma nova imagem da nação.

Nesse seu famoso trabalho, Debret dispôs as "três raças formadoras do Brasil" — negros, brancos e indígenas — em posição praticamente igualitária a apoiar a nova monarquia (desta feita, representada como uma mulher), humanizando a figura imperial e colocando-a no mesmo plano de representação de seus súditos. Além de introduzir divindades gregas a consagrar o soberano, Debret caprichou nos trópicos que parecem adornar e "abençoar" a cena.

Félix-Émile Taunay

Juramento da Constituição provisória das Cortes de Lisboa em 26 de fevereiro de 1821 por d. Pedro, s.d.

AQUARELA SOBRE PAPEL, 24 × 36 CM
IBRAM, MINISTÉRIO DA CULTURA,
MUSEU HISTÓRICO NACIONAL, RIO DE JANEIRO

As cortes de Lisboa foram uma assembleia constituinte instalada pela Revolução Liberal do Porto, em 1820. O objetivo era submeter a monarquia portuguesa a uma constituição que assegurasse a autoridade do rei, os limites ao poder local e os direitos de todos os povos sob domínio de Portugal, incluindo os habitantes do Brasil. Exigia também o retorno de d. João VI ao país, para restaurar os poderes de Lisboa sobre o império luso-brasileiro. As cortes reuniram-se solenemente em janeiro de 1821. Enquanto a Carta Magna estava a ser redigida, entrou em vigor uma Constituição provisória. Na representação, d. Pedro presta o juramento à Constituição a 21 de janeiro de 1821. Em abril do mesmo ano, d. João VI retornava para Portugal, deixando como regente o príncipe d. Pedro, dando início ao processo que levou à emancipação do Brasil. Mais uma vez, negros e escravos, quando não ausentes, surgem apenas como figurantes de uma cena que não lhes pertence.

CONSTITUICAO OLITICA
DO IMPERIO DO BRASIL
1824
D. PEDRO I.º
IMPERADOR CONSTITUCIONAL DO BRASIL.
IV. NO NOME REI DE PORTUGAL
I.º NA SUA RESTAURAÇÃO
EM MEMORIA DOS DIAS
25 DE MARÇO DO ANNO 1824.
25 DE ABRIL DO ANNO 1826.

Domingos Antônio de Sequeira
Pai de dois povos, em dois mundos Grande, ca. 1826
GRAVURA
FUNDAÇÃO BIBLIOTECA NACIONAL, RIO DE JANEIRO

Na representação de Domingos Antônio de Sequeira, a alusão à Constituição do Império brasileiro outorgada em 1824. O imperador d. Pedro I apoia a espada sobre a Constituição, assumindo simbolicamente o título de Defensor Perpétuo do Brasil. A princesa Maria da Glória traz nas mãos a Carta Constitucional Portuguesa, outorgada em 1826 pelo rei d. Pedro IV (d. Pedro I, no Brasil), após a morte de d. João VI, que tinha por intenção unir liberais e absolutistas, forças em conflito no cenário político português.

Anônimo

Leque confeccionado a partir da gravura anônima que representa a entrega das credenciais de sir *Charles Stuart para o reconhecimento da Independência e o Tratado de Paz com Portugal, s.d.*

FOLHA DE PAPEL PINTADO, VARETAS EM BRONZE DOURADO, 27 × 51,5 CM
INSTITUTO HISTÓRICO E GEOGRÁFICO BRASILEIRO, RIO DE JANEIRO

Dom Pedro I negociou com as nações estrangeiras o reconhecimento da independência do Brasil. Os Estados Unidos foram o primeiro país da comunidade internacional a reconhecê-la oficialmente, mas, na Europa, as nações conservadoras se opunham ao reconhecimento da independência de qualquer ex-colônia. A Inglaterra, no entanto, desempenhou um papel de mediadora nas negociações para o reconhecimento internacional da independência do Brasil, obtendo vantagens comerciais. Coube ao embaixador *sir* Charles Stuart o papel de mediar as bases da reconciliação de Portugal com o Brasil e foi por seu intermédio que, em 1825, Portugal reconheceu a independência brasileira em troca de uma indenização de 2 milhões de libras. Vale destacar que os leques vieram das colônias portuguesas orientais e invadiram os gostos e o imaginário das elites espalhadas pelo império.

1ª EDIÇÃO [2012] 11 reimpressões

ESTA OBRA FOI COMPOSTA EM NUSWIFT E IMPRESSA EM
OFSETE PELA GEOGRÁFICA SOBRE PAPEL PÓLEN NATURAL DA
SUZANO S.A. PARA A EDITORA SCHWARCZ EM MAIO DE 2023

A marca FSC® é a garantia de que a madeira utilizada na fabricação do papel deste livro provém de florestas que foram gerenciadas de maneira ambientalmente correta, socialmente justa e economicamente viável, além de outras fontes de origem controlada.

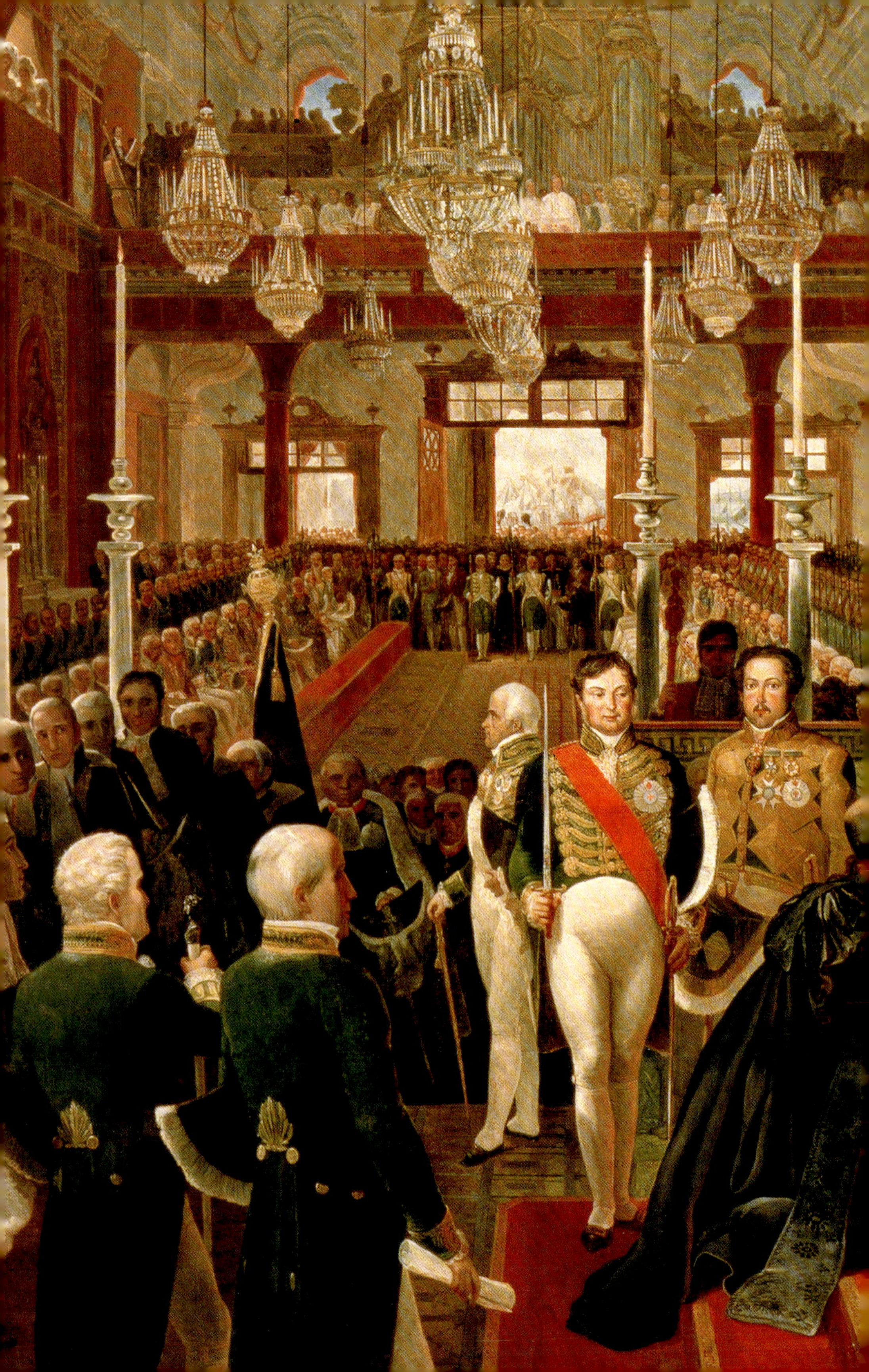